D0286539

Contes choisis

Guy de Maupassant

Contes choisis

PRÉFACE PAR
MARCEL PRÉVOST
de l'Académie française

Albin Michel

Éditions Albin Michel S.A.
22, rue Huyghens, 75014 Paris

ISBN 2-226-03259-2
ISSN 0298-2447

Guy de Maupassant est né le 5 août 1850, soit à Fécamp, soit au château de Miromesnil, près de Dieppe. Ses parents se séparent alors qu'il a douze ans ; il est confié à sa mère, sœur d'Alfred Le Poittevin qui fut le meilleur ami de Flaubert. Bachelier ès lettres en 1869, il commence à Paris des études de droit vite interrompues par la guerre. Il entre en 1872 au ministère de la Marine, trompant son ennui dans la fréquentation des canoteurs des bords de Seine. Il mène à bien son apprentissage du métier d'écrivain sous la direction de Flaubert qui, en 1874, le présente à Zola et Edmond de Goncourt. En 1875, il publie pour la première fois dans «L'Almanach lorrain». La parution en 1880, dans le recueil collectif *Les Soirées de Médan*, de *Boule de Suif* le décide à quitter le ministère de l'Education Publique où il travaillait depuis 1878. Vivant désormais de sa plume, il publie trois cents nouvelles en dix ans et six romans : *Une vie* (1883), *Bel Ami* (1885), *Mont-Oriol* (1887), *Pierre et Jean* (1888), *Fort comme la mort* (1889) et *Notre cœur* (1890). Il voyage beaucoup, notamment en Corse et en Algérie. Souffrant depuis longtemps de troubles nerveux, il est hospitalisé chez le Docteur Blanche en 1891. Il meurt le 6 juillet 1893.

LES CONTES DE MAUPASSANT

La fortune littéraire de Guy de Maupassant aura été aussi exceptionnelle après sa mort que durant sa vie. Il fut célèbre tard et soudain : inconnu à trente ans, tout le monde le connaît à trente-deux. A quarante-deux ans il est fauché en pleine activité ; mais cette activité a été si féconde, au cours de ces dix années, qu'elle a fourni trente volumes !... Une si ample production, accueillie avec une faveur tellement subite, pouvait faire présager un retour de fortune après la mort. En effet, au lendemain de la mort, la réputation d'un écrivain célèbre est menacée de deux sortes de crise : ou l'indifférence immédiate et l'oubli (Octave Feuillet) ou l'extrême sévérité d'une sorte de tribunal d'opinion institué par les contemporains. Le dernier cas fut celui de Victor Hugo, qui du reste a glorieusement gagné son procès en appel. Rien de pareil pour Guy de Maupassant. Il avait pris, à l'heure qui lui avait convenu, sa large place au premier rang des prosateurs de son temps. Disparu, cette place lui reste tout entière. Personne après lui ne s'y est installé. Il est aussi lu que de son vivant ; il l'est peut-être davantage, si l'on en juge par ce signe brutal du succès d'un conteur : la vente de ses livres.

PRÉFACE

***

L'œuvre entière de Maupassant a ainsi traversé victorieusement la crise. Le seul effet de la mort de l'auteur a été que l'opinion a classé cette œuvre par catégories : contes, nouvelles, romans, et, continuant de goûter l'ensemble, semble avoir préféré les contes, tout en mettant les nouvelles au-dessus des romans.

Il n'est pas certain cependant que Maupassant romancier, s'il eût vécu, n'eût pas contrebalancé Maupassant conteur ou nouvelliste. Ses romans, tous remarquables, ont contre eux, d'abord, l'effet du nombre. Pour cinq volumes de romans, Maupassant a écrit vingt volumes de contes ou de nouvelles, et les contes proprement dits, dans le genre et la dimension de ceux qui composent le présent recueil, remplissent vingt volumes sur vingt-cinq. Je donne les chiffres exacts parce qu'ils sont les éléments positifs du débat. Ils influent certainement sur l'étiquette de conteur accolée au nom de l'auteur d'Une Vie et de Bel-Ami. Il est juste de les noter, pour discuter ensuite plus à l'aise la valeur relative de l'œuvre du conteur et de celle du romancier.

La seconde raison qui a rendu plus spécialement populaire Maupassant conteur, c'est que le conte est une œuvre courte, facile à publier et à reproduire dans les journaux, facile à lire et à relire pour le lecteur. C'est une chose de littérature que le public se procure à bon marché, qu'il peut connaître avec peu de loisir et retenir avec peu de mémoire.

Enfin la dernière et la meilleure raison de la faveur privilégiée dont jouissent les contes de Maupassant parmi tout ce qu'il a fait, c'est sans doute qu'ils sont *vraiment ce qu'il a fait de plus personnel, de plus définitif, de plus excellent.*

En effet la mort n'a pas permis à Maupassant romancier d'accomplir toute son évolution. Ses deux derniers romans, Fort comme la mort *et* Notre Cœur, *diffèrent grandement, par le sentiment comme par l'esthétique d'*Une Vie *ou de* Bel-Ami. *Et dans* Notre Cœur *comme dans* Une Vie, *ce qui frappe l'esprit et vaut l'admiration, c'est moins la profondeur de la psychologie, l'importance du problème traité que l'art du conteur, particulièrement dans les scènes isolées.*

Quant aux nouvelles, on trouve parmi elles quelques-unes des meilleures productions de l'écrivain, Boule de Suif, Monsieur Parent, *sont près de la perfection. A dire vrai, leur mérite ne se différencie pas nettement de celui des contes. Le procédé en est identique, et c'est presque uniquement à cause de leur longueur relative qu'on les met à part des contes.*

Bien personnelles dans leur manière, les nouvelles de Maupassant avaient toutefois comme genre des analogues dans le passé littéraire. On peut citer Une Passion dans le désert, *de Balzac,* Un cœur simple, *de Flaubert, plusieurs des nouvelles de Mérimée et de Zola. Au contraire, on ne voit pas d'ancêtres littéraires aux contes. Ils ne ressemblent (je choisis, sans les comparer, deux exemples de succès) ni aux contes de Droz, qui sont des fantaisies dépourvues de prétention à la réalité pittoresque ou psychologique, ni aux contes de Daudet, qui sont pour la plupart de petits poèmes.*

PRÉFACE

Le conte bref, réel et pittoresque, à la Maupassant, est né, très probablement des nécessités pratiques, matérielles, qui s'imposaient à sa publication. Tous les premiers contes, et la plupart de ceux qui suivirent, parurent dans des journaux quotidiens. Ils ne pouvaient dépasser deux cent cinquante à trois cents lignes. Cette contrainte n'entrava pas plus la pensée de l'écrivain que les règles des poèmes à forme fixe ne gênent la pensée du poète. Maupassant, d'ailleurs, n'apporta pas ici une manière différente de celle de ses nouvelles ; il se contenta de la resserrer. Et il se trouva que ce resserrement donnait des proportions plus heureuses et un effet plus saisissant.

Toutes les rares qualités de Maupassant, si l'on y réfléchit, devaient produire leur maximum d'action dans un tel raccourci. Il composait avec une méthode rigoureuse : on sait qu'il ne prenait la plume que quand la composition préalable était achevée dans son cerveau. Alors il se dictait à lui-même, pour ainsi dire, un texte à peu près définitif. A peine si les manuscrits de cet écrivain si châtié portent quelques ratures... Or l'excellence de la composition apparaît mieux dans le conte, que l'œil et la mémoire du lecteur reflètent d'un seul coup. D'autre part, Maupassant usait d'un style précis, sans surcharge, volontiers bref. Sa phrase dépasse rarement trois lignes ; celles qui vont au-delà ne sont pas les meilleures. Or les écrivains à phrase longue échouent infailliblement dans le conte, par l'effet d'une disproportion qui saute aux yeux les moins perspicaces.

D'autre part encore, ce fut un trait caractéristique du talent de Maupassant d'exceller dans la psychologie des êtres moyens, des êtres « à la douzaine », paysans, médiocres rentiers, employés, pêcheurs à la ligne, petits gentilshommes chasseurs ; des vieilles de la bourgeoisie et du peuple, des servantes, des femmes de marins... Même quand, sur la fin de sa vie, il étudia l'âme des mondains, il ne s'efforça point sur des cas ardus, il ne cultiva pas ce que Bourget appelle les complications sentimentales. Or si, dans le roman, on a le temps et l'espace nécessaires pour poser des personnages singuliers, voués à des aventures extraordinaires, il n'en est pas de même dans le conte. Il faut que les personnages, âme et corps, soient définis en quelques mots. Rien ne s'accommode mieux de telles descriptions que l'être moyen : le type est quelque part dans notre mémoire ; il suffit de réveiller l'image. C'est le triomphe de Maupassant. Je cite quelques exemples de débuts de conte, pris dans le présent volume :

« Les pauvres gens vivaient péniblement des petits appointements du mari. Deux enfants étaient nés depuis leur mariage, et la gêne était devenue une de ces misères humbles, voilées, honteuses, une misère de famille noble qui veut tenir son rang quand même. » (A cheval.)

« Maître Chicot, l'aubergiste d'Epreville, arrêta son tilbury devant la ferme de la mère Magloire. C'était un grand gaillard de quarante ans, rouge et ventru, et qui passait pour malicieux. » (Le Petit Fût.)

« Mme Lefèvre était une dame de campagne, une veuve, une de ces demi-paysannes à rubans et à chapeaux à falbalas, de ces personnages qui parlent avec des cuirs, prennent en public des airs grandioses et cachent une âme de brute prétentieuse sous des dehors comiques et chamarrés, comme elles dissimu-

lent leurs grosses mains rouges sous des gants de soie écrue... » (Pierrot.)

Le même procédé que Maupassant applique à l'évocation des caractères lui sert pour les paysages. Rarement il les choisit extraordinaires. Et ceux qu'il réussit le mieux sont les plus familiers. Il ne force pas notre imagination, comme Loti, à rêver des décors que nous n'avons jamais vus : mais, en évoquant ce que nous avons vu, il nous donne la surprise de le revoir mieux, avec des yeux d'artiste qui choisissent et retiennent les traits essentiels.

La partie descriptive et pittoresque est d'ailleurs la joie de ces contes, par sa forte substance, sa solidité ramassée, la rondeur pleine de l'expression... Quel lecteur, pour las et paresseux qu'il soit, a jamais « passé » une description de Maupassant ? Elles sont tellement mêlées de vie qu'on ne peut les omettre, pas plus qu'on ne peut s'empêcher de voir des réalités. Je n'en citerai qu'un exemple : l'admirable commencement de La Ficelle.

« ... Sur toutes les routes autour de Goderville, les paysans et leurs femmes s'en venaient vers le bourg, car c'était jour de marché. Les mâles allaient, à pas tranquilles, tout le corps en avant à chaque mouvement de leurs longues jambes torses, déformées par les rudes travaux, par la pesée sur la charrue qui fait en même temps monter l'épaule gauche et dévier la taille, par le fauchage des blés qui fait écarter les genoux pour prendre un aplomb solide, par toutes les besognes lentes et pénibles de la campagne. Leur blouse bleue, empesée, brillante, comme vernie, ornée au col et aux poignets d'un petit dessin de fil blanc, gonflée autour de leur torse osseux, semblait un

ballon prêt à s'envoler, d'où sortaient une tête, deux bras et deux pieds.

« Les uns tiraient au bout d'une corde une vache, un veau. Et leurs femmes, derrière l'animal, lui fouettaient les reins d'une branche encore garnie de feuilles, pour hâter sa marche. Elles portaient au bras de larges paniers d'où sortaient des têtes de poulets par-ci, des têtes de canards par-là. Et elles marchaient d'un pas plus court et plus vif que leurs hommes, la taille sèche, droite et drapée dans un petit châle étriqué, épinglé sur leur poitrine plate, la tête enveloppée d'un linge blanc collé sur les cheveux et surmontée d'un bonnet.

« Puis un char à bancs passait, au trot saccadé d'un bidet, secouant étrangement deux hommes assis côte à côte et une femme, dans le fond du véhicule, dont elle tenait le bord pour atténuer les durs cahots.

« Sur la place de Goderville, c'était une foule, une cohue d'humains et de bêtes mélangés. Les cornes de bœufs, les hauts chapeaux à longs poils des paysans riches et les coiffes des paysannes émergeaient à la surface de l'assemblée. Et les voix criardes, aiguës, glapissantes, formaient une clameur continue et sauvage que dominait parfois un grand éclat poussé par la robuste poitrine d'un campagnard en gaieté, ou le long meuglement d'une vache attachée au mur d'une maison.

« Tout cela sentait l'étable, le lait et le fumier, le foin et la sueur, dégageait cette saveur aigre, affreuse, humaine et bestiale, particulière aux gens des champs... »

Enfin, pour soutenir cette perpétuelle invention, ce jaillissement continu de sujets, il fallait évidemment une imagination féconde, quasi inépuisable. S'il se fût agi de sujets singuliers, ou même recherchés, il n'est pas d'imagination qui pût y suffire : la fatigue, l'artifice apparaîtraient bien vite. C'est encore par la nature même de son observation que Maupassant fut comme destiné à la production régulière des contes. Examinez un à un les sujets, vous vous apercevrez que la plupart d'entre eux sont d'une extrême banalité, en entendant par là qu'il s'en présente de pareils tous les jours. Et de fait, quand leur succès énorme eut fait de toutes parts surgir des imitateurs, les journaux se remplirent de contes de même longueur et de même genre que ceux du maître. Tout sembla matière à un pareil exercice littéraire. Parfois, vraiment, les sujets furent aussi heureusement choisis ; mais il apparut dès lors combien la manière de Maupassant était, sinon inimitable, du moins inégalable. Nul ne parvint à donner cette impression de sûreté et d'équilibre qui résultent à la fois de sa philosophie, de son observation, de sa composition et de son style. Et à côté de tant de volumes, de contes tombés dans l'oubli, on conviendra que les contes de Maupassant survivent seuls aujourd'hui.

***

Dans cette prodigieuse moisson où vraiment aucune gerbe n'est à dédaigner, on peut cependant essayer un choix. Maupassant n'a jamais choisi que des sujets de contes parfaitement adaptés à son génie : mais certaines catégories de sujets l'ont particulièrement bien inspiré. Les contes paysans, les contes normands restent, à mon sens, les plus parfaits. (Dans ce volume : Le Petit Fût, Aux Champs, Le Vieux, La

Ficelle, La Bête à Maît' Belhomme, *etc.). Les souvenirs de la guerre en fournissent aussi une abondante récolte.* (Deux Amis — *un chef-d'œuvre —* Les Prisonniers, La mère Sauvage.) *Enfin une place à part est marquée aux contes où l'auteur évoque le fantastique. C'était là une aptitude spéciale de son génie : il a d'ailleurs payé cher cette faculté d'entrevoir et de raconter l'inconnaissable. Chose merveilleuse : il apportait à l'observation de ces fantômes la même lucidité qu'au réel. En plein dans le domaine de la chimère et de l'hallucination, son œil dilaté photographiait fidèlement les fantômes.* La Peur *et* L'Auberge *donnent d'excellents exemples de cette faculté dangereuse. Il y en a beaucoup d'autres...*

Il y en a beaucoup d'autres dans tous les genres et le lecteur qui aura achevé ce présent recueil — destiné à être mis dans toutes les mains — pourra se dire que l'œuvre complète lui réserve encore dix fois le même plaisir. L'œuvre de Maupassant, contes, nouvelles et romans, a ceci de vraiment extraordinaire que rien n'y est à dédaigner. Elle a des parties excellentes ; elle n'en a point de faibles, car, d'un bout à l'autre, certaines qualités de l'écrivain ne se démentent jamais : la netteté simple de la composition, l'intérêt soutenu, le pittoresque sobre, le style nerveux, précis, l'imagination abondante et pourtant toujours docile. Enfin, osons le dire, l'œuvre entière a ce mérite, extrêmement rare parmi les auteurs de la fin du XIXe *siècle, qu'étant une œuvre d'artiste littéraire, elle ne fait aucune parade de littérature. L'excès de littérature voulue, apparente, quasi agressive, fut certainement le vice caractéristique commun à beaucoup de contemporains de Maupassant. Maupassant eut le bonheur d'y échapper : il s'en gara volontairement (préface de* Pierre et Jean). *Cela lui valut, alors, le dédain de quelques critiques : mais son œuvre y a gagné d'être aussi vivante aujourd'hui qu'il y a quinze ans, et l'on peut prévoir que le temps n'aura guère de prise sur elle. C'est que l'appareil artificiel de littérature classe bien vite une œuvre parmi les simples documents. Les romans des Goncourt, par exemple, sont-ils, dès maintenant, autre chose que des documents, c'est-à-dire des choses curieuses et mortes ?*

MARCEL PRÉVOST.

SUR L'EAU

J'avais loué, l'été dernier, une petite maison de campagne au bord de la Seine, à plusieurs lieues de Paris, et j'allais y coucher tous les soirs. Je fis, au bout de quelques jours, la connaissance d'un de mes voisins, un homme de trente à quarante ans, qui était bien le type le plus curieux que j'eusse jamais vu. C'était un vieux canotier, mais un canotier enragé, toujours près de l'eau, toujours sur l'eau, toujours dans l'eau. Il devait être né dans un canot, et il mourra bien certainement dans le canotage final.

Un soir que nous nous promenions au bord de la Seine, je lui demandai de me raconter quelques anecdotes de sa vie nautique. Voilà immédiatement mon bonhomme qui s'anime, se transfigure, devient éloquent, presque poète. Il avait dans le cœur une grande passion, une passion dévorante, irrésistible : la rivière.

— Ah ! me dit-il, combien j'ai de souvenirs sur cette rivière que vous voyez couler là près de nous ! Vous autres, habitants des rues, vous ne savez pas ce qu'est la rivière. Mais écoutez un pêcheur prononcer ce mot. Pour lui, c'est la chose mystérieuse, profonde, inconnue, le pays des mirages et des fantasmagories, où l'on voit, la nuit, des choses qui ne sont pas, où l'on entend des bruits que l'on ne connaît point, où l'on tremble sans savoir pourquoi, comme en traversant un cimetière : et c'est en effet le plus sinistre des cimetières, celui où l'on n'a point de tombeau.

La terre est bornée pour le pêcheur, et dans l'ombre, quand il n'y a pas de lune, la rivière est illimitée. Un marin n'éprouve point la même chose pour la mer. Elle est souvent dure et méchante, c'est vrai, mais elle crie, elle hurle, elle est loyale, la grande mer : tandis que la rivière est silencieuse et perfide. Elle ne gronde pas, elle coule toujours sans bruit, et ce mouvement éternel de l'eau qui coule est plus effrayant pour moi que les hautes vagues de l'Océan.

Des rêveurs prétendent que la mer cache dans son sein d'immenses pays bleuâtres, où les noyés roulent parmi les grands poissons, au milieu d'étranges forêts et dans des grottes de cristal. La rivière n'a que des profondeurs noires où l'on pourrit dans la vase. Elle est belle pourtant quand elle brille au soleil levant et qu'elle clapote doucement entre ses berges couvertes de roseaux qui murmurent.

Le poète a dit en parlant de l'Océan :

O flots, que vous savez de lugubres histoires !
Flots profonds, redoutés des mères à genoux,
Vous vous les racontez en montant les marées
Et c'est ce qui vous fait ces voix désespérées
Que vous avez, le soir, quand vous venez vers nous.

Eh bien, je crois que les histoires chuchotées par les roseaux minces avec leurs petites voix si douces doivent être encore plus sinistres que les drames lugubres racontés par les hurlements des vagues.

Mais puisque vous me demandez quelques-uns de mes souvenirs, je vais vous dire une singulière aventure qui m'est arrivée ici, il y a une dizaine d'années.

J'habitais, comme aujourd'hui, la maison de la mère Lafon, et un de mes meilleurs camarades, Louis Bernet, qui a maintenant renoncé au canotage, à ses pompes et à son débraillé pour entrer au Conseil d'Etat, était installé au village de C..., deux lieues plus bas. Nous dînions tous les jours ensemble, tantôt chez lui, tantôt chez moi.

Un soir, comme je revenais tout seul et assez fatigué, traînant péniblement mon gros bateau, un *océan* de douze pieds, dont je me servais toujours la nuit, je m'arrêtai quelques secondes pour reprendre haleine auprès de la pointe des roseaux, là-bas, deux cents mètres environ avant le pont du chemin de fer. Il faisait un temps magnifique ; la lune resplendissait, le fleuve brillait, l'air était calme et doux. Cette tranquillité me tenta ; je me dis qu'il ferait bien bon fumer une pipe en cet endroit. L'action suivit la pensée ; je saisis mon ancre et la jetai dans la rivière.

Le canot, qui redescendait avec le courant, fila sa chaîne jusqu'au bout, puis s'arrêta ; et je m'assis à l'arrière sur ma peau de mouton, aussi commodément qu'il me fut possible. On n'entendait rien, rien ; parfois seulement, je croyais saisir un petit clapotement presque insensible de l'eau contre la rive, et j'apercevais des groupes de roseaux plus élevés qui prenaient des figures surprenantes et semblaient par moments s'agiter.

Le fleuve était parfaitement tranquille, mais je me sentis ému par le silence extraordinaire qui m'entourait. Toutes les bêtes, grenouilles et crapauds, ces chanteurs nocturnes des marécages, se taisaient. Soudain, à ma droite, contre moi, une grenouille coassa. Je tressaillis : elle se tut ; je n'entendis plus rien, et je résolus de fumer un peu pour me distraire. Cependant, quoique je fusse un culotteur de pipes renommé, je ne pus pas ; dès la seconde bouffée, le cœur me tourna et je cessai. Je me mis à chantonner ; le son de ma voix m'était pénible ; alors, je m'étendis au fond du bateau et je regardai le ciel. Pendant quelque temps, je demeurai tranquille, mais bientôt les légers mouvements de la barque m'inquiétèrent. Il me sembla qu'elle faisait des embardées gigantesques, touchant tour à tour les deux berges du fleuve ; puis je crus qu'un être ou qu'une force invisible l'attirait doucement au fond de l'eau et la soulevait ensuite pour la laisser retomber. J'étais ballotté comme au milieu d'une tempête ; j'entendis des bruits autour de moi ; je me dressai d'un bond : l'eau brillait. Tout était calme.

Je compris que j'avais les nerfs un peu ébranlés et je résolus de m'en aller. Je tirai sur ma chaîne ; le canot se mit en mouvement, puis je sentis une résistance, je tirai plus fort, l'ancre ne vint pas : elle avait accroché quelque chose au fond de l'eau et je ne pouvais la soulever ; je recommençai à tirer, mais inutilement. Alors, avec mes avirons, je fis tourner mon bateau et je le portai en amont pour changer la position de l'ancre. Ce fut en vain, elle tenait toujours ; je fus pris de colère et je secouai la chaîne rageusement. Rien ne remua. Je m'assis découragé et je me mis à réfléchir sur ma position. Je ne pouvais songer à casser cette chaîne ni à la séparer de l'embarcation, car elle était énorme et rivée à l'avant dans un morceau de bois plus gros que mon bras ; mais comme le temps demeurait fort beau, je pensai que je ne tarderais point, sans doute, à rencontrer quelque pêcheur qui viendrait à mon secours. Ma mésaventure m'avait calmé ; je m'assis et je pus enfin fumer ma pipe. Je possédais une bouteille de rhum, j'en bus deux ou trois verres, et ma situation me fit rire. Il faisait très chaud, de sorte qu'à la rigueur je pouvais, sans grand mal, passer la nuit à la belle étoile.

Soudain, un petit coup sonna contre mon bordage. Je fis un soubresaut, et une sueur froide me glaça des pieds à la tête. Ce bruit venait sans doute de quelque bout de bois entraîné par le courant, mais cela avait suffi et je me sentis envahi de nouveau par une étrange agitation nerveuse. Je saisis ma chaîne et je me raidis dans un effort désespéré. L'ancre tint bon. Je me rassis épuisé.

Cependant, la rivière s'était peu à peu couverte d'un brouillard blanc très épais qui rampait sur l'eau fort bas, de sorte que, en me dressant debout, je ne voyais plus le fleuve, ni mes pieds, ni mon bateau, mais j'apercevais seulement les pointes des roseaux, puis, plus loin, la plaine toute pâle de la lumière de la lune, avec de grandes taches noires qui montaient dans le ciel, formées par des groupes de peupliers d'Italie. J'étais comme enseveli jusqu'à la ceinture dans une nappe de coton d'une blancheur singulière, et il me venait des imaginations fantastiques. Je me figurais qu'on essayait de monter dans ma barque que je ne pouvais plus distinguer, et que la rivière, cachée par ce brouillard opaque, devait être pleine d'êtres étranges qui nageaient autour de moi. J'éprouvais un malaise horrible, j'avais les tempes serrées, mon cœur battait à m'étouffer ; et, perdant la tête, je pensais à me sauver à la nage ; puis aussitôt cette idée me fit frissonner d'épouvante. Je me vis, perdu, allant à l'aventure dans cette brume épaisse, me débattant au milieu des herbes et des roseaux que je ne pourrais éviter, râlant de peur, ne voyant pas la berge, ne retrouvant plus mon bateau, et il me semblait que je me sentirais tiré par les pieds tout au fond de cette eau noire.

En effet, comme il m'eût fallu remonter le courant au moins pendant cinq cents mètres avant de trouver un point libre d'herbes et de joncs où je pusse prendre pied, il y avait pour moi neuf chances sur dix de ne pouvoir me diriger dans ce brouillard et de me noyer, quelque bon nageur que je fusse.

J'essayais de me raisonner. Je me sentais la volonté bien ferme de ne point avoir peur, mais il y avait en moi autre chose que ma volonté, et cette autre chose avait peur. Je me demandai ce que je pouvais redouter ; mon *moi* brave railla mon *moi* poltron, et jamais aussi bien que ce jour-là je ne saisis l'opposition des deux êtres qui sont en nous, l'un voulant, l'autre résistant, et chacun l'emportant tour à tour.

Cet effroi bête et inexplicable grandissait toujours et devenait de la terreur. Je demeurais immobile, les yeux ouverts, l'oreille tendue et attendant. Quoi ? Je n'en savais rien, mais ce devait être terrible. Je crois que si un poisson se fût avisé de sauter hors de l'eau, comme cela arrive souvent, il n'en aurait pas fallu davantage pour me faire tomber raide, sans connaissance.

Cependant, par un effort violent, je finis par ressaisir à peu près ma raison qui m'échappait. Je pris de nouveau ma bouteille de rhum et je bus à grands traits. Alors une idée me vint et je me mis à crier de toutes mes forces en me tournant successivement vers les quatre points de l'horizon. Lorsque mon gosier fut absolument paralysé, j'écoutai. — Un chien hurlait, très loin.

Je bus encore et je m'étendis tout de mon long au fond du bateau. Je restai ainsi peut-être une heure, peut-être deux, sans dormir, les yeux ouverts, avec des cauchemars autour de moi. Je n'osais pas me lever et pourtant je le désirais violemment ; je remettais de minute en minute. Je me disais : — « Allons, debout ! » et j'avais peur de faire un mouvement. A la fin, je me soulevai avec des précautions infinies, comme si ma vie eût dépendu du moindre bruit que j'aurais fait, et je regardai par-dessus le bord.

Je fus ébloui par le plus merveilleux, le plus étonnant spectacle qu'il soit possible de voir. C'était une de ces fantasmagories du pays des fées, une de ces visions racontées par les voyageurs qui reviennent de très loin et que nous écoutons sans les croire.

Le brouillard qui, deux heures auparavant, flottait sur l'eau, s'était peu à peu retiré et ramassé sur les rives. Laissant le fleuve absolument libre, il avait formé sur chaque berge une colline ininterrompue, haute de six ou sept mètres, qui brillait sous la lune avec l'éclat superbe des neiges. De sorte qu'on ne voyait rien autre chose que cette rivière lamée de feu entre ces deux montagnes blanches ; et là-haut, sur ma tête, s'étalait, pleine et large, une grande lune illuminante au milieu d'un ciel bleuâtre et laiteux.

Toutes les bêtes de l'eau s'étaient réveillées ; les grenouilles coassaient furieusement, tandis que, d'instant en instant, tantôt à droite, tantôt à gauche, j'entendais cette note courte, monotone et triste, que jette aux étoiles la voix cuivrée des crapauds. Chose étrange, je n'avais plus peur ; j'étais au milieu d'un paysage tellement extraordinaire que les singularités les plus fortes n'eussent pu m'étonner.

Combien de temps cela dura-t-il, je n'en sais rien, car j'avais fini par m'assoupir. Quand je rouvris les yeux, la lune était couchée, le ciel plein de nuages. L'eau clapotait lugubrement, le vent soufflait, il faisait froid, l'obscurité était profonde.

Je bus ce qui me restait de rhum, puis j'écoutai en grelottant le froissement des roseaux et le bruit sinistre de la rivière. Je cherchai à voir, mais je ne pus distinguer mon bateau, ni mes mains elles-mêmes, que j'approchais de mes yeux.

Peu à peu, cependant, l'épaisseur du noir diminua. Soudain je crus sentir qu'une ombre glissait tout près de moi ; je poussai un cri, une voix répondit ; c'était un pêcheur. Je l'appelai, il s'approcha et je lui racontai ma mésaventure. Il mit alors son bateau bord à bord avec le mien, et tous les deux nous tirâmes sur la chaîne. L'ancre ne remua pas. Le jour venait, sombre, gris, pluvieux, glacial, une de ces journées qui vous apportent des tristesses et des malheurs. J'aperçus une autre barque, nous la hélâmes. L'homme qui la montait unit ses efforts aux nôtres ; alors, peu à peu, l'ancre céda. Elle montait, mais doucement, doucement, et chargée d'un poids considérable. Enfin nous aperçûmes une masse noire, et nous la tirâmes à mon bord.

C'était le cadavre d'une vieille femme qui avait une grosse pierre au cou.

LE RETOUR

La mer fouette la côte de sa vague courte et monotone. De petits nuages blancs passent vite à travers le grand ciel bleu, emportés par le vent rapide, comme des oiseaux ; et le village, dans le pli du vallon qui descend vers l'océan, se chauffe au soleil.

Tout à l'entrée, la maison des Martin-Lévesque, seule, au bord de la route. C'est une petite demeure de pêcheur, aux murs d'argile, au toit de chaume empanaché d'iris bleus. Un jardin large comme un mouchoir, où poussent des oignons, quelques choux, du persil, du cerfeuil, se carre devant la porte. Une haie le clôt le long du chemin.

L'homme est à la pêche, et la femme, devant la loge, répare les mailles d'un grand filet brun, tendu sur le mur ainsi qu'une immense toile d'araignée. Une fillette de quatorze ans, à l'entrée du jardin, assise sur une chaise de paille, penchée en arrière, raccommode du linge, du linge de pauvre, rapiécé, reprisé déjà. Une autre gamine, plus jeune d'un an, berce dans ses bras un enfant tout petit, encore sans geste et sans parole ; et deux mioches de deux ou trois ans, le derrière dans la terre, nez à nez, jardinent de leurs mains maladroites et se jettent des poignées de poussière dans la figure.

Personne ne parle. Seul le moutard qu'on essaie d'endormir pleure d'une façon continue, avec une petite voix aigre et frêle. Un chat dort sur la fenêtre ; et des giroflées épanouies font, au pied du mur, un beau bourrelet de fleurs blanches, sur qui bourdonne un peuple de mouches.

La fillette qui coud près de l'entrée appelle tout à coup :

— M'man !

La mère répond :

— Qué qu' t'as ?

— Le r'voilà.

Elles sont inquiètes depuis le matin, parce qu'un homme rôde autour de la maison : un vieux homme qui a l'air d'un pauvre. Elles l'ont aperçu comme elles allaient conduire le père à son bateau, pour l'embarquer. Il était assis sur le fossé, en face de leur porte. Puis, quand elles sont revenues de la plage, elles l'ont retrouvé là, qui regardait la maison.

Il semblait malade et très misérable. Il n'avait pas bougé pendant plus d'une heure ; puis, voyant qu'on le considérait comme un malfaiteur, il s'était levé et était parti en traînant la jambe.

Mais bientôt elles l'avaient vu revenir de son pas lent et fatigué ; et il s'était encore assis, un peu plus loin cette fois, comme pour les guetter.

La mère et les fillettes avaient peur. La mère surtout se tracassait parce qu'elle était d'un naturel craintif, et que son homme, Lévesque, ne devait revenir de la mer qu'à la nuit tombante.

Son mari s'appelait Lévesque ; elle, on la nommait Martin, et on les avait baptisés les Martin-Lévesque. Voici pourquoi : elle avait épousé en premières noces un matelot du nom de Martin, qui allait tous les étés à Terre-Neuve, à la pêche de la morue.

Après deux années de mariage, elle avait de lui une petite fille et elle était encore grosse de six mois quand le bâtiment qui portait son mari, les *Deux-Sœurs*, un trois-mâts de Dieppe, disparut.

On n'en eut jamais aucune nouvelle ; aucun des marins qui le montaient ne revint ; on le considéra donc comme perdu corps et biens.

La Martin attendit son homme pendant dix ans, élevant à grand-peine ses deux enfants ; puis, comme elle était vaillante et bonne femme, un pêcheur du pays, Lévesque, veuf avec un garçon, la demanda en mariage. Elle l'épousa, et eut encore de lui deux enfants en trois ans.

Ils vivaient péniblement, laborieusement. Le pain était cher et la viande presque inconnue dans la demeure. On s'endettait parfois chez le boulanger, en hiver, pendant les mois de bourrasques. Les petits se portaient bien, cependant. On disait :

— C'est des braves gens, les Martin-Lévesque. La Martin est dure à la peine, et Lévesque n'a pas son pareil pour la pêche.

La fillette assise à la barrière reprit :

— On dirait qu'y nous connaît. C'est p't-être ben quéque pauvre d'Epréville ou d'Auzebosc.

Mais la mère ne s'y trompait pas. Non, non, ça n'était pas quelqu'un du pays, pour sûr !

Comme il ne remuait pas plus qu'un pieu, et qu'il fixait ses yeux avec obstination sur le logis des Martin-Lévesque, la Martin devint furieuse et, la peur la rendant brave, elle saisit une pelle et sortit devant la porte.

— Qué que vous faites là ? cria-t-elle au vagabond.

Il répondit d'une voix enrouée :

— J'prends la fraîche, donc ! J'vous fais-ti tort ?

Elle reprit :

— Pourqué qu'vous êtes quasiment en espionnance devant ma maison ?

L'homme répliqua :

— Je n' fais d' mal à personne. C'est-i point permis d' s'asseoir sur la route ?

Ne trouvant rien à répondre, elle rentra chez elle.

La journée s'écoula lentement. Vers midi, l'homme disparut. Mais il repassa vers cinq heures. On ne le vit plus dans la soirée.

Lévesque rentra à la nuit tombée. On lui dit la chose. Il conclut :

— C'est quéque fouineur ou quéque malicieux.

Et il se coucha sans inquiétude, tandis que sa compagne songeait à ce rôdeur qui l'avait regardée avec des yeux si drôles.

Quand le jour vint, il faisait grand vent, et le matelot, voyant qu'il ne pourrait prendre la mer, aida sa femme à raccommoder ses filets.

Vers neuf heures, la fille aînée, une Martin, qui était allée chercher du pain, rentra en courant, la mine effarée, et cria :

— M'man, le r'voilà !

La mère eut une émotion et, toute pâle, dit à son homme :

— Va li parler, Lévesque, pour qu'il ne nous guette point comme ça, parce que, mé, ça me tourne les sens.

Et Lévesque, un grand matelot au teint de brique, à la barbe drue et rouge, à l'œil bleu percé d'un point noir, au cou fort, enveloppé toujours de laine par crainte du vent et de la pluie au large, sortit tranquillement et s'approcha du rôdeur.

La mère et les enfants les regardaient de loin, anxieux et frémissants.

Tout à coup, l'inconnu se leva et s'en vint, avec Lévesque, vers la maison.

La Martin, effarée, se reculait. Son homme lui dit :

— Donne-li un p'tieu de pain et un verre de cidre. I n'a rien mâqué depuis avant-hier.

Et ils entrèrent tous deux dans le logis, suivis de la femme et des enfants. Le rôdeur s'assit et se mit à manger, la tête baissée sous tous les regards.

La mère, debout, le dévisageait ; les deux grandes filles, les Martin, adossées à la porte, l'une portant le dernier enfant, plantaient sur lui leurs yeux avides, et les deux mioches, assis dans les cendres de la cheminée, avaient cessé de jouer avec la marmite noire, comme pour contempler aussi cet étranger.

Lévesque, ayant pris une chaise, lui demanda :

— Alors, vous v'nez de loin ?

— J' viens d' Cette.

— À pied, comme ça ?...

— Oui, à pied. Quand on n'a pas les moyens, faut ben.

— Ousque vous allez donc ?

— J'allais t'ici.

— Vous y connaissez quéqu'un ?

— Ça se peut ben.

Ils se turent. Il mangeait lentement, bien qu'il fût affamé, et il buvait une gorgée de cidre après chaque bouchée de pain. Il avait un visage usé, ridé, creux partout, et semblait avoir beaucoup souffert.

Lévesque lui demanda brusquement :

— Comment que vous vous nommez ?

Il répondit sans lever le nez :

— Je me nomme Martin.

Un étrange frisson secoua la mère. Elle fit un pas, comme pour voir de plus près le vagabond, et demeura en face de lui, les bras pendants, la bouche ouverte. Personne ne disait plus rien. Lévesque enfin reprit :

— Etes-vous d'ici ?

Il répondit :

— J' suis d'ici.

Et comme il levait enfin la tête, les yeux de la femme et les siens se rencontrèrent et demeurèrent fixes, mêlés, comme si les regards se fussent accrochés.

Et elle prononça tout à coup, d'une voix changée, basse, tremblante :

— C'est-y té, mon homme ?

Il articula lentement :

— Oui, c'est mé.

Il ne remua pas, continuant à mâcher son pain.

Lévesque, plus surpris qu'ému, balbutia :

— C'est té, Martin ?

L'autre dit simplement :

— Oui, c'est mé.

Et le second mari demanda :

— D'où que tu d'viens donc ?

Le premier raconta :

— D' la côte d'Afrique. J'ons sombré sur un banc. J' nous sommes ensauvés à trois, Picard, Vatinel et mé. Et pi j'avons été pris par des sauvages qui nous ont tenus douze ans. Picard et Vatinel sont morts. C'est un voyageur anglais qui m'a pris-t-en passant et qui m'a reconduit à Cette. Et me v'là.

La Martin s'était mise à pleurer, la figure dans son tablier.

Lévesque prononça :

— Qué que j'allons fé, à c't'heure ?

Martin demanda :

— C'est té qu'est s' n'homme ?

Lévesque répondit :

— Oui, c'est mé !

Ils se regardèrent et se turent.

Alors Martin, considérant les enfants en cercle autour de lui, désigna d'un coup de tête les deux fillettes.

— C'est-i' les miennes ?

Lévesque dit :

— C'est les tiennes.

Il ne se leva point ; il ne les embrassa point ; il constata seulement :

— Bon Dieu, qu'a sont grandes !

Lévesque répéta :

— Qué que j'allons fé ?

Martin, perplexe, ne savait guère plus. Enfin il se décida :

— Moi, j' f'rai à ton désir. Je n' veux pas t' faire tort. C'est contrariant tout de même, vu la maison. J'ai deux éfants, tu n'as trois, chacun les siens. La mère, c'est-ti à té, c'est-ti à mé ? J' suis consentant à ce qui te plaira ; mais la maison, c'est à mé, vu qu' mon père me l'a laissée, que j'y sieus né, et qu'elle a des papiers chez le notaire.

La Martin pleurait toujours, par petits sanglots cachés dans la toile bleue du tablier. Les deux grandes fillettes s'étaient rapprochées et regardaient leur père avec inquiétude.

Il avait fini de manger. Il dit à son tour :

— Qué que j'allons fé ?

Lévesque eut une idée :

— Faut aller chez l' curé, i' décidera.

Martin se leva, et comme il s'avançait vers sa femme, elle se jeta sur sa poitrine en sanglotant :

— Mon homme ! te v'là ! Martin, mon pauvre Martin, te v'là !

Et elle le tenait à pleins bras, traversée brusquement par un souffle d'autrefois, par une grande secousse de souvenirs qui lui rappelaient ses vingt ans et ses premières étreintes.

Martin, ému lui-même, l'embrassait sur son bonnet. Les deux enfants, dans la cheminée, se mirent à hurler ensemble en entendant pleurer leur mère, et le dernier-né, dans les bras de la seconde des Martin, clama d'une voix aiguë comme un fifre faux.

Lévesque, debout, attendait.

— Allons, dit-il, faut se mettre en règle.

Martin lâcha sa femme et, comme il regardait ses deux filles, la mère leur dit :

— Baisez vot' pé, au moins.

Elles s'approchèrent en même temps, l'œil sec, étonnées, un peu craintives. Et il les embrassa l'une après l'autre, sur les deux joues, d'un gros bécot paysan. En voyant approcher cet inconnu, le petit enfant poussa des cris si perçants qu'il faillit être pris de convulsions.

Puis les deux hommes sortirent ensemble.

Comme ils passaient devant le café du Commerce, Lévesque demanda :

— Si je prenions toujours une goutte ?

— Moi, j' veux ben, déclara Martin.

Ils entrèrent, s'assirent dans la pièce encore vide.

— Eh ! Chicot, deux fil-en-six, de la bonne, c'est Martin qu'est r'venu, Martin, celui à ma femme, tu sais ben, Martin des *Deux-Sœurs*, qu'était perdu.

Et le cabaretier, trois verres d'une main, un carafon de l'autre, s'approcha, ventru, sanguin, bouffi de graisse, et demanda d'un air tranquille :

— Tiens ! te v'là donc, Martin ?

Martin répondit :

— Me v'là !

LE GARDE

On racontait des aventures et des accidents de chasse, après dîner.

Un vieil ami de nous tous, M. Boniface, grand tueur de bêtes et grand buveur de vin, un homme robuste et gai, plein d'esprit, de sens et de philosophie ironique et résignée, se manifestant par des drôleries mordantes et jamais par des tristesses, dit tout à coup :

— J'en sais une, moi, une histoire de chasse, ou plutôt un drame de chasse assez singulier. Il ne ressemble pas du tout à ce qu'on connaît dans le genre ; aussi je ne l'ai jamais raconté, pensant qu'il n'amuserait personne.

Il n'est pas sympathique, vous me comprenez ? Je veux dire qu'il n'a pas cette espèce d'intérêt qui passionne, ou qui charme, ou qui émeut agréablement.

Enfin, voici la chose.

J'avais alors trente-cinq ans environ, et je chassais comme un furieux.

En ce temps-là, je possédais une terre très isolée dans les environs de Jumièges, entourée de forêts et très bonne pour le lièvre et le lapin. J'y allais passer tout seul quatre ou cinq jours par an seulement, l'installation ne me permettant pas d'amener un ami.

J'avais placé là, comme garde, un ancien gendarme en retraite, un brave homme, violent, sévère sur la consigne, terrible aux braconniers, et ne craignant rien. Il habitait tout seul, loin du village, une petite maison ou plutôt une masure composée de deux pièces en bas, cuisine et cellier, et de deux chambres au premier. Une d'elles, une sorte de case juste assez grande pour un lit, une armoire et une chaise, m'était réservée.

Le père Cavalier occupait l'autre. En disant qu'il était seul au logis, je me suis mal exprimé. Il avait pris avec lui son neveu, une sorte de chenapan de quatorze ans qui allait aux provisions au village éloigné de trois kilomètres, et aidait le vieux dans les besognes quotidiennes.

Ce garnement, maigre, long, un peu crochu, avait des cheveux jaunes si légers qu'ils semblaient un duvet de poule plumée, si rares qu'il avait l'air chauve. Il possédait en outre des pieds énormes et des mains géantes, des mains de colosse.

Il louchait un peu et ne regardait jamais personne. Dans la race humaine, il me faisait l'effet de ce que sont les bêtes puantes chez les animaux. C'était un putois ou un renard, ce galopin-là.

Il couchait dans une sorte de trou au haut du petit escalier qui menait aux deux chambres.

Mais pendant mes courts séjours au *Pavillon* — j'appelais cette masure le *Pavillon* — Marius cédait sa niche à une vieille femme d'Ecorcheville, nommée Céleste, qui venait me faire la cuisine, les ratas du père Cavalier étant par trop insuffisants.

Vous connaissez donc les personnages et le local. Voici maintenant l'aventure.

C'était en 1854, le 15 octobre — je me rappelle cette date et je ne l'oublierai jamais.

LE GARDE

Je partis de Rouen à cheval, suivi de mon chien Bock, un grand braque du Poitou, large de poitrine et fort de gueule, qui buissonnait dans les ronces comme un épagneul de Pont-Audemer.

Je portais en croupe mon sac de voyage, et mon fusil en bandoulière. C'était un jour froid, un jour de grand vent triste, avec des nuages sombres courant dans le ciel.

En montant la côte de Canteleu, je regardais la vaste vallée de la Seine que le fleuve traversait jusqu'à l'horizon avec des replis de serpent. Rouen, à gauche, dressait dans le ciel tous ses clochers et, à droite, la vue s'arrêtait sur les côtes lointaines couvertes de bois. Puis je traversai la forêt de Roumare, allant tantôt au pas, tantôt au trot, et j'arrivai vers cinq heures devant le Pavillon, où le père Cavalier et Céleste m'attendaient.

Depuis dix ans, à la même époque, je me présentais de la même façon, et les mêmes bouches me saluaient avec les mêmes paroles.

— Bonjour, notre monsieur. La santé est-elle satisfaisante ?

Cavalier n'avait guère changé. Il résistait au temps comme un vieil arbre ; mais Céleste, depuis quatre ans surtout, était devenue méconnaissable.

Elle s'était à peu près cassée en deux et, bien que toujours active, elle marchait le haut du corps tellement penché en avant qu'il formait presque un angle droit avec les jambes.

La vieille femme, très dévouée, paraissait toujours émue en me revoyant, aussi elle me disait à chaque départ :

— Faut penser que c'est p't-être la dernière fois, notre cher monsieur.

Et l'adieu désolé, craintif, de cette pauvre servante, cette résignation désespérée devant l'inévitable mort sûrement prochaine pour elle, me remuait le cœur chaque année d'une étrange façon.

Je descendis donc de cheval, et pendant que Cavalier, dont j'avais serré la main, menait ma bête au petit bâtiment qui servait d'écurie, j'entrai, suivi de Céleste, dans la cuisine, qui servait aussi de salle à manger.

Puis le garde nous rejoignit. Je vis, du premier coup, qu'il n'avait pas sa figure ordinaire. Il semblait préoccupé, mal à l'aise, inquiet.

Je lui dis :

— Eh bien, Cavalier, tout marche-t-il selon votre désir ?

Il murmura :

— Y a du oui et y a du non. Y a bien de quoi qui ne me va guère.

Je demandai :

— Qu'est-ce que c'est donc, mon brave ? Contez-moi ça.

Mais il hochait la tête :

— Non, pas encore, monsieur. Je ne veux point vous éluger comme ça à l'arrivée, avec mes tracasseries.

J'insistai ; mais il refusa absolument de me mettre au courant avant le dîner. A sa tête, cependant, je comprenais que c'était grave.

Ne sachant plus quoi lui dire, je prononçai :

— Et ce gibier ? En avons-nous ?

— Oh ! pour du gibier, oui, y en a, y en a ! Vous en trouverez à volonté. Grâce à Dieu, j'ai eu l'œil.

Il disait cela avec tant de gravité, avec une gravité si désolée qu'elle devenait comique. Ses grosses moustaches grises avaient l'air prêtes à tomber de ses lèvres.

Tout à coup, je m'avisai que je n'avais pas encore vu son neveu.

— Et Marius ? Où est-il donc ? Pourquoi ne se montre-t-il pas ?

Le garde eut une sorte de sursaut, et, me regardant brusquement en face :

— Eh bien, monsieur, j'aime mieux vous dire la chose tout de suite ; oui, j'aime mieux ; c'est rapport à lui que j'en ai sur le cœur.

— Ah ! ah ! Eh bien, où est-il donc ?

— Il est dans l'écurie, monsieur, j'attendais le moment pour qu'il paraisse.

— Qu'est-ce qu'il a donc fait ?

— Voilà la chose, monsieur...

Le garde hésitait cependant, la voix changée, tremblante, la figure creusée soudain par des rides profondes, des rides de vieux.

Il reprit lentement :

— Voilà. J'ai bien vu, cet hiver, qu'on colletait dans le bois des Roscraies, mais je ne pouvais pas pincer l'homme. J'y passai des nuits, monsieur, encore des nuits. Rien. Et, pendant ce temps-là, on se mit à colleter du côté d'Ecorcheville. J'en maigrissais de dépit. Mais quant à prendre le maraudeur, impossible ! On aurait dit qu'il était prévenu de mes marches, le gueux, et de mes projets.

Mais v'là qu'un jour, en brossant la culotte de Marius, sa culotte des dimanches, je trouvai quarante sous dans sa poche. Où's qu'il avait eu ça, le gars ?

J'y réfléchis bien huit jours, et je vis qu'il sortait ; il sortait juste quand je rentrais au repos, oui, monsieur.

Alors, je le guettai, mais sans doutance de la chose, oh ! oui, sans doutance. Et comme je venais de me coucher devant lui, un matin, je me relevai incontinent, et je le suivis. Pour suivre, il n'y en a pas un comme moi, monsieur.

Et v'là que je le pris, oui, Marius, qui colletait sur vos terres, monsieur, lui, mon neveu, moi, votre garde !

Le sang ne m'en a fait qu'un tour et j'ai failli le tuer sur place, tant j'ai tapé. Ah ! oui, j'ai tapé, allez ! et je lui ai promis que quand vous seriez là, il en aurait encore une en votre présence, de correction, de ma main, pour l'exemple.

Voilà ; j'en ai maigri de chagrin. Vous savez ce que c'est quand on est contrarié comme ça. Mais qu'est-ce que vous auriez fait, dites ? Il n'a plus ni père, ni mère, ce gars, il n'a plus que moi de son sang ; je l'ai gardé, je ne pouvais point le chasser, n'est-ce pas ?

Mais je lui ai dit que s'il recommence, c'est fini, fini, plus de pitié. Voilà. Est-ce que j'ai bien fait, monsieur ?

Je répondis en lui tendant la main :

— Vous avez bien fait, Cavalier ; vous êtes un brave homme.

Il se leva.

— Merci bien, monsieur. Maintenant je vais le quérir. Il faut la correction, pour exemple.

Je savais qu'il était inutile d'essayer de dissuader le vieux d'un projet. Je le laissai donc agir à sa guise.

Il alla chercher le galopin et le ramena en le tenant par l'oreille.

J'étais assis sur une chaise de paille, avec le visage grave d'un juge.

Marius me parut grandi, encore plus laid que l'autre année, avec son air mauvais, sournois.

Et ses grandes mains semblaient monstrueuses.

Son oncle le poussa devant moi et, de sa voix militaire :

— Demande pardon au propriétaire.

Le gars ne dit point un mot.

Alors l'ayant saisi sous les bras, l'ancien gendarme le souleva de terre, et il se mit à le fesser avec une telle violence que je me levai pour arrêter les coups.

L'enfant maintenant hurlait :

— Grâce ! — grâce ! — grâce ! — je promets...

Cavalier le reposa sur le sol, et le forçant, par une pesée sur les épaules, à se mettre à genoux :

— Demande pardon, dit-il.

Le garnement murmurait, les yeux baissés :

— Je demande pardon.

Alors son oncle le releva et le congédia d'une gifle qui faillit encore le culbuter.

Il se sauva et je ne le revis pas de la soirée.

Mais Cavalier paraissait atterré.

— C'est une mauvaise nature, dit-il.

Et pendant tout le dîner, il répétait :

— Oh ! ça me fait deuil, monsieur, vous ne savez pas comme ça me fait deuil.

J'essayai de le consoler, mais en vain.

Et je me couchai de bonne heure pour me mettre en chasse au point du jour.

Mon chien dormait déjà sur le plancher, au pied de mon lit, quand je soufflai ma chandelle.

Je fus réveillé vers le milieu de la nuit par les aboiements furieux de Bock. Et je m'aperçus aussitôt que ma chambre était pleine de fumée. Je sautai de ma couche, j'allumai ma lumière, je courus à la porte et je l'ouvris. Un tourbillon de flammes entra. La maison brûlait.

Je refermai bien vite le battant de gros chêne, et, ayant passé ma culotte, je descendis d'abord par la fenêtre mon chien au moyen d'une corde faite avec mes draps roulés, puis, ayant jeté dehors mes vêtements, ma carnassière et mon fusil, je m'échappai à mon tour par le même moyen.

Et je me mis à crier de toutes mes forces :

— Cavalier ! — Cavalier ! — Cavalier !

Mais le garde ne se réveillait point. Il avait un dur sommeil de vieux gendarme.

Cependant, par les fenêtres d'en bas, je voyais que tout le rez-de-chaussée n'était plus qu'une fournaise ardente ; et je m'aperçus qu'on l'avait empli de paille pour favoriser l'incendie.

Donc, on avait mis le feu !

Je recommençai à crier avec fureur :

— Cavalier !

Alors la pensée me vint que la fumée l'asphyxiait. J'eus une inspiration et, glissant deux cartouches dans mon fusil, je tirai un coup en plein dans sa fenêtre.

Les six carreaux jaillirent dans la chambre en poussière de verre. Cette fois, le vieux avait entendu, et il apparut effaré, en chemise, affolé surtout par cette lueur qui éclairait violemment tout le devant de sa demeure.

Je lui criai :

— Votre maison brûle ! Sautez par la fenêtre, vite, vite !

Les flammes, sortant brusquement par les ouvertures d'en bas, léchaient le mur, arrivaient à lui, allaient l'enfermer. Il sauta et tomba sur ses pieds, comme un chat.

Il était temps. Le toit de chaume craqua par le milieu au-dessus de l'escalier qui formait, en quelque sorte, une cheminée au feu d'en bas ; et une immense gerbe rouge s'éleva dans l'air, s'élargissant comme un panache de jet d'eau et semant une pluie d'étincelles autour de la chaumière.

Et en quelques secondes, elle ne fut plus qu'un paquet de flammes...

Cavalier, atterré, demanda :

— Comment que ça a pris ?

Je répondis :

— On a mis le feu dans la cuisine.

Il murmura :

— Qui a pu mettre le feu ?

Et moi, devinant tout à coup, je prononçai :

— Marius !

Et le vieux comprit. Il balbutia :

— Oh ! Jésus-Marie ! C'est pour ça qu'il n'est pas rentré !

Mais une pensée horrible me traversa l'esprit. Je criai :

— Et Céleste ? Céleste ?

Il ne répondit pas, lui, mais la maison s'écroula devant nous, ne formant déjà plus qu'un épais brasier, éclatant, aveuglant, sanglant, un bûcher formidable, où la pauvre femme ne devait plus être elle-même qu'un charbon rouge, un charbon de chair humaine.

Nous n'avions point entendu un seul cri.

Mais comme le feu gagnait le hangar voisin, je songeai tout à coup à mon cheval, et Cavalier courut le délivrer.

A peine eut-il ouvert la porte de l'écurie qu'un corps souple et rapide, lui passant entre les jambes, le précipita sur le nez. C'était Marius, fuyant de toutes ses forces.

L'homme, en une seconde, se releva. Il voulut courir pour rattraper le misérable ; mais, comprenant qu'il n'y parviendrait point, et affolé par une irrésistible fureur, cédant à un de ces mouvements irréfléchis, instantanés, qu'on ne saurait ni prévoir ni retenir, il saisit mon fusil resté par terre, tout près de lui, épaula et, avant que j'eusse pu faire un mouvement, il tira sans savoir même si l'arme était chargée.

Une des cartouches que j'avais mises dedans pour annoncer le feu n'était point partie ; et la charge atteignit le fuyard en plein dos, le jeta sur la face, couvert de sang. Il se mit aussitôt à gratter la terre de ses mains et de ses genoux comme s'il eût voulu encore courir à quatre pattes, à la façon des lièvres blessés à mort qui voient venir le chasseur.

Je m'élançai. L'enfant râlait déjà. Il expira avant que fût éteinte la maison, sans avoir prononcé un mot.

Cavalier, toujours en chemise, les jambes nues, restait debout près de nous, immobile, hébété.

Quand les gens du village arrivèrent, on emporta mon garde, pareil à un fou.

Je parus au procès comme témoin, et je racontai les faits par le détail, sans rien changer. Cavalier fut acquitté. Mais il disparut le jour même, abandonnant le pays.

Je ne l'ai jamais revu.

Voilà, messieurs, mon histoire de chasse.

L'ÉPAVE

C'était hier, 31 décembre.

Je venais de déjeuner avec mon vieil ami Georges Garin. Le domestique lui apporta une lettre couverte de cachets et de timbres étrangers.

Georges me dit :

— Tu permets ?

— Certainement.

Et il se mit à lire huit pages d'une grande écriture anglaise, croisée dans tous les sens. Il les lisait lentement, avec une attention sérieuse, avec cet intérêt qu'on met aux choses qui vous touchent le cœur.

Puis il posa la lettre sur un coin de la cheminée, et il dit :

— Tiens, en voilà une drôle d'histoire que je ne t'ai jamais racontée, une histoire sentimentale pourtant, et qui m'est arrivée ! Oh ! ce fut un singulier jour de l'an, cette année-là. Il y a de cela vingt ans... puisque j'avais trente ans et que j'en ai cinquante !...

« J'étais alors inspecteur de la Compagnie d'assurances maritimes que je dirige aujourd'hui. Je me disposais à passer à Paris la fête du 1er janvier, puisqu'on est convenu de faire de ce jour un jour de fête, quand je reçus une lettre du directeur me donnant l'ordre de partir immédiatement pour l'île de Ré, où venait de s'échouer un trois-mâts de Saint-Nazaire assuré par nous. Il était alors huit heures du matin. J'arrivai à la Compagnie à dix heures, pour recevoir des instructions ; et, le soir même, je prenais l'express, qui me déposait à La Rochelle le lendemain 31 décembre.

« J'avais deux heures, avant de monter sur le bateau de Ré, le *Jean-Guiton*. Je fis un tour en ville. C'est vraiment une ville bizarre et de grand caractère que La Rochelle, avec ses rues mêlées comme un labyrinthe et dont les trottoirs courent sous des galeries sans fin, des galeries à arcades comme celles de la rue de Rivoli, mais basses, ces galeries et ces arcades écrasées, mystérieuses, qui semblent construites et demeurées comme un décor de conspirateurs, le décor antique et saisissant des guerres d'autrefois, des guerres de religion héroïques et sauvages. C'est bien la vieille cité huguenote, grave, discrète, sans art superbe, sans aucun de ces admirables monuments qui font Rouen si magnifique, mais remarquable par toute sa physionomie sévère, un peu sournoise aussi, une cité de batailleurs obstinés, où doivent éclore les fanatismes, la ville où s'exalta la foi des calvinistes et où naquit le complot des quatre sergents.

« Quand j'eus erré quelque temps par ces rues singulières, je montai sur un petit bateau à vapeur, noir et ventru, qui devait me conduire à l'île de Ré. Il partit en soufflant d'un air colère, passa entre les deux tours antiques qui gardent le port, traversa la rade, sortit de la digue construite par Richelieu, et dont on voit à fleur d'eau les pierres énormes, enfermant la ville comme un immense collier ; puis il obliqua vers la droite.

« C'était un de ces jours tristes qui oppressent,

écrasent la pensée, compriment le cœur, éteignent en nous toute force et toute énergie ; un jour gris, glacial, sali par une brume lourde, humide comme de la pluie, froide comme de la gelée, infecte à respirer comme une buée d'égout.

« Sous ce plafond de brouillard bas et sinistre, la mer jaune, la mer peu profonde et sablonneuse de ces plages illimitées, restait sans une ride, sans un mouvement, sans vie, une mer d'eau trouble, d'eau grasse, d'eau stagnante. Le *Jean-Guiton* passait dessus en roulant un peu, par habitude, coupait cette nappe opaque et lisse, puis laissait derrière lui quelques vagues, quelques clapots, quelques ondulations qui se calmaient bientôt.

« Je me mis à causer avec le capitaine, un petit homme presque sans pattes, tout rond comme son bateau et balancé comme lui. Je voulais quelques détails sur le sinistre que j'allais constater. Un grand trois-mâts carré de Saint-Nazaire, le *Marie-Joseph*, avait échoué, par une nuit d'ouragan, sur les sables de l'île de Ré.

« La tempête avait jeté si loin ce bâtiment, écrivait l'armateur, qu'il avait été impossible de le renflouer et qu'on avait dû enlever au plus vite tout ce qui pouvait en être détaché. Il me fallait donc constater la situation de l'épave, apprécier quel devait être son état avant le naufrage, juger si tous les efforts avaient été tentés pour le remettre à flot. Je venais comme agent de la Compagnie, pour témoigner ensuite contradictoirement, si besoin était, dans le procès.

« Au reçu de mon rapport, le directeur devait prendre les mesures qu'il jugerait nécessaires pour sauvegarder nos intérêts.

« Le capitaine du *Jean-Guiton* connaissait parfaitement l'affaire, ayant été appelé à prendre part, avec son navire, aux tentatives de sauvetage.

« Il me raconta le sinistre, très simple d'ailleurs. Le *Marie-Joseph*, poussé par un coup de vent furieux, perdu dans la nuit, naviguant au hasard sur une mer d'écume, — « une mer de soupe au lait », disait le capitaine — était venu s'échouer sur ces immenses bancs de sable qui changent les côtes de cette région en Saharas illimités, aux heures de la marée basse.

« Tout en causant, je regardais autour de moi et devant moi. Entre l'océan et le ciel pesant restait un espace libre où l'œil voyait au loin. Nous suivions une terre. Je demandai :

« — C'est l'île de Ré ?

« — Oui, monsieur.

« Et tout à coup le capitaine, étendant la main droit devant nous, me montra, en pleine mer, une chose presque imperceptible, et me dit :

« — Tenez, voilà votre navire !

« — Le *Marie-Joseph* ?...

« — Mais oui.

« J'étais stupéfait. Ce point noir, à peu près invisible, que j'aurais pris pour un écueil, me paraissait placé à trois kilomètres au moins des côtes.

« Je repris :

« — Mais, capitaine, il doit y avoir cent brasses d'eau à l'endroit que vous me désignez ?

« Il se mit à rire.

« — Cent brasses, mon ami !... Pas deux brasses, je vous dis !...

« C'était un Bordelais. Il continua :

« — Nous sommes marée haute, neuf heures quarante minutes. Allez-vous-en par la plage, mains dans vos poches, après le déjeuner de l'hôtel du *Dauphin*, et je vous promets qu'à deux heures cinquante ou trois heures au plusse, vous toucherez l'épave, pied sec, mon ami, et vous aurez une heure quarante-cinq à deux heures pour rester dessus, pas plusse, par exemple ; vous seriez pris. Plusse la mer elle va loin et plusse elle revient vite. C'est plat comme une punaise, cette côte ! Remettez-vous en route à quatre heures cinquante, croyez-moi ; et vous remontez à sept heures et demie sur le *Jean-Guiton,* qui vous dépose ce soir même sur le quai de La Rochelle.

« Je remerciai le capitaine et j'allai m'asseoir à l'avant du vapeur, pour regarder la petite ville de Saint-Martin, dont nous approchions rapidement.

« Elle ressemblait à tous les ports en miniature qui servent de capitales à toutes les maigres îles semées le long des continents. C'était un gros village de pêcheurs, un pied dans l'eau, un pied sur terre, vivant de poissons et de volailles, de légumes et de coquilles, de radis et de moules. L'île est fort basse, peu cultivée, et semble cependant très peuplée ; mais je ne pénétrai pas dans l'intérieur.

« Après avoir déjeuné, je franchis un petit promontoire ; puis, comme la mer baissait rapidement, je m'en allai, à travers les sables, vers une sorte de roc noir que j'apercevais au-dessus de l'eau, là-bas, là-bas.

« J'allais vite sur cette plaine jaune, élastique comme de la chair, et qui semblait suer sous mon pied. La mer, tout à l'heure, était là ; maintenant, je l'apercevais au loin, se sauvant à perte de vue, et je ne distinguais plus la ligne qui séparait le sable de l'Océan. Je croyais assister à une féerie gigantesque et surnaturelle. L'Atlantique était devant moi tout à l'heure, puis il avait disparu dans la grève, comme font les décors dans les trappes, et je marchais à présent au milieu d'un désert. Seuls, la sensation, le souffle de l'eau salée demeuraient en moi. Je sentais l'odeur du varech, l'odeur de la vague, la rude et bonne odeur des côtes. Je marchais vite ; je n'avais plus froid ; je regardais l'épave échouée, qui grandissait à mesure que j'avançais et ressemblait à présent à une énorme baleine naufragée.

« Elle semblait sortir du sol et prenait, sur cette immense étendue plate et jaune, des proportions surprenantes. Je l'atteignis enfin, après une heure de marche. Elle gisait sur le flanc, crevée, brisée, montrant, comme les côtes d'une bête, ses os rompus, ses os de bois goudronné, percés de clous énormes. Le sable déjà l'avait envahie, entré par toutes les fentes, et il la tenait, la possédait, ne la lâcherait plus. Elle paraissait avoir pris racine en lui. L'avant était entré profondément dans cette plage douce et perfide, tandis que l'arrière, relevé, semblait jeter vers le ciel, comme un cri d'appel désespéré, ces deux mots blancs sur le bordage noir : *Marie-Joseph.*

« J'escaladai ce cadavre de navire par le côté le plus bas ; puis, parvenu sur le pont, je pénétrai dans l'intérieur. Le jour, entré par les trappes défoncées et par les fissures des flancs, éclairait tristement ces sortes de caves longues et sombres, pleines de boiseries démolies. Il n'y avait plus rien là-dedans que du sable qui servait de sol à ce souterrain de planches.

« Je me mis à prendre des notes sur l'état du bâtiment. Je m'étais assis sur un baril vide et brisé, et j'écrivais à la lueur d'une large fente par où je pouvais apercevoir l'étendue illimitée de la grève. Un singulier frisson de froid et de solitude me courait sur la peau de moment en moment ; et je cessais d'écrire parfois pour écouter le bruit vague et mystérieux de l'épave : bruit des crabes grattant les bordages de leurs griffes crochues, bruit de mille bêtes toutes petites de la mer, installées déjà sur ce mort, et aussi le bruit doux et régulier du taret qui ronge sans cesse, avec son grincement de vrille, toutes les vieilles charpentes, qu'il creuse et dévore.

« Et, soudain, j'entendis des voix humaines tout près de moi. Je fis un bond comme en face d'une apparition. Je crus vraiment, pendant une seconde, que j'allais voir se lever deux noyés qui me raconteraient leur mort. Certes, il ne me fallut pas longtemps pour grimper sur le pont à la force des poignets : et j'aperçus debout, à l'avant du navire, un grand monsieur avec trois jeunes filles, ou plutôt un grand Anglais avec trois misses. Assurément ils eurent encore plus peur que moi en voyant surgir cet être rapide sur le trois-mâts abandonné. La plus jeune des fillettes se sauva ; les deux autres saisirent leur père à pleins bras ; quant à lui, il avait ouvert la bouche ; ce fut le seul signe qui laissa voir son émotion.

« Puis, après quelques secondes, il parla :

« — Aoh, môsieu, vos été la propriétaire de cette bâtiment ?

« — Oui, monsieur.

« — Est-ce que je pôvé la visiter ?

« — Oui, monsieur.

« Il prononça alors une longue phrase anglaise, où je distinguai seulement ce mot : *gracious,* revenu plusieurs fois.

« Comme il cherchait un endroit pour grimper, je lui indiquai le meilleur et je lui tendis la main. Il monta ; puis nous aidâmes les trois fillettes, rassurées. Elles étaient charmantes, surtout l'aînée, une blondine de dix-huit ans, fraîche comme une fleur, et si fine, si mignonne ! Vraiment, les jolies Anglaises ont bien l'air de tendres fruits de la mer. On aurait dit que celle-là venait de sortir du sable et que ses cheveux en avaient gardé la nuance. Elles font penser, avec leur fraîcheur exquise, aux couleurs délicates des coquilles roses et aux perles nacrées, rares, mystérieuses, écloses dans les profondeurs inconnues des océans.

« Elle parlait un peu mieux que son père ; et elle nous servit d'interprète. Il fallut raconter le naufrage dans ses moindres détails, que j'inventai, comme si j'eusse assisté à la catastrophe. Puis toute la famille descendit dans l'intérieur de l'épave. Dès qu'ils eurent pénétré dans cette sombre galerie, à peine éclairée, ils poussèrent des cris d'étonnement et d'admiration ; et soudain le père et les trois filles tinrent en leurs mains des albums, cachés sans doute dans leurs grands vêtements imperméables, et ils commencèrent en même temps quatre croquis au crayon de ce lieu triste et bizarre.

« Ils s'étaient assis, côte à côte, sur une poutre en saillie, et les quatre albums, sur les huit genoux, se couvraient de petites lignes noires qui devaient représenter le ventre entr'ouvert du *Marie-Joseph*.

« Tout en travaillant, l'aînée des fillettes causait avec moi, qui continuais à inspecter le squelette du navire.

« J'appris qu'ils passaient l'hiver à Biarritz et qu'ils étaient venus tout exprès à l'île de Ré pour contempler ce trois-mâts enlisé. Ils n'avaient rien de la morgue anglaise, ces gens ; c'étaient de simples et braves toqués, de ces errants éternels dont l'Angleterre couvre le monde. Le père, long, sec, la figure rouge encadrée de favoris blancs, vrai sandwich vivant, une tranche de jambon découpée en tête humaine entre deux coussinets de poils ; les filles, hautes sur jambes, de petits échassiers en croissance, sèches aussi, sauf l'aînée, et gentilles toutes trois, mais surtout la plus grande.

« Elle avait une si drôle de manière de parler, de raconter, de rire, de comprendre et de ne pas comprendre, de lever les yeux pour m'interroger, des yeux bleus comme l'eau profonde, de cesser de dessiner pour deviner, de se remettre au travail et de dire « yes » ou « no », que je serais demeuré un temps indéfini à l'écouter et à la regarder.

« Tout à coup, elle murmura :

« — J'entendai une petite mouvement sur cette bateau.

« Je prêtai l'oreille ; et je distinguai aussitôt un léger bruit, singulier, continu. Qu'était-ce ? Je me levai pour aller regarder par la fente, et je poussai un cri violent. La mer nous avait rejoints ; elle allait nous entourer !

« Nous fûmes aussitôt sur le pont. Il était trop tard. L'eau nous cernait, et elle courait vers la côte avec une prodigieuse vitesse. Non, cela ne courait pas, cela glissait, rampait, s'allongeait comme une tache démesurée. A peine quelques centimètres d'eau couvraient le sable ; mais on ne voyait plus déjà la ligne fuyante de l'imperceptible flot.

« L'Anglais voulut s'élancer ; je le retins : la fuite était impossible, à cause des mares profondes que nous avions dû contourner en venant, et où nous tomberions au retour.

« Ce fut, dans nos cœurs, une minute d'horrible angoisse. Puis la petite Anglaise se mit à sourire et murmura :

« — Ce été nous les naufragés !

« Je voulus rire ; mais la peur m'étreignait, une peur lâche, affreuse, basse et sournoise comme ce flot. Tous les dangers que nous courions m'apparurent en même temps. J'avais envie de crier : « Au secours ! » Vers qui ?

« Les deux petites Anglaises s'étaient blotties contre leur père, qui regardait, d'un œil consterné, la mer démesurée autour de nous.

« Et la nuit tombait aussi rapide que l'Océan montant, une nuit lourde, humide, glacée.

« Je dis :

« — Il n'y a rien à faire qu'à demeurer sur ce bateau.

« L'Anglais répondit :

« — Oh ! yes !

« Et nous restâmes là un quart d'heure, une demiheure, je ne sais, en vérité, combien de temps, à regarder, autour de nous, cette eau jaune qui s'épaississait, tournait, semblait bouillonner, semblait jouer sur l'immense grève reconquise.

« Une des fillettes eut froid, et l'idée nous vint de redescendre, pour nous mettre à l'abri de la brise légère, mais glacée, qui nous effleurait et nous piquait la peau.

« Je me penchai sur la trappe. Le navire était plein d'eau. Nous dûmes alors nous blottir contre le bordage d'arrière, qui nous garantissait un peu.

« Les ténèbres, à présent, nous enveloppaient, et nous restions serrés les uns contre les autres, entourés d'ombre et d'eau. Je sentais trembler, contre mon épaule, l'épaule de la petite Anglaise, dont les dents claquaient par instant ; mais je sentais aussi la chaleur douce de son corps à travers les étoffes, et cette chaleur m'était délicieuse comme un baiser. Nous ne parlions plus ; nous demeurions immobiles, muets, accroupis comme des bêtes dans un fossé, aux heures d'ouragan. Et pourtant, malgré tout, malgré la nuit, malgré le danger terrible et grandissant, je commençais à me sentir heureux d'être là, heureux du froid et du péril, heureux de ces longues heures d'ombre et d'angoisse à passer sur cette planche, si près de cette jolie et mignonne fillette.

« Je me demandais pourquoi cette étrange sensation de bien-être et de joie qui me pénétrait.

« Pourquoi ? Sait-on ? Parce qu'elle était là ? Qui, elle ? Une petite Anglaise inconnue ? Je ne l'aimais pas, je ne la connaissais point, et je me sentais attendri, conquis ! J'aurais voulu la sauver, me dévouer pour elle, faire mille folies ! Etrange chose ! Comment se fait-il que la présence d'une femme nous bouleverse ainsi ? Est-ce la puissance de sa grâce qui nous enveloppe ? La séduction de la joliesse et de la jeunesse qui nous grise comme ferait le vin ?

« N'est-ce pas plutôt une sorte de toucher de l'amour, du mystérieux amour qui cherche sans cesse à unir les êtres, qui tente sa puissance dès qu'il a mis face à face l'homme et la femme, et qui les pénètre d'émotion, d'une émotion confuse, secrète, profonde, comme on mouille la terre pour y faire pousser des fleurs !

« Mais le silence des ténèbres devenait effrayant, le silence du ciel, car nous entendions autour de nous, vaguement, un bruissement léger, infini, la rumeur de la mer sourde qui montait et le monotone clapotement du courant contre le bateau.

« Tout à coup j'entendis des sanglots. La plus petite des Anglaises pleurait. Alors son père voulut la consoler, et ils se mirent à parler dans leur langue, que je ne comprenais pas. Je devinai qu'il la rassurait et qu'elle avait toujours peur.

« Je demandai à ma voisine :

« — Vous n'avez pas trop froid, Miss ?

« — Oh ! si. J'avé froid beaucoup.

« Je voulus lui donner mon manteau, elle le refusa, mais je l'avais ôté ; je l'en couvris malgré elle. Dans la courte lutte, je rencontrai sa main, qui me fit passer un frisson charmant par tout le corps.

« Depuis quelques minutes, l'air devenait plus vif, le clapotis de l'eau plus fort contre les flancs du navire. Je me dressai ; un grand souffle me passa sur le visage. Le vent s'élevait !

« L'Anglais s'en aperçut en même temps que moi, et il dit simplement :

« — C'était mauvaise pour nous, cette...

« Assurément c'était mauvais, c'était la mort certaine si des lames, même de faibles lames, venaient attaquer et secouer l'épave, tellement brisée et disjointe que la première vague un peu rude l'emporterait en bouillie.

« Alors notre angoisse s'accrut de seconde en seconde avec les rafales de plus en plus fortes. Maintenant, la mer brisait un peu, et je voyais dans les ténèbres des lignes blanches paraître et disparaître, des lignes d'écume, tandis que chaque flot heurtait la carcasse du *Marie-Joseph,* l'agitait d'un court frémissement qui nous montait jusqu'au cœur.

« L'Anglaise tremblait : je la sentais frissonner contre moi, et j'avais une envie folle de la saisir dans mes bras.

« Là-bas, devant nous, à gauche, à droite, derrière nous, des phares brillaient sur les côtes, des phares blancs, jaunes, rouges, tournants, pareils à des yeux énormes, à des yeux de géant qui nous regardaient, nous guettaient, attendaient avidement que nous eussions disparu. Un d'eux surtout m'irritait. Il s'éteignait toutes les trente secondes pour se rallumer aussitôt ; c'était bien un œil, celui-là, avec sa paupière sans cesse baissée sur son regard de feu.

« De temps en temps, l'Anglais frottait une allumette pour regarder l'heure ; puis il remettait sa montre dans sa poche. Tout à coup, il me dit, par-dessus les têtes de ses filles, avec une souveraine gravité :

« — Môsieu, je vous souhaite bon année.

« Il était minuit. Je lui tendis ma main, qu'il serra ; puis il prononça une phrase d'anglais, et soudain ses filles et lui se mirent à chanter le *God save the Queen,* qui monta dans l'air noir, dans l'air muet, et s'évapora à travers l'espace.

« J'eus d'abord envie de rire ; puis je fus saisi d'une émotion puissante et bizarre.

« C'était quelque chose de sinistre et de superbe, ce chant de naufragés, de condamnés, quelque chose comme une prière, et aussi quelque chose de plus grand, de comparable à l'antique et sublime *Ave, Caesar, morituri te salutant.*

« Quand ils eurent fini, je demandai à ma voisine de chanter toute seule une ballade, une légende, ce qu'elle voudrait, pour nous faire oublier nos angoisses. Elle y consentit et aussitôt sa voix claire et jeune s'envola dans la nuit. Elle chantait une chose triste sans doute, car les notes traînaient longtemps, sortaient lentement de sa bouche, et voletaient comme des oiseaux blessés, au-dessus des vagues.

« La mer grossissait, battait maintenant notre

épave. Moi, je ne pensais plus qu'à cette voix. Et je pensais aussi aux sirènes. Si une barque avait passé près de nous, qu'auraient dit les matelots ? Mon esprit tourmenté s'égarait dans le rêve ! Une sirène ! N'était-ce point, en effet, une sirène, cette fille de la mer, qui m'avait retenu sur ce navire vermoulu et qui, tout à l'heure, allait s'enfoncer avec moi dans les flots ?...

« Mais nous roulâmes brusquement tous les cinq sur le pont, car le *Marie-Joseph* s'était affaissé sur son flanc droit. L'Anglaise étant tombée sur moi, je l'avais saisie dans mes bras, et follement, sans savoir, sans comprendre, croyant venue ma dernière seconde, je baisais à pleine bouche sa joue, sa tempe et ses cheveux. Le bateau ne remuait plus ; nous autres aussi nous ne bougions point.

« Le père dit : « Kate ! » Celle que je tenais répondit « yes » et fit un mouvement pour se dégager. Certes, à cet instant j'aurais voulu que le bateau s'ouvrît en deux pour tomber à l'eau avec elle.

« L'Anglais reprit :

« — Une petite bascoule, ce n'été rien. J'avé mes trois filles conserves.

« Ne voyant point l'aînée, il l'avait crue perdue d'abord !

« Je me relevai lentement et, soudain, j'aperçus une lumière sur la mer, tout près de nous. Je criai ; on répondit. C'était une barque qui nous cherchait, le patron de l'hôtel ayant prévu notre imprudence.

« Nous étions sauvés. Je fus désolé ! On nous cueillit sur notre radeau, et on nous ramena à Saint-Martin.

« L'Anglais, maintenant, se frottait les mains et murmurait :

« — Bonne souper ! bonne souper !

« On soupa, en effet. Je ne fus pas gai, je regrettais le *Marie-Joseph.*

« Il fallut se séparer, le lendemain, après beaucoup d'étreintes et de promesses de s'écrire. Ils partirent vers Biarritz. Peu s'en fallut que je ne les suivisse.

« J'étais toqué ; je faillis demander cette fillette en mariage. Certes, si nous avions passé huit jours ensemble, je l'épousais ! Combien l'homme, parfois, est faible et incompréhensible !

« Deux ans s'écoulèrent sans que j'entendisse parler d'eux : puis je reçus une lettre de New-York. Elle était mariée, et me le disait. Et, depuis lors, nous nous écrivons tous les ans, au 1er janvier. Elle me raconte sa vie, me parle de ses enfants, de ses sœurs, jamais de son mari ! Pourquoi ? Ah ! pourquoi ?... Et moi, je ne lui parle que du *Marie-Joseph...* C'est peut-être la seule femme que j'aie aimée... non... que j'aurais aimée... Ah !... voilà... sait-on ?... Les événements vous emportent... Et puis... et puis... tout passe... Elle doit être vieille, à présent... je ne la reconnaîtrais pas... Ah ! celle d'autrefois... celle de l'épave... quelle créature... divine !... Elle m'écrit que ses cheveux sont tout blancs... Mon Dieu !... ça m'a fait une peine horrible... Ah ! ses cheveux blonds... Non, la mienne n'existe plus... Que c'est triste... tout ça !... »

MADEMOISELLE PERLE

I

Quelle singulière idée j'ai eue, vraiment, ce soir-là, de choisir pour reine Mlle Perle.

Je vais tous les ans faire les Rois chez mon vieil ami Chantal. Mon père, dont il était le plus intime camarade, m'y conduisait quand j'étais enfant. J'ai continué, et je continuerai sans doute tant que je vivrai, et tant qu'il y aura un Chantal en ce monde.

Les Chantal, d'ailleurs, ont une existence singulière ; ils vivent à Paris comme s'ils habitaient Grasse, Yvetot ou Pont-à-Mousson.

Ils possèdent, auprès de l'Observatoire, une maison dans un petit jardin. Ils sont chez eux, là, comme en province. De Paris, du vrai Paris, ils ne connaissent rien, ils ne soupçonnent rien ; ils sont si loin, si loin ! Parfois, cependant, ils y font un voyage, un long voyage. Mme Chantal va aux grandes provisions, comme on dit dans la famille. Voici comment on va aux grandes provisions.

Mlle Perle, qui a les clefs des armoires de cuisine (car les armoires au linge sont administrées par la maîtresse elle-même), Mlle Perle prévient que le sucre touche à sa fin, que les conserves sont épuisées, qu'il ne reste plus grand-chose au fond du sac à café.

Ainsi mise en garde contre la famine, Mme Chantal passe l'inspection des restes, en prenant des notes sur un calepin. Puis, quand elle a inscrit beaucoup de chiffres, elle se livre d'abord à de longs calculs et ensuite à de longues discussions avec Mlle Perle. On finit cependant par se mettre d'accord et par fixer les quantités de chaque chose dont on se pourvoira pour trois mois : sucre, riz, pruneaux, café, confitures, boîtes de petits pois, de haricots, de homard, poissons salés ou fumés, etc.

Après quoi, on arrête le jour des achats, et on s'en va, en fiacre, dans un fiacre à galerie, chez un épicier considérable qui habite au-delà des ponts, dans les quartiers neufs.

Mme Chantal et Mlle Perle font ce voyage ensemble, mystérieusement, et reviennent à l'heure du dîner, exténuées, bien qu'émues encore, et cahotées dans le coupé, dont le toit est couvert de paquets et de sacs, comme une voiture de déménagement.

Pour les Chantal, toute la partie de Paris située de l'autre côté de la Seine constitue les quartiers neufs, quartiers habités par une population singulière, bruyante, peu honorable, qui passe les jours en dissipations, les nuits en fêtes, et qui jette l'argent par les fenêtres. De temps en temps cependant, on mène les jeunes filles au théâtre, à l'Opéra-Comique ou au Français, quand la pièce est recommandée par le journal que lit M. Chantal.

Les jeunes filles ont aujourd'hui dix-neuf et dix-sept ans ; ce sont deux belles filles, grandes et fraîches, très bien élevées, trop bien élevées, si bien élevées qu'elles passent inaperçues comme deux jolies poupées. Jamais l'idée ne me viendrait de faire attention ou de faire la cour aux demoiselles Chantal ; c'est à peine si on ose leur parler, tant on les sent immaculées ; on a presque peur d'être inconvenant en les saluant.

Quant au père, c'est un charmant homme, très instruit, très ouvert, très cordial, mais qui aime avant tout le repos, le calme, la tranquillité, et qui a fortement contribué à momifier ainsi sa famille pour vivre à son gré, dans une stagnante immobilité. Il lit beaucoup, cause volontiers, et s'attendrit facilement. L'absence de contacts, de coudoiements et de heurts a rendu très sensible et délicat son épiderme, son épiderme moral. La moindre chose l'émeut, l'agite et le fait souffrir.

Les Chantal ont des relations cependant, mais des relations restreintes, choisies avec soin dans le voisinage. Ils échangent aussi deux ou trois visites par an avec des parents qui habitent au loin.

Quant à moi, je vais dîner chez eux le 15 août et le jour des Rois. Cela fait partie de mes devoirs comme la communion de Pâques pour les catholiques.

Le 15 août, on invite quelques amis, mais aux Rois, je suis le seul convive étranger.

II

Donc, cette année, comme les autres années, j'ai été dîner chez les Chantal pour fêter l'Epiphanie.

Selon la coutume, j'embrassai M. Chantal Mme Chantal et Mlle Perle, et je fis un grand salut à Mlles Louise et Pauline. On m'interrogea sur mille choses, sur les événements du boulevard, sur la politique, sur ce qu'on pensait dans le public des affaires du Tonkin, et sur nos représentants. Mme Chantal, une grosse dame dont toutes les idées me font l'effet d'être carrées à la façon des pierres de taille, avait coutume d'émettre cette phrase comme conclusion à toute discussion politique : « Tout cela est de la mauvaise graine pour plus tard. » Pourquoi me suis-je toujours imaginé que les idées de Mme Chantal sont carrées ? Je n'en sais rien ; mais tout ce qu'elle dit prend cette forme dans mon esprit ; un carré, un gros carré avec quatre angles symétriques. Il y a d'autres personnes dont les idées me semblent toujours rondes et roulantes comme des cerceaux. Dès qu'elles ont commencé une phrase sur quelque chose, ça roule, ça va, ça sort par dix, vingt, cinquante idées rondes, des grandes et des petites que je vois courir l'une derrière l'autre, jusqu'au bout de l'horizon. D'autres personnes aussi ont des idées pointues... Enfin, cela importe peu.

On se mit à table comme toujours, et le dîner s'acheva sans qu'on eût rien à retenir.

Au dessert, on apporta le gâteau des Rois. Or, chaque année, M. Chantal était roi. Etait-ce l'effet d'un hasard continu ou d'une convention familiale, je n'en sais rien, mais il trouvait infailliblement la fève dans sa part de pâtisserie, et il proclamait reine Mme Chantal. Aussi, fus-je stupéfait en sentant dans une bouchée de brioche quelque chose de très dur qui faillit me casser une dent. J'ôtai doucement cet objet de ma bouche et j'aperçus une petite poupée de porcelaine, pas plus grosse qu'un haricot. La surprise me fit dire : « Ah ! » On me regarda, et Chantal s'écria en battant des mains : « C'est Gaston ! C'est Gaston ! Vive le roi ! Vive le roi ! »

Tout le monde reprit en chœur : « Vive le roi ! » Et je rougis jusqu'aux oreilles, comme on rougit souvent, sans raison, dans les situations un peu sottes. Je demeurais les yeux baissés, tenant entre deux doigts ce grain de faïence, m'efforçant de rire et ne sachant que faire ni que dire, lorsque Chantal reprit : « Maintenant, il faut choisir une reine. »

Alors je fus atterré. En une seconde, mille pensées, mille suppositions me traversèrent l'esprit. Voulait-on me faire désigner une des demoiselles Chantal ? Etait-ce là un moyen de me faire dire celle que je préférais ? Etait-ce une douce, légère, insensible poussée des parents vers un mariage possible ? L'idée de mariage rôde sans cesse dans toutes les maisons à grandes filles et prend toutes les formes, tous les déguisements, tous les moyens. Une peur atroce de me compromettre m'envahit, et aussi une extrême timidité devant l'attitude si obstinément correcte et fermée de Mlles Louise et Pauline. Elire l'une d'elles au détriment de l'autre me sembla aussi difficile que de choisir entre deux gouttes d'eau ; et puis, la crainte de m'aventurer dans une histoire où je serais conduit au mariage malgré moi, tout doucement, par des procédés aussi discrets, aussi inaperçus et aussi calmes que cette royauté insignifiante, me troublait horriblement.

Mais tout à coup, j'eus une inspiration, et je tendis à Mlle Perle la poupée symbolique. Tout le monde fut d'abord surpris, puis on apprécia sans doute ma délicatesse et ma discrétion, car on applaudit avec furie. On criait : « Vive la reine ! Vive la reine ! »

Quant à elle, la pauvre vieille fille, elle avait perdu

toute contenance ; elle tremblait, effarée, et balbutiait : « Mais non... mais non... mais non... pas moi... je vous en prie... pas moi... je vous en prie... »

Alors, pour la première fois de ma vie, je regardai Mlle Perle, et je me demandai ce qu'elle était.

J'étais habitué à la voir dans cette maison, comme on voit les vieux fauteuils de tapisserie sur lesquels on s'assied depuis son enfance sans y avoir jamais pris garde. Un jour, on ne sait pourquoi, parce qu'un rayon de soleil tombe sur le siège, on se dit tout à coup : « Tiens, mais il est fort curieux, ce meuble » ; et on découvre que le bois a été travaillé par un artiste, et que l'étoffe est remarquable. Jamais je n'avais pris garde à Mlle Perle.

Elle faisait partie de la famille Chantal, voilà tout ; mais comment ? A quel titre ? — C'était une grande personne maigre qui s'efforçait de rester inaperçue, mais qui n'était pas insignifiante. On la traitait amicalement, mieux qu'une femme de charge, moins bien qu'une parente. Je saisissais tout à coup, maintenant, une quantité de nuances dont je ne m'étais point soucié jusqu'ici ! Mme Chantal disait : « Perle. » Les jeunes filles : « Mlle Perle », et Chantal ne l'appelait que Mademoiselle, d'un air plus révérend peut-être.

Je me mis à la regarder. — Quel âge avait-elle ? Quarante ans ? Oui, quarante ans. — Elle n'était pas vieille, cette fille, elle se vieillissait. Je fus soudain frappé par cette remarque. Elle se coiffait, s'habillait, se parait ridiculement, et, malgré tout, elle n'était point ridicule, tant elle portait en elle de grâce simple, naturelle, de grâce voilée, cachée avec soin. Quelle drôle de créature, vraiment ! Comment ne l'avais-je jamais mieux observée ? Elle se coiffait d'une façon grotesque, avec de petits frisons vieillots tout à fait farces ; et, sous cette chevelure à la Vierge conservée, on voyait un grand front calme, coupé par deux rides profondes, deux rides de longues tristesses, puis deux yeux bleus, larges et doux, si timides, si craintifs, si humbles, deux beaux yeux restés si naïfs, pleins d'étonnements de fillette, de sensations jeunes et aussi de chagrins qui avaient passé dedans, en les attendrissant sans les troubler.

Tout le visage était fin et discret, un de ces visages qui se sont éteints sans avoir été usés, ou fanés par les fatigues ou les grandes émotions de la vie.

Quelle jolie bouche ! et quelles jolies dents ! Mais on eût dit qu'elle n'osait pas sourire !

Et, brusquement, je la comparai à Mme Chantal ! Certes ! Mlle Perle était mieux, cent fois mieux, plus fine, plus noble, plus fière.

J'étais stupéfait de mes observations. On versait du champagne. Je tendis mon verre à la reine, en portant sa santé avec un compliment bien tourné. Elle eut envie, je m'en aperçus, de se cacher la figure dans sa serviette ; puis, comme elle trempait ses lèvres dans le vin clair, tout le monde cria : « La reine boit ! la reine boit ! » Elle devint alors toute rouge et s'étrangla. On riait ; mais je vis bien qu'on l'aimait beaucoup dans la maison.

III

Dès que le dîner fut fini, Chantal me prit par le bras. C'était l'heure de son cigare, heure sacrée. Quand il était seul, il allait le fumer dans la rue ; quand il avait quelqu'un à dîner, on montait au billard, et il jouait en fumant. Ce soir-là, on avait même fait du feu dans le billard, à cause des Rois ; et mon vieil ami prit sa queue, une queue très fine qu'il frotta de blanc avec grand soin, puis il dit :

— A toi, mon garçon !

Car il me tutoyait, bien que j'eusse vingt-cinq ans, mais il m'avait vu tout enfant.

Je commençai donc la partie ; je fis quelques carambolages ; j'en manquai quelques autres ; mais comme la pensée de Mlle Perle me rôdait dans la tête, je demandai tout à coup :

— Dites donc, monsieur Chantal, est-ce que Mlle Perle est votre parente ?

Il cessa de jouer, très étonné, et me regarda.

— Comment, tu ne sais pas ? tu ne connais pas l'histoire de Mlle Perle ?

— Mais non.

— Ton père ne te l'a jamais racontée ?

— Mais non.

— Tiens, tiens, que c'est drôle ! ah ! par exemple, que c'est drôle ! Oh ! mais c'est toute une aventure !

Il se tut, puis reprit :

— Et si tu savais comme c'est singulier que tu me demandes ça aujourd'hui, un jour des Rois !

— Pourquoi ?

— Ah ! pourquoi ! Ecoute. Voilà de cela quarante et un ans, quarante et un ans aujourd'hui même, jour de l'Epiphanie. Nous habitions alors Roüy-le-Tors, sur les remparts ; mais il faut d'abord t'expliquer la maison pour que tu comprennes bien. Roüy est bâti sur une côte, ou plutôt sur un mamelon qui domine un grand pays de prairies. Nous avions là une maison avec un beau jardin suspendu, soutenu en l'air par les vieux murs de défense. Donc la maison était dans la ville, dans la rue, tandis que le jardin dominait la plaine. Il y avait aussi une porte de sortie de ce jardin sur la campagne, au bout d'un escalier secret qui descendait dans l'épaisseur des murs, comme on en trouve dans les romans. Une route passait devant cette porte qui était munie d'une grosse cloche, car les paysans, pour éviter le grand tour, apportaient par là leurs provisions.

Tu vois bien les lieux, n'est-ce pas ? Or, cette année-là, aux Rois, il neigeait depuis une semaine. On eût dit la fin du monde. Quand nous allions aux remparts regarder la plaine, ça nous faisait froid dans l'âme, cet immense pays blanc, tout blanc, glacé, et qui luisait comme du vernis. On eût dit que le bon Dieu avait empaqueté la terre pour l'envoyer au grenier des vieux mondes. Je t'assure que c'était bien triste.

Nous demeurions en famille à ce moment-là, et nombreux, très nombreux : mon père, ma mère, mon oncle et ma tante, mes deux frères et mes quatre cousines ; c'étaient de jolies fillettes ; j'ai épousé la dernière. De tout ce monde-là, nous ne sommes plus que trois survivants : ma femme, moi et ma belle-sœur qui habite Marseille. Sacristi, comme ça s'égrène, une famille ! ça me fait trembler quand j'y pense ! Moi, j'avais quinze ans, puisque j'en ai cinquante-six.

Donc, nous allions fêter les Rois, et nous étions très gais, très gais ! Tout le monde attendait le dîner dans le salon, quand mon frère aîné, Jacques, se mit à dire : « Il y a un chien qui hurle dans la plaine depuis dix minutes ; ça doit être une pauvre bête perdue. »

Il n'avait pas fini de parler, que la cloche du

jardin tinta. Elle avait un gros son de cloche d'église qui faisait penser aux morts. Tout le monde en frissonna. Mon père appela le domestique et lui dit d'aller voir. On attendit en grand silence ; nous pensions à la neige qui couvrait toute la terre. Quand l'homme revint, il affirma qu'il n'avait rien vu. Le chien hurlait toujours, sans cesse, et sa voix ne changeait point de place.

On se mit à table ; mais nous étions un peu émus, surtout les jeunes. Ça alla bien jusqu'au rôti, puis voilà que la cloche se remet à sonner trois fois de suite, trois grands coups, longs, qui ont vibré jusqu'au bout de nos doigts et qui nous ont coupé le souffle, tout net. Nous restions à nous regarder, la fourchette en l'air, écoutant toujours, et saisis d'une espèce de peur surnaturelle.

Ma mère enfin parla : « C'est étonnant qu'on ait attendu si longtemps pour revenir ; n'allez pas seul, Baptiste ; un de ces messieurs va vous accompagner. »

Mon oncle François se leva. C'était une espèce d'hercule, très fier de sa force et qui ne craignait rien au monde. Mon père lui dit : « Prends un fusil. On ne sait pas ce que ça peut être. »

Mais mon oncle ne prit qu'une canne et sortit aussitôt avec le domestique.

Nous autres, nous demeurâmes frémissants de terreur et d'angoisse, sans manger, sans parler. Mon père essaya de nous rassurer. « Vous allez voir, dit-il, que ce sera quelque mendiant ou quelque passant perdu dans la neige. Après avoir sonné une première fois, voyant qu'on n'ouvrait pas tout de suite, il a tenté de retrouver son chemin, puis, n'ayant pu y parvenir, il est revenu à notre porte. »

L'absence de mon oncle nous parut durer une heure. Il revint enfin, furieux, jurant : « Rien, nom de nom, c'est un farceur ! Rien que ce maudit chien qui hurle à cent mètres des murs. Si j'avais pris un fusil, je l'aurais tué pour le faire taire. »

On se remit à dîner, mais tout le monde demeurait anxieux ; on sentait bien que ce n'était pas fini, qu'il allait se passer quelque chose, que la cloche, tout à l'heure, sonnerait encore.

Et elle sonna, juste au moment où l'on coupait le gâteau des Rois. Tous les hommes se levèrent ensemble. Mon oncle François, qui avait bu du champagne, affirma qu'il allait LE massacrer, avec tant de fureur, que ma mère et ma tante se jetèrent sur lui pour l'empêcher. Mon père, bien que très calme et un peu impotent (il traînait la jambe depuis qu'il se l'était cassée en tombant de cheval), déclara à son tour qu'il voulait savoir ce que c'était, et qu'il irait. Mes frères, âgés de dix-huit et de vingt ans, coururent chercher leurs fusils ; et comme on ne faisait guère attention à moi, je m'emparai d'une carabine de jardin et je me disposai aussi à accompagner l'expédition.

Elle partit aussitôt. Mon père et mon oncle marchaient devant, avec Baptiste, qui portait une lanterne. Mes frères Jacques et Paul suivaient, et je venais derrière, malgré les supplications de ma mère, qui demeurait avec sa sœur et mes cousines sur le seuil de la maison.

La neige s'était remis à tomber depuis une heure ; et les arbres en étaient chargés. Les sapins pliaient sous ce lourd vêtement livide, pareils à des pyramides blanches, à d'énormes pains de sucre ; et on apercevait à peine, à travers le rideau gris des flocons menus et pressés, les arbustes plus légers, tout pâles dans l'ombre. Elle tombait si épaisse, la neige, qu'on y voyait tout juste à dix pas. Mais la lanterne jetait une grande clarté devant nous. Quand on commença à descendre par l'escalier tournant creusé dans la muraille, j'eus peur, vraiment. Il me sembla qu'on marchait derrière moi ; qu'on allait me saisir par les épaules et m'emporter ; et j'eus envie de retourner ; mais comme il fallait retraverser tout le jardin, je n'osai pas.

J'entendis qu'on ouvrait la porte sur la plaine ; puis mon oncle se remit à jurer : « Nom d'un nom, il est reparti ! Si j'aperçois seulement son ombre, je ne le rate pas, ce c...-là. »

C'était sinistre de voir la plaine, ou, plutôt, de la sentir devant soi, car on ne la voyait pas ; on ne voyait qu'un voile de neige sans fin, en haut, en bas, en face, à droite, à gauche, partout.

Mon oncle reprit : « Tiens, revoilà le chien qui hurle ; je vais lui apprendre comment je tire, moi. Ça sera toujours ça de gagné. »

Mais mon père, qui était bon, reprit : « Il vaut mieux l'aller chercher, ce pauvre animal qui crie la faim. Il aboie au secours, ce misérable ; il appelle comme un homme en détresse. Allons-y. »

Et on se mit en route à travers ce rideau, à travers cette tombée épaisse, continue, à travers cette mousse qui emplissait la nuit et l'air, qui remuait, flottait, tombait et glaçait la chair en fondant, la glaçait comme elle l'aurait brûlée, par une douleur vive et rapide sur la peau, à chaque toucher des petits flocons blancs.

Nous enfoncions jusqu'aux genoux dans cette pâte molle et froide ; et il fallait lever très haut la jambe pour marcher. A mesure que nous avancions, la voix du chien devenait plus claire, plus forte. Mon oncle cria : « Le voici ! » On s'arrêta pour l'observer, comme on doit faire en face d'un ennemi qu'on rencontre dans la nuit.

Je ne voyais rien, moi ; alors, je rejoignis les autres, et je l'aperçus ; il était effrayant et fantastique à voir, ce chien, un gros chien noir, un chien de berger à grands poils et à tête de loup, dressé sur ses quatre pattes, tout au bout de la longue traînée de lumière que faisait la lanterne sur la neige. Il ne bougeait pas ; il s'était tu ; et il nous regardait.

Mon oncle dit : « C'est singulier, il n'avance ni ne recule. J'ai bien envie de lui flanquer un coup de fusil. »

Mon père reprit d'une voix ferme : « Non, il faut le prendre. »

Alors mon frère Jacques ajouta : « Mais il n'est pas seul. Il y a quelque chose à côté de lui. »

Il y avait quelque chose derrière lui, en effet, quelque chose de gris, d'impossible à distinguer. On se remit en marche avec précaution.

En nous voyant approcher, le chien s'assit sur son derrière. Il n'avait pas l'air méchant. Il semblait plutôt content d'avoir réussi à attirer des gens.

Mon père alla droit à lui et le caressa. Le chien lui lécha les mains ; et on reconnut qu'il était attaché à la roue d'une petite voiture, d'une sorte de voiture joujou enveloppée tout entière dans trois ou quatre couvertures de laine. On enleva ces linges avec soin, et comme Baptiste approchait sa lanterne de la porte de cette carriole qui ressemblait à une niche roulante, on aperçut dedans un petit enfant qui dormait.

Nous fûmes tellement stupéfaits que nous ne pouvions dire un mot. Mon père se remit le premier, et comme il était de grand cœur et d'âme un peu exaltée, il étendit la main sur le toit de la voiture et il dit : « Pauvre abandonné, tu seras des nôtres ! » Et il ordonna à mon frère Jacques de rouler devant nous notre trouvaille.

Mon père reprit, pensant tout haut :

« Quelque enfant d'amour dont la pauvre mère est venue sonner à ma porte en cette nuit de l'Epiphanie, en souvenir de l'Enfant-Dieu. »

Il s'arrêta de nouveau, et, de toute sa force, il cria quatre fois à travers la nuit vers les quatre coins du ciel : « Nous l'avons recueilli ! » Puis, posant la main sur l'épaule de son frère, il murmura : « Si tu avais tiré sur le chien, François ?... »

Mon oncle ne répondit pas, mais il fit dans l'ombre un grand signe de croix, car il était très religieux malgré ses airs fanfarons.

On avait détaché le chien, qui nous suivait.

Ah ! par exemple, ce qui fut gentil à voir, c'est la rentrée à la maison. On eut d'abord beaucoup de mal à monter la voiture par l'escalier des remparts ; on y parvint cependant et on la roula jusque dans le vestibule.

Comme maman était drôle, contente et effarée ! Et mes quatre petites cousines (la plus jeune avait six ans), elles ressemblaient à quatre poules autour d'un nid. On retira enfin de sa voiture l'enfant qui dormait toujours. C'était une fille, âgée de six semaines environ. Et on trouva dans ses langes dix mille francs en or, oui, dix mille francs ! que papa plaça pour lui faire une dot. Ce n'était donc pas un enfant de pauvres... mais peut-être l'enfant de quelque noble avec une petite bourgeoise de la ville... ou encore... nous avons fait mille suppositions et on n'a jamais rien su... mais là, jamais rien... jamais rien... Le chien lui-même ne fut reconnu par personne. Il était étranger au pays. Dans tous les cas, celui ou celle qui était venu sonner trois fois à notre porte connaissait bien mes parents, pour les avoir choisis ainsi.

Voilà donc comment Mlle Perle entra, à l'âge de six semaines, dans la maison Chantal.

On ne la nomma que plus tard Mlle Perle, d'ailleurs. On la fit baptiser d'abord : « Marie, Simonne, Claire. » Claire devant lui servir de nom de famille.

Je vous assure que ce fut une drôle de rentrée dans la salle à manger avec cette mioche réveillée qui regardait autour d'elle ces gens et ces lumières, de ses yeux vagues, bleus et troubles.

On se remit à table et le gâteau fut partagé. J'étais roi ; et je pris pour reine Mlle Perle, comme toi tout à l'heure. Elle ne se douta guère, ce jour-là, de l'honneur qu'on lui faisait.

Donc, l'enfant fut adoptée, et élevée dans la famille. Elle grandit ; des années passèrent. Elle était gentille, douce, obéissante. Tout le monde l'aimait et on l'aurait abominablement gâtée si ma mère ne l'eût empêché.

Ma mère était une femme d'ordre et de hiérarchie. Elle consentit à traiter la petite Claire comme ses propres fils, mais elle tenait cependant à ce que la distance qui nous séparait fût bien marquée, et la situation bien établie.

Aussi, dès que l'enfant put comprendre, elle lui fit connaître son histoire et fit pénétrer tout doucement, même tendrement dans l'esprit de la petite, qu'elle était pour les Chantal une fille adoptive, recueillie, mais en somme une étrangère.

Claire comprit cette situation avec une singulière

intelligence, avec un instinct surprenant ; et elle sut prendre et garder la place qui lui était laissée, avec tant de tact, de grâce et de gentillesse, qu'elle touchait mon père à le faire pleurer.

Ma mère elle-même fut tellement émue par la reconnaissance passionnée et le dévouement un peu craintif de cette mignonne et tendre créature, qu'elle se mit à l'appeler « ma fille ». Parfois, quand la petite avait fait quelque chose de bon, de délicat, ma mère relevait ses lunettes sur son front, ce qui indiquait toujours une émotion chez elle, et elle répétait : « Mais c'est une perle, une vraie perle, cette enfant ! » — Ce nom en resta à la petite Claire qui devint et demeura pour nous Mlle Perle.

IV

M. Chantal se tut. Il était assis sur le billard, les pieds ballants, et il maniait une boule de la main gauche, tandis que de la droite il tripotait un linge qui servait à effacer les points sur le tableau d'ardoise et que nous appelions « le linge à craie ». Un peu rouge, la voix sourde, il parlait pour lui maintenant, parti dans ses souvenirs, allant doucement, à travers les choses anciennes et les vieux événements qui se réveillaient dans sa pensée, comme on va, en se promenant, dans les vieux jardins de la famille où l'on fut élevé, et où chaque arbre, chaque chemin, chaque plante, les houx pointus, les lauriers qui sentent bon, les ifs dont la graine rouge et grasse s'écrase entre les doigts, font surgir, à chaque pas, un petit fait de notre vie passée, un de ces faits insignifiants et délicieux qui forment le fond même, la trame de l'existence.

Moi, je restais en face de lui, adossé à la muraille, les mains appuyées sur ma queue de billard inutile.

Il reprit, au bout d'une minute : « Cristi, qu'elle était jolie à dix-huit ans... et gracieuse... et parfaite... Ah ! la jolie... jolie... jolie et bonne... et brave... et charmante fille !... Elle avait des yeux... des yeux bleus... transparents... clairs... comme je n'en ai jamais vu de pareils... jamais !

Il se tut encore. Je demandai : « Pourquoi ne s'est-elle pas mariée ? »

Il répondit, non pas à moi, mais à ce mot qui passait : « mariée ».

— Pourquoi ? pourquoi ? Elle n'a pas voulu... pas voulu. Elle avait pourtant trente mille francs de dot, et elle fut demandée plusieurs fois... elle n'a pas voulu ! Elle semblait triste à cette époque-là. C'est quand j'épousai ma cousine, la petite Charlotte, ma femme, avec qui j'étais fiancé depuis six ans.

Je regardais M. Chantal et il me semblait que je pénétrais dans son esprit, que je pénétrais tout à coup dans un de ces humbles et cruels drames des cœurs honnêtes, des cœurs droits, des cœurs sans reproches, dans un de ces cœurs inavoués, inexplorés, que personne n'a connu, pas même ceux qui en sont les muettes et résignées victimes.

Et une curiosité hardie me poussant tout à coup, je prononçai :

— C'est vous qui auriez dû l'épouser, monsieur Chantal !

Il tressaillit, me regarda, et dit :

— Moi ? Epouser qui ?

— Mlle Perle.

— Pourquoi ça ?

— Parce que vous l'aimiez plus que votre cousine.

Il me regarda avec des yeux étranges, ronds, effarés, puis il balbutia :

— Je l'ai aimée... moi ?... comment ? qu'est-ce qui t'a dit ça ?...

— Parbleu, ça se voit... et c'est même à cause d'elle que vous avez tardé si longtemps à épouser votre cousine qui vous attendait depuis six ans.

Il lâcha la bille qu'il tenait de la main gauche, saisit à deux mains le linge à craie, et s'en couvrant le visage, se mit à sangloter dedans. Il pleurait d'une façon désolante et ridicule, comme pleure une éponge qu'on presse, par les yeux, le nez et la bouche en même temps. Et il toussait, crachait, se mouchait dans le linge à craie, s'essuyait les yeux, éternuait, recommençait à couler par toutes les fentes de son visage, avec un bruit de gorge qui faisait penser aux gargarismes.

Moi, effaré, honteux, j'avais envie de me sauver et je ne savais plus que dire, que faire, que tenter.

Et soudain, la voix de Mme Chantal résonna dans l'escalier : « Est-ce bientôt fini, votre fumerie ? »

J'ouvris la porte et je criai : « Oui, madame, nous descendons. »

Puis, je me précipitai vers son mari, et, le saisissant par les coudes : « Monsieur Chantal, mon ami Chantal, écoutez-moi ; votre femme vous appelle, remettez-vous, remettez-vous vite, il faut descendre ; remettez-vous. »

Il bégaya : « Oui..., oui..., je viens..., pauvre fille..., je viens..., dites-lui que j'arrive. »

Et il commença à s'essuyer consciencieusement la

figure avec le linge qui, depuis deux ou trois ans, essuyait toutes les marques de l'ardoise, puis il apparut, moitié blanc et moitié rouge, le front, le nez, les joues et le menton barbouillés de craie, et les yeux gonflés, encore pleins de larmes.

Je le pris par les mains et l'entraînai dans sa chambre en murmurant : « Je vous demande pardon, je vous demande bien pardon, monsieur Chantal, de vous avoir fait de la peine... mais... je ne savais pas... vous... vous comprenez... »

Il me serra la main : « Oui... oui... il y a des moments difficiles... »

Puis il se plongea la figure dans sa cuvette. Quand il en sortit, il ne me parut pas encore présentable ; mais j'eus l'idée d'une petite ruse. Comme il s'inquiétait, en se regardant dans la glace, je lui dis : « Il suffira de raconter que vous avez un grain de poussière dans l'œil, et vous pourrez pleurer devant tout le monde autant qu'il vous plaira. »

Il descendit, en effet, en se frottant les yeux avec son mouchoir. On s'inquiéta ; chacun voulut chercher le grain de poussière qu'on ne trouva point, et on raconta des cas semblables où il était devenu nécessaire d'aller chercher le médecin.

Moi, j'avais rejoint Mlle Perle et je la regardais, tourmenté par une curiosité ardente, une curiosité qui devenait une souffrance. Elle avait dû être bien jolie, en effet, avec ses yeux doux, si grands, si calmes, si larges qu'elle avait l'air de ne les jamais fermer, comme font les autres humains. Sa toilette était un peu ridicule, une vraie toilette de vieille fille, et la déparait sans la rendre gauche.

Il me semblait que je voyais en elle, comme j'avais vu tout à l'heure dans l'âme de M. Chantal, que j'apercevais, d'un bout à l'autre, cette vie humble, simple et dévouée ; mais un besoin me venait aux lèvres, un besoin harcelant de l'interroger, de savoir si, elle aussi, l'avait aimé, lui ; si elle avait souffert comme lui de cette longue souffrance secrète, aiguë, qu'on ne voit pas, qu'on ne sait pas, qu'on ne devine pas, mais qui s'échappe, la nuit, dans la solitude de la chambre noire. Je la regardais, je voyais battre son cœur sous son corsage à guimpe, et je me demandais si cette douce figure candide avait gémi chaque soir, dans l'épaisseur moite de l'oreiller, et sangloté, le corps secoué de sursauts, dans la fièvre du lit brûlant.

Et je lui dis tout bas, comme font les enfants qui cassent un bijou pour voir dedans : « Si vous aviez vu pleurer M. Chantal tout à l'heure, il vous aurait fait pitié. »

Elle tressaillit : « Comment, il pleurait ?

— Oh ! oui, il pleurait !

— Et pourquoi ça ?

Elle semblait très émue. Je répondis :

— A votre sujet.

— A mon sujet ?

— Oui. Il me racontait combien il vous avait aimée autrefois ; et combien il lui en avait coûté d'épouser sa femme au lieu de vous... »

Sa figure pâle me parut s'allonger un peu ; ses yeux toujours ouverts, ses yeux calmes se fermèrent tout à coup, si vite qu'ils semblaient s'être clos pour toujours. Elle glissa de sa chaise sur le plancher et s'y affaissa doucement, lentement, comme aurait fait une écharpe tombée.

Je criai : « Au secours ! Au secours ! Mlle Perle se trouve mal ! »

Mme Chantal et ses filles se précipitèrent. et comme

on cherchait de l'eau, une serviette et du vinaigre, je pris mon chapeau et me sauvai.

Je m'en allai à grands pas, le cœur secoué, l'esprit plein de remords et de regrets. Et parfois aussi j'étais content ; il me semblait que j'avais fait une chose louable et nécessaire.

Je me demandais : « Ai-je eu tort ? Ai-je eu raison ? » Ils avaient cela dans l'âme comme on garde du plomb dans une plaie fermée. Maintenant ne seront-ils pas plus heureux ? Il était trop tard pour que recommençât leur torture et assez tôt pour qu'ils s'en souvinssent avec attendrissement.

Et peut-être qu'un soir du prochain printemps, émus par un rayon de lune tombé sur l'herbe, à leurs pieds, à travers les branches, ils se prendront et se serreront la main en souvenir de toute cette souffrance étouffée et cruelle ; et peut-être aussi que cette courte étreinte fera passer dans leurs veines un peu de ce frisson qu'ils n'auront point connu, et leur jettera, à ces morts ressuscités en une seconde, la rapide et divine sensation de cette ivresse, de cette folie qui donne aux amoureux plus de bonheur en un tressaillement, que n'en peuvent cueillir, en toute leur vie, les autres hommes !

LA FOLLE

A Robert de Bonnières.

Tenez, dit Mathieu d'Endolin, les bécasses me rappellent une bien sinistre anecdote de la guerre.

Vous connaissez ma propriété dans le faubourg de Cormeil. Je l'habitais au moment de l'arrivée des Prussiens.

J'avais alors pour voisine une espèce de folle dont l'esprit s'était égaré sous les coups du malheur. Jadis, à l'âge de vingt-cinq ans, elle avait perdu, en un seul mois, son père, son mari et son enfant nouveau-né.

Quand la mort est entrée une fois dans une maison, elle y revient presque toujours immédiatement, comme si elle connaissait la porte.

La pauvre jeune femme, foudroyée par le chagrin, prit le lit, délira pendant six semaines. Puis, une sorte de lassitude calme succédant à cette crise violente, elle resta sans mouvement, mangeant à peine, remuant seulement les yeux. Chaque fois qu'on voulait la faire lever, elle criait comme si on l'eût tuée. On la laissa donc toujours couchée, ne la tirant de ses draps que pour les soins de sa toilette et pour retourner ses matelas.

Une vieille bonne restait près d'elle, la faisant boire de temps en temps, ou mâcher un peu de viande froide. Que se passait-il dans cette âme désespérée ? On ne le sut jamais, car elle ne parla plus. Songeait-elle aux morts ? Rêvassait-elle tristement, sans souvenir précis ? Ou bien sa pensée anéantie restait-elle immobile comme de l'eau sans courant ?

Pendant quinze années, elle demeura ainsi fermée et inerte.

La guerre vint ; et, dans les premiers jours de décembre, les Prussiens pénétrèrent à Cormeil.

Je me rappelle cela comme d'hier. Il gelait à fendre les pierres ; et j'étais étendu moi-même dans un fauteuil, immobilisé par la goutte, quand j'entendis le battement lourd et rythmé de leurs pas. De ma fenêtre, je les vis passer.

Ils défilaient interminablement, tous pareils, avec ce mouvement de pantins qui leur est particulier. Puis les chefs distribuèrent leurs hommes aux habitants. J'en eus dix-sept. La voisine, la folle, en avait douze, dont un commandant, vrai soudard, violent, bourru.

Pendant les premiers jours, tout se passa normalement. On avait dit à l'officier d'à côté que la dame était malade ; et il ne s'en inquiéta guère. Mais bientôt cette femme qu'on ne voyait jamais l'irrita. Il s'informa de la maladie ; on répondit que son hôtesse était couchée depuis quinze ans par suite d'un violent chagrin. Il n'en crut rien sans doute, et s'imagina que la pauvre insensée ne quittait pas son lit par fierté, pour ne pas voir les Prussiens, et ne leur point parler, et ne les point frôler.

Il exigea qu'elle le reçût ; on le fit entrer dans sa chambre. Il demanda, d'un ton brusque :

— Je vous prierai, Matame, de fous lever et de tescentre pour qu'on fous foie.

Elle tourna vers lui ses yeux vagues, ses yeux vides, et ne répondit pas.

Il reprit :

— Che ne tolérerai bas d'insolence. Si fous ne fous levez pas de ponne volonté, che trouverai pien un moyen de fous faire bromener tout seule.

Elle ne fit pas un geste, toujours immobile comme si elle ne l'eût pas vu.

Il rageait, prenant ce silence calme pour une marque de mépris suprême. Et il ajouta :

— Si vous n'êtes pas tescentue temain...

Puis il sortit.

Le lendemain, la vieille bonne, éperdue, la voulut habiller ; mais la folle se mit à hurler en se débattant. L'officier monta bien vite ; et la servante, se jetant à ses genoux, cria :

— Elle ne veut pas, Monsieur, elle ne veut pas ! Pardonnez-lui ; elle est si malheureuse.

Le soldat restait embarrassé, n'osant, malgré sa colère, la faire tirer du lit par ses hommes. Mais soudain il se mit à rire et donna des ordres en allemand.

Et bientôt on vit sortir un détachement qui soutenait un matelas comme on porte un blessé. Dans ce lit qu'on n'avait point défait, la folle, toujours silencieuse, restait tranquille, indifférente aux événements tant qu'on la laissait couchée. Un homme par-derrière portait un paquet de vêtements féminins.

Et l'officier prononça en se frottant les mains :

— Nous ferrons pien si vous poufez bas vous hapiller toute seule et faire une bétite bromenate.

Puis on vit s'éloigner le cortège dans la direction de la forêt d'Imauville.

Deux heures plus tard, les soldats revinrent tout seuls.

On ne revit plus la folle. Qu'en avaient-ils fait ? Où l'avaient-ils portée ? On ne le sut jamais.

La neige tombait maintenant jour et nuit, ensevelissant la plaine et les bois sous un linceul de mousse glacée. Les loups venaient hurler jusqu'à nos portes.

La pensée de cette femme perdue me hantait ; et je fis plusieurs démarches auprès de l'autorité prussienne afin d'obtenir des renseignements. Je faillis être fusillé.

Le printemps revint. L'armée d'occupation s'éloigna. La maison de ma voisine restait fermée ; l'herbe drue poussait dans les allées.

La vieille bonne était morte pendant l'hiver. Personne ne s'occupait plus de cette aventure ; moi seul y songeais sans cesse.

Qu'avaient-ils fait de cette femme ? S'était-elle enfuie à travers les bois ? L'avait-on recueillie quelque part et gardée dans un hôpital sans pouvoir obtenir d'elle aucun renseignement ? Rien ne venait alléger mes doutes ; mais, peu à peu, le temps apaisa le souci de mon cœur.

Or, à l'automne suivant, les bécasses passèrent en masse ; et comme ma goutte me laissait un peu de répit, je me traînai jusqu'à la forêt. J'avais déjà tué quatre ou cinq oiseaux à long bec, quand j'en abattis un qui disparut dans un fossé plein de branches. Je fus obligé d'y descendre pour y ramasser ma bête. Je la trouvai tombée auprès d'une tête de mort. Et brusquement le souvenir de la folle m'arriva dans la poitrine comme un coup de poing. Bien d'autres avaient expiré dans ces bois peut-être en cette année sinistre ; mais je ne sais pourquoi, j'étais sûr, sûr, vous dis-je, que je rencontrais la tête de cette misérable maniaque.

Et soudain je compris, je devinai tout. Ils l'avaient abandonnée sur ce matelas, dans la forêt froide et déserte ; et, fidèle à son idée fixe, elle s'était laissée mourir sous l'épais et léger duvet des neiges et sans remuer le bras ou la jambe.

Puis les loups l'avaient dévorée.

Et les oiseaux avaient fait leur nid avec la laine de son lit déchiré.

J'ai gardé ce triste ossement. Et je fais des vœux pour que nos fils ne voient plus jamais de guerre.

PIERROT

A Henri Rouzon.

Mme Lefèvre était une dame de campagne, une veuve, une de ces demi-paysannes à rubans et à chapeaux à falbalas, de ces personnes qui parlent avec des cuirs, prennent en public des airs grandioses, et cachent une âme de brute prétentieuse sous des dehors comiques et chamarrés, comme elles dissimulent leurs grosses mains rouges sous des gants de soie écrue.

Elle avait pour servante une brave campagnarde toute simple, nommée Rose.

Les deux femmes habitaient une petite maison à volets verts, le long d'une route, en Normandie, au centre du pays de Caux.

Comme elles possédaient, devant l'habitation, un étroit jardin, elles cultivaient quelques légumes.

Or, une nuit, on vola une douzaine d'oignons.

Dès que Rose s'aperçut du larcin, elle courut prévenir Madame, qui descendit en jupe de laine. Ce fut une désolation et une terreur. On avait volé, volé Mme Lefèvre ! Donc, on volait dans le pays, puis on pouvait revenir.

Et les deux femmes effarées contemplaient les traces de pas, bavardaient, supposaient des choses :

« Tenez, ils ont passé par là. Ils ont mis leurs pieds sur le mur ; ils ont sauté dans la plate-bande. »

Et elles s'épouvantaient pour l'avenir. Comment dormir tranquilles maintenant ?

Le bruit du vol se répandit. Les voisins arrivèrent, constatèrent, discutèrent à leur tour ; et les deux femmes expliquaient à chaque nouveau venu leurs observations et leurs idées.

Un fermier d'à côté leur offrit ce conseil : « Vous devriez avoir un chien. »

C'était vrai, cela ; elles devraient avoir un chien, quand ce ne serait que pour donner l'éveil. Pas un gros chien, Seigneur ! Que feraient-elles d'un gros chien ! Il les ruinerait en nourriture. Mais un petit chien (en Normandie, on prononce *quin*), un petit freluquet de *quin* qui jappe.

Dès que tout le monde fut parti, Mme Lefèvre discuta longtemps cette idée de chien. Elle faisait, après réflexion, mille objections, terrifiée par l'image d'une jatte pleine de pâtée ; car elle était de cette race parcimonieuse de dames campagnardes qui portent toujours des centimes dans leur poche pour faire l'aumône ostensiblement aux pauvres des chemins, et donner aux quêtes du dimanche.

Rose, qui aimait les bêtes, apporta ses raisons et les défendit avec astuce. Donc, il fut décidé qu'on aurait un chien, un tout petit chien.

On se mit à sa recherche, mais on n'en trouvait que des grands, des avaleurs de soupe à faire frémir. L'épicier de Rolleville en avait bien un, tout petit ; mais il exigeait qu'on le lui payât deux francs, pour couvrir ses frais d'élevage. Mme Lefèvre déclara qu'elle voulait bien nourrir un « quin », mais qu'elle n'en achèterait pas.

Or, le boulanger, qui savait les événements, apporta, un matin, dans sa voiture, un étrange petit animal tout jaune, presque sans pattes, avec un corps de crocodile, une tête de renard et une queue en trompette, un vrai panache, grand comme tout le reste de sa personne. Un client cherchait à s'en défaire. Mme Lefèvre trouva fort beau ce roquet immonde, qui ne coûtait rien. Rose l'embrassa, puis demanda comment on le nommait. Le boulanger répondit : « Pierrot. »

Il fut installé dans une vieille caisse à savon et on lui offrit d'abord de l'eau à boire. Il but. On lui présenta ensuite un morceau de pain. Il mangea. Mme Lefèvre, inquiète, eut une idée : « Quand il sera bien accoutumé à la maison, on le laissera libre. Il trouvera à manger en rôdant par le pays. »

On le laissa libre, en effet, ce qui ne l'empêcha point d'être affamé. Il ne jappait d'ailleurs que pour réclamer sa pitance ; mais, dans ce cas, il jappait avec acharnement.

Tout le monde pouvait entrer dans le jardin. Pierrot allait caresser chaque nouveau venu et demeurait absolument muet.

Mme Lefèvre cependant s'était accoutumée à cette bête. Elle en arrivait même à l'aimer et à lui donner de sa main, de temps en temps, des bouchées de pain trempées dans la sauce de son fricot.

Mais elle n'avait nullement songé à l'impôt, et quand on lui réclama huit francs — huit francs, madame ! — pour ce freluquet de *quin* qui ne jappait seulement point, elle faillit s'évanouir de saisissement.

Il fut immédiatement décidé qu'on se débarrasserait de Pierrot. Personne n'en voulut, tous les habitants le refusèrent à dix lieues aux environs. Alors on se résolut, faute d'autre moyen, à lui faire « piquer du mas ».

« Piquer du mas », c'est « manger de la marne ». On fait piquer du mas à tous les chiens dont on veut se débarrasser.

Au milieu d'une vaste plaine, on aperçoit une espèce de hutte, ou plutôt un tout petit toit de chaume, posé sur le sol. C'est l'entrée de la marnière. Un grand puits tout droit s'enfonce jusqu'à vingt mètres sous terre, pour aboutir à une série de longues galeries de mines.

On descend une fois par an dans cette carrière, à l'époque où l'on marne les terres. Tout le reste du temps elle sert de cimetière aux chiens condamnés ; et souvent, quand on passe auprès de l'orifice, des hurlements plaintifs, des aboiements furieux ou désespérés, des appels lamentables montent jusqu'à vous.

Les chiens des chasseurs et des bergers s'enfuient avec épouvante des abords de ce trou gémissant ; et quand on se penche au-dessus, il sort de là une abominable odeur de pourriture.

Des drames affreux s'y accomplissent dans l'ombre.

Quand une bête agonise depuis dix à douze jours dans le fond, nourrie par les restes immondes de ses devanciers, un nouvel animal, plus gros, plus vigoureux certainement, est précipité tout à coup. Ils sont là, seuls, affamés, les yeux luisants. Ils se guettent, se suivent, hésitent, anxieux. Mais la faim les presse ; ils s'attaquent, luttent longtemps, acharnés ; et le plus fort mange le plus faible, le dévore vivant.

Quand il fut décidé qu'on ferait « piquer du mas » à Pierrot, on s'enquit d'un exécuteur. Le cantonnier qui binait la route demanda dix sous pour la course. Cela parut follement exagéré à Mme Lefèvre. Le goujat du voisin se contentait de cinq sous ; c'était trop encore ; et Rose ayant fait observer qu'il valait mieux qu'elles le portassent elles-mêmes, parce qu'ainsi il ne serait pas brutalisé en route et averti de son sort, il fut résolu qu'elles iraient toutes les deux à la nuit tombante.

On lui offrit, ce soir-là, une bonne soupe avec un doigt de beurre. Il l'avala jusqu'à la dernière goutte et, comme il remuait la queue de contentement, Rose le prit dans son tablier.

Elles allaient à grands pas, comme des maraudeurs, à travers la plaine. Bientôt elles aperçurent la marnière et l'atteignirent ; Mme Lefèvre se pencha pour écouter si aucune bête ne gémissait. — Non, il n'y en avait pas ; Pierrot serait seul. Alors Rose, qui pleurait, l'embrassa, puis le lança dans le trou ; et elles se penchèrent toutes deux, l'oreille tendue.

Elles entendirent d'abord un bruit sourd ; puis la plainte aiguë, déchirante, d'une bête blessée, puis une succession de petits cris de douleur, puis des appels désespérés, des supplications de chien qui implorait, la tête levée vers l'ouverture.

Il jappait, oh ! il jappait !

Elles furent saisies de remords, d'épouvante, d'une peur folle et inexplicable ; et elles se sauvèrent en courant. Et comme Rose allait plus vite, Mme Lefèvre criait : « Attendez-moi, Rose, attendez-moi ! »

Leur nuit fut hantée de cauchemars épouvantables.

Mme Lefèvre rêva qu'elle s'asseyait à table pour manger la soupe, mais quand elle découvrait la soupière, Pierrot était dedans. Il s'élançait et la mordait au nez.

Elle se réveilla et crut l'entendre japper encore. Elle écouta ; elle s'était trompée.

Elle s'endormit de nouveau et se trouva sur une grande route, une route interminable, qu'elle suivait. Tout à coup, au milieu du chemin, elle aperçut un panier, un grand panier de fermier, abandonné ; et ce panier lui faisait peur.

Elle finissait cependant par l'ouvrir, et Pierrot, blotti dedans, lui saisissait la main, ne la lâchait plus ; et elle se sauvait éperdue, portant ainsi au bout du bras le chien suspendu, la gueule serrée.

Au petit jour, elle se leva, presque folle, et courut à la marnière.

Il jappait ; il jappait encore, il avait jappé toute la nuit. Elle se mit à sangloter et l'appela avec mille petits noms caressants. Il répondit avec toutes les inflexions tendres de sa voix de chien.

Alors elle voulut le revoir, se promettant de le rendre heureux jusqu'à sa mort.

Elle courut chez le puisatier chargé de l'extraction de la marne, et elle lui raconta son cas. L'homme écoutait sans rien dire. Quand elle eut fini, il prononça : « Vous voulez votre quin ? Ce sera quatre francs. »

Elle eut un sursaut ; toute sa douleur s'envola, du coup.

« Quatre francs ! vous vous en feriez mourir ! quatre francs ! »

Il répondit : « Vous croyez que j' vas apporter mes cordes, mes manivelles, et monter tout ça, et m'en aller là-bas avec mon garçon et m' faire mordre encore par votre maudit quin, pour l' plaisir de vous le r'donner ? fallait pas l' jeter. »

Elle s'en alla, indignée. — Quatre francs !

Aussitôt rentrée, elle appela Rose et lui dit les prétentions du puisatier. Rose, toujours résignée, répétait : « Quatre francs ! c'est de l'argent, Madame. »

Puis elle ajouta : « Si on lui jetait à manger, à ce pauvre quin, pour qu'il ne meure pas comme ça ? »

Mme Lefèvre approuva, toute joyeuse ; et les voilà reparties, avec un gros morceau de pain beurré.

Elles le coupèrent par bouchées qu'elles lançaient l'une après l'autre, parlant tour à tour à Pierrot. Et sitôt que le chien avait achevé un morceau, il jappait pour réclamer le suivant.

Elles revinrent le soir, puis le lendemain, tous les jours. Mais elles ne faisaient plus qu'un voyage.

Or un matin, au moment de laisser tomber la première bouchée, elles entendirent tout à coup un aboiement formidable dans le puits. Ils étaient deux ! On avait précipité un autre chien, un gros !

Rose cria : « Pierrot ! » Et Pierrot jappa, jappa. Alors on se mit à jeter la nourriture ; mais chaque fois elles distinguaient parfaitement une bousculade terrible, puis les cris plaintifs de Pierrot mordu par son compagnon, qui mangeait tout, étant le plus fort.

Elles avaient beau spécifier : « C'est pour toi, Pierrot ! » Pierrot, évidemment, n'avait rien.

Les deux femmes, interdites, se regardaient ; et Mme Lefèvre prononça d'un ton aigre : « Je ne peux pourtant pas nourrir tous les chiens qu'on jettera là-dedans. Il faut y renoncer. »

Et suffoquée à l'idée de tous ces chiens vivant à ses dépens, elle s'en alla, emportant même ce qui restait du pain qu'elle se mit à manger en marchant.

Rose la suivit en s'essuyant les yeux du coin de son tablier bleu.

LA PEUR

A J.-K. Huysmans.

On remonta sur le pont après dîner. Devant nous, la Méditerranée n'avait pas un frisson sur toute sa surface qu'une grande lune calme moirait. Le vaste bateau glissait, jetant sur le ciel, qui semblait ensemencé d'étoiles, un gros serpent de fumée noire ; et, derrière nous, l'eau toute blanche, agitée par le passage rapide du lourd bâtiment, battue par l'hélice, moussait, semblait se tordre, remuait tant de clartés qu'on eût dit de la lumière de lune bouillonnant.

Nous étions là six ou huit, silencieux, admirant, l'œil tourné vers l'Afrique lointaine où nous allions. Le commandant, qui fumait un cigare au milieu de nous, reprit soudain la conversation du dîner.

— Oui, j'ai eu peur ce jour-là. Mon navire est resté six heures avec ce rocher dans le ventre, battu par la mer. Heureusement que nous avons été recueillis, vers le soir, par un charbonnier anglais qui nous aperçut.

Alors un grand homme à figure brûlée, à l'aspect grave, un de ces hommes qu'on sent avoir traversé de longs pays inconnus, au milieu de dangers incessants, et dont l'œil tranquille semble garder, dans sa profondeur, quelque chose des paysages étranges qu'il a vus : un de ces hommes qu'on devine trempés dans le courage, parla pour la première fois :

— Vous dites, commandant, que vous avez eu peur ; je n'en crois rien. Vous vous trompez sur le mot et sur la sensation que vous avez éprouvée. Un homme énergique n'a jamais peur en face du danger pressant. Il est ému, agité, anxieux ; mais la peur, c'est autre chose.

Le commandant reprit en riant :

— Fichtre ! je vous réponds bien que j'ai eu peur, moi.

Alors l'homme au teint bronzé prononça d'une voix lente :

— Permettez-moi de m'expliquer ! La peur (et les hommes les plus hardis peuvent avoir peur), c'est quelque chose d'effroyable, une sensation atroce, comme une décomposition de l'âme, un spasme affreux de la pensée et du cœur, dont le souvenir seul donne des frissons d'angoisse. Mais cela n'a lieu, quand on est brave, ni devant une attaque, ni devant la mort inévitable, ni devant toutes les formes connues du péril : cela a lieu dans certaines circonstances anormales, sous certaines influences mystérieuses en face de risques vagues. La vraie peur, c'est quelque chose comme une réminiscence des terreurs fantastiques d'autrefois. Un homme qui croit aux revenants et qui s'imagine apercevoir un spectre dans la nuit, doit éprouver la peur en toute son épouvantable horreur.

Moi, j'ai deviné la peur en plein jour, il y a dix ans environ. Je l'ai ressentie, l'hiver dernier, par une nuit de décembre.

Et pourtant, j'ai traversé bien des hasards, bien des aventures qui semblaient mortelles. Je me suis battu souvent. J'ai été laissé pour mort par des voleurs. J'ai été condamné, comme insurgé, à être pendu, en Amérique, et jeté à la mer du pont d'un bâtiment sur les côtes de Chine. Chaque fois je me suis cru perdu, j'en ai pris immédiatement mon parti, sans attendrissement et même sans regrets.

Mais la peur, ce n'est pas cela.

Je l'ai pressentie en Afrique. Et pourtant elle est fille du Nord ; le soleil la dissipe comme un brouillard. Remarquez bien ceci, messieurs. Chez les Orientaux, la vie ne compte pour rien ; on est résigné tout de suite : les nuits sont claires et vides des inquiétudes sombres qui hantent les cerveaux dans les pays froids. En Orient, on peut connaître la panique, on ignore la peur.

Eh bien ! voici ce qui m'est arrivé sur cette terre d'Afrique :

Je traversais les grandes dunes au sud de Ouargla. C'est là un des plus étranges pays du monde. Vous connaissez le sable uni, le sable droit des interminables plages de l'Océan. Eh bien ! figurez-vous l'Océan lui-même devenu sable au milieu d'un ouragan ; imaginez une tempête silencieuse de vagues immobiles en poussière jaune. Elles sont hautes comme des montagnes, ces vagues inégales, différentes, soulevées tout à fait comme des flots déchaînés, mais plus grandes encore et striées comme de la moire. Sur cette mer furieuse, muette et sans mouvement, le dévorant soleil du Sud verse sa flamme implacable et directe. Il faut gravir ces lames de cendre d'or, redescendre, gravir encore, gravir sans cesse, sans repos et sans ombre. Les chevaux râlent, enfoncent jusqu'aux genoux, et glissent en dévalant l'autre versant des surprenantes collines.

LA PEUR

Nous étions deux amis suivis de huit spahis et de quatre chameaux avec leurs chameliers. Nous ne parlions plus, accablés de chaleur, de fatigue, et desséchés de soif comme ce désert ardent. Soudain un de nos hommes poussa une sorte de cri ; tous s'arrêtèrent ; et nous demeurâmes immobiles, surpris par un inexplicable phénomène, connu des voyageurs en ces contrées perdues.

Quelque part, près de nous, dans une direction indéterminée, un tambour battait, le mystérieux tambour des dunes ; il battait distinctement, tantôt plus vibrant, tantôt affaibli, arrêtant, puis reprenant son roulement fantastique.

Les Arabes, épouvantés, se regardaient ; et l'un dit, en sa langue : « La mort est sur nous. » Et voilà que tout à coup mon compagnon, mon ami, presque mon frère, tomba de cheval, la tête en avant, foudroyé par une insolation.

Et pendant deux heures, pendant que j'essayais en vain de le sauver, toujours ce tambour insaisissable m'emplissait l'oreille de son bruit monotone, intermittent et incompréhensible ; et je sentais se glisser dans mes os la peur, la vraie peur, la hideuse peur, en face de ce cadavre aimé, dans ce trou incendié par le soleil entre quatre monts de sable, tandis que l'écho inconnu nous jetait, à deux cents lieues de tout village français, le battement rapide du tambour.

Ce jour-là, je compris ce que c'était que d'avoir peur ; je l'ai su mieux encore une autre fois...

Le commandant interrompit le conteur :

— Pardon, monsieur, mais ce tambour ? Qu'était-ce ?

Le voyageur répondit :

— Je n'en sais rien. Personne ne sait. Les officiers,

surpris souvent par ce bruit singulier, l'attribuent généralement à l'écho grossi, multiplié, démesurément enflé par les vallonnements des dunes, d'une grêle de grains de sable emportés dans le vent et heurtant une touffe d'herbes sèches ; car on a toujours remarqué que le phénomène se produit dans le voisinage de petites plantes brûlées par le soleil, et dures comme du parchemin.

Ce tambour ne serait donc qu'une sorte de mirage du son. Voilà tout. Mais je n'appris cela que plus tard.

J'arrive à ma seconde émotion.

C'était l'hiver dernier, dans une forêt du nord-est de la France. La nuit vint deux heures plus tôt, tant le ciel était sombre. J'avais pour guide un paysan qui marchait à mon côté, par un tout petit chemin, sous une voûte de sapins dont le vent déchaîné tirait des hurlements. Entre les cimes, je voyais courir des nuages en déroute, des nuages éperdus qui semblaient fuir devant une épouvante. Parfois sous une immense rafale, toute la forêt s'inclinait dans le même sens avec un gémissement de souffrance ; et le froid m'envahissait, malgré mon pas rapide et mon lourd vêtement.

Nous devions souper et coucher chez un garde forestier dont la maison n'était plus éloignée de nous. J'allais là pour chasser.

Mon guide, parfois, levait les yeux et murmurait : « Triste temps ! » Puis il me parla des gens chez qui nous arrivions. Le père avait tué un braconnier deux ans auparavant et, depuis ce temps, il semblait sombre, comme hanté d'un souvenir. Ses deux fils, mariés, vivaient avec lui.

Les ténèbres étaient profondes. Je ne voyais rien devant moi, ni autour de moi, et toute la branchure des arbres entrechoqués emplissait la nuit d'une rumeur incessante. Enfin, j'aperçus une lumière, et bientôt mon compagnon heurtait une porte. Des cris aigus de femmes nous répondirent. Puis une voix d'homme, une voix étranglée, demanda : « Qui va là ? » Mon guide se nomma. Nous entrâmes. Ce fut un inoubliable tableau.

Un vieux homme à cheveux blancs, à l'œil fou, le fusil chargé dans la main, nous attendait debout au milieu de la cuisine, tandis que deux grands gaillards, armés de haches, gardaient la porte. Je distinguai dans les coins sombres deux femmes à genoux, le visage caché contre le mur.

On s'expliqua. Le vieux remit son arme contre le mur et ordonna de préparer ma chambre ; puis, comme les femmes ne bougeaient point, il me dit brusquement :

— Voyez-vous, monsieur, j'ai tué un homme il y a deux ans cette nuit. L'autre année, il est revenu m'appeler. Je l'attendais encore ce soir.

Puis il ajouta d'un ton qui me fit sourire :

— Aussi, nous ne sommes pas tranquilles.

Je le rassurai comme je pus, heureux d'être venu justement ce soir-là, et d'assister au spectacle de cette terreur superstitieuse. Je racontai des histoires, et je parvins à calmer à peu près tout le monde.

Près du foyer, un vieux chien, presque aveugle et moustachu, un de ces chiens qui ressemblent à des gens qu'on connaît, dormait le nez dans ses pattes.

Au-dehors, la tempête acharnée battait la petite maison, et, par un étroit carreau, une sorte de judas placé près de la porte, je voyais soudain tout un fouillis d'arbres bousculés par le vent à la lueur de grands éclairs.

Malgré mes efforts, je sentais bien qu'une terreur profonde tenait ces gens, et chaque fois que je cessais de parler, toutes les oreilles écoutaient au loin. Las d'assister à ces craintes imbéciles, j'allais demander à me coucher, quand le vieux garde tout à coup fit un bond de sa chaise, saisit de nouveau son fusil, en bégayant d'une voix égarée : « Le voilà ! le voilà ! Je l'entends ! » Les deux femmes retombèrent à genoux dans leurs coins en se cachant le visage ; et les fils reprirent leurs haches. J'allais tenter encore de les apaiser, quand le chien endormi s'éveilla brusquement et, levant sa tête, tendant le cou, regardant vers le feu de son œil presque éteint, il poussa un de ces lugubres hurlements qui font tressaillir les voyageurs, le soir, dans la campagne. Tous les yeux se portèrent sur lui ; il restait maintenant immobile, dressé sur ses pattes comme hanté d'une vision et il se mit à hurler vers quelque chose d'invisible, d'inconnu, d'affreux sans doute, car tout son poil se hérissait. Le garde, livide, cria : « Il le sent ! il le sent ! il était là quand je l'ai tué ! » Et les deux femmes égarées se mirent toutes les deux à hurler avec le chien.

Malgré moi, un grand frisson me courut entre les épaules. Cette vision de l'animal, dans ce lieu, à cette heure, au milieu de ces gens éperdus, était effrayante à voir.

Alors, pendant une heure, le chien hurla sans bouger, l'épouvantable peur entrait en moi : la peur de quoi ? Le sais-je ? C'était la peur, voilà tout.

Nous restions immobiles, livides, dans l'attente d'un événement affreux, l'oreille tendue, le cœur battant, bouleversés au moindre bruit. Et le chien se mit à tourner autour de la pièce, en sentant les murs et gémissant toujours. Cette bête nous rendait fous !

Alors le paysan qui m'avait amené se jeta sur elle, dans une sorte de paroxysme de terreur furieuse, et, ouvrant une porte donnant sur une petite cour, jeta l'animal dehors.

Il se tut aussitôt ; et nous restâmes plongés dans un silence plus terrifiant encore. Et soudain tous ensemble, nous eûmes une sorte de sursaut : un être glissait contre le mur du dehors vers la forêt ; puis il passa contre la porte, qu'il sembla tâter d'une main hésitante ; puis on n'entendit plus rien pendant deux minutes qui firent de nous des insensés ; puis il revint, frôlant toujours la muraille ; et il gratta légèrement, comme ferait un enfant avec son ongle ; puis soudain une tête apparut contre la vitre du judas, une tête blanche avec des yeux lumineux comme ceux des fauves. Et un son sortit de sa bouche, un son indistinct, un murmure plaintif.

Alors un bruit formidable éclata dans la cuisine. Le vieux garde avait tiré et aussitôt les fils se précipitèrent, bouchèrent le judas en dressant la grande table qu'ils assujettirent avec le buffet.

Et je vous jure qu'au fracas du coup de fusil que je n'attendais point, j'eus une telle angoisse du cœur, de l'âme et du corps, que je me sentis défaillir, prêt à mourir de peur.

Nous restâmes là jusqu'à l'aurore, incapables de bouger, de dire un mot, crispés dans un affolement indicible.

On n'osa débarricader la sortie qu'en apercevant par la fente d'un auvent, un mince rayon de jour.

Au pied du mur, contre la porte, le vieux chien gisait, la gueule brisée d'une balle.

Il était sorti de la cour en creusant un trou sous une palissade.

L'homme au visage brun se tut ; puis il ajouta :

— Cette nuit-là, pourtant, je ne courus aucun danger ; mais j'aimerais mieux recommencer toutes les heures où j'ai affronté les plus terribles périls, que la seule minute du coup de fusil sur la tête barbue du judas.

EN MER

A Henry Céard.

On lisait dernièrement dans les journaux les lignes suivantes :

BOULOGNE-SUR-MER, 22 janvier. — On nous écrit :

« Un affreux malheur vient de jeter la consternation parmi notre population maritime déjà si éprouvée depuis deux années. Le bateau de pêche commandé par le patron Javel, entrant dans le port, a été jeté à l'ouest et est venu se briser sur les roches du brise-lames de la jetée.

« Malgré les efforts du bateau de sauvetage et des lignes envoyées au moyen du fusil porte-amarre, quatre hommes et le mousse ont péri.

« Le mauvais temps continue. On craint de nouveaux sinistres. »

Quel est ce patron Javel ? Est-il le frère du manchot ?

Si le pauvre homme roulé par la vague, et mort peut-être sous les débris de son bateau mis en pièces, est celui auquel je pense, il avait assisté, voici dix-huit ans maintenant, à un autre drame, terrible et simple comme sont toujours ces drames formidables des flots.

Javel aîné était alors patron d'un chalutier.

Le chalutier est le bateau de pêche par excellence.

Solide à ne craindre aucun temps, le ventre rond, roulé sans cesse par les lames comme un bouchon, toujours dehors, toujours fouetté par les vents durs et salés de la Manche, il travaille la mer, infatigable, la voile gonflée, traînant par le flanc un grand filet qui racle le fond de l'Océan, et détache et cueille toutes les bêtes endormies dans les roches, les poissons plats collés au sable, les crabes lourds aux pattes crochues, les homards aux moustaches pointues.

Quand la brise est fraîche et la vague courte, le bateau se met à pêcher. Son filet est fixé tout le long d'une grande tige de bois garnie de fer qu'il laisse descendre au moyen de deux câbles glissant sur deux rouleaux aux deux bouts de l'embarcation. Et le bateau, dérivant sous le vent et le courant, tire avec lui cet appareil qui ravage et dévaste le sol de la mer.

Javel avait à son bord son frère cadet, quatre hommes et un mousse. Il était sorti de Boulogne par un beau temps clair pour jeter le chalut.

Or, bientôt le vent s'éleva, et une bourrasque survenant força le chalutier à fuir. Il gagna les côtes d'Angleterre ; mais la mer démontée battait les falaises, se ruait contre la terre, rendait impossible l'entrée des ports. Le petit bateau reprit le large et revint sur les côtes de France. La tempête continuait à faire infranchissables les jetées, enveloppant d'écume, de bruit et de danger tous les abords des refuges.

Le chalutier repartit encore, courant sur le dos des flots, ballotté, secoué, ruisselant, souffleté par des paquets d'eau, mais gaillard, malgré tout, accoutumé à ces gros temps qui le tenaient parfois cinq ou six jours errant entre les deux pays voisins sans pouvoir aborder l'un ou l'autre.

Puis enfin l'ouragan se calma comme il se trouvait en pleine mer, et, bien que la vague fût encore forte, le patron commanda de jeter le chalut.

Donc le grand engin de pêche fut passé par-dessus bord, et deux hommes à l'avant, deux hommes à l'arrière, commencèrent à filer sur les rouleaux les amarres qui le tenaient. Soudain, il toucha le fond, mais une haute lame inclinant le bateau, Javel cadet, qui se trouvait à l'avant et dirigeait la descente du filet, chancela, et son bras se trouva saisi entre la corde un instant détendue par la secousse et le bois où elle glissait. Il fit un effort désespéré, tâchant de l'autre main de soulever l'amarre, mais le chalut traînait déjà et le câble roidi ne céda point.

L'homme crispé par la douleur appela. Tous accoururent. Son frère quitta la barre. Ils se jetèrent sur la corde, s'efforçant de dégager le membre qu'elle broyait. Ce fut en vain. « Faut couper », dit un matelot, et il tira de sa poche un large couteau qui pouvait, en deux coups, sauver le bras de Javel cadet.

Mais couper, c'était perdre le chalut, et ce chalut valait de l'argent, beaucoup d'argent, quinze cents francs ; et il appartenait à Javel aîné, qui tenait à son avoir.

Il cria, le cœur torturé : « Non, coupe pas, attends, je vas lofer. » Et il courut au gouvernail, mettant toute la barre dessous.

Le bateau n'obéit qu'à peine, paralysé par ce filet qui immobilisait son impulsion, et entraîné d'ailleurs par la force de la dérive et du vent.

Javel cadet s'était laissé tomber sur les genoux, les dents serrées, les yeux hagards. Il ne disait rien. Son frère revint, craignant toujours le couteau d'un marin : « Attends, attends, coupe pas, faut mouiller l'ancre. »

L'ancre fut mouillée, toute la chaîne filée, puis on se mit à virer au cabestan pour détendre les amarres du chalut. Elles s'amollirent enfin, et on dégagea le bras inerte, sous la manche de laine ensanglantée.

Javel cadet semblait idiot. On lui retira la vareuse et on vit une chose horrible, une bouillie de chair dont le sang jaillissait à flots qu'on eût dit poussés par une pompe. Alors l'homme regarda son bras et murmura : « Foutu. »

Puis comme l'hémorragie faisait une mare sur le pont du bateau, un des matelots cria : « Il va se vider, faut nouer la veine ! »

Alors ils prirent une ficelle, une grosse ficelle brune et goudronnée, et, enlaçant le membre au-dessus de la blessure, ils serrèrent de toute leur force. Les jets de sang s'arrêtaient peu à peu ; et finirent par cesser tout à fait.

Javel cadet se leva, son bras pendait à son côté. Il le prit de l'autre main, le souleva, le tourna, le secoua. Tout était rompu, les os cassés ; les muscles seuls retenaient ce morceau de son corps. Il le considérait d'un œil morne, réfléchissant. Puis il s'assit sur une voile pliée, et ses camarades lui conseillèrent de mouiller sans cesse la blessure pour empêcher le mal noir.

On mit un seau auprès de lui et, de minute en minute, il puisait dedans au moyen d'un verre et baignait l'horrible plaie en laissant couler dessus un petit filet d'eau claire.

— Tu serais mieux en bas, lui dit son frère.

Il descendit, mais au bout d'une heure il remonta,

ne se sentant pas bien tout seul. Et puis, il préférait le grand air. Il se rassit sur sa voile et recommença à bassiner son bras.

La pêche était bonne. Les larges poissons à ventre blanc gisaient à côté de lui, secoués par des spasmes de mort ; il les regardait sans cesser d'arroser ses chairs écrasées.

Comme on allait regagner Boulogne, un nouveau coup de vent se déchaîna ; et le petit bateau recommença sa course folle, bondissant et culbutant, secouant le triste blessé.

La nuit vint. Le temps fut gros jusqu'à l'aurore. Au soleil levant on apercevait de nouveau l'Angleterre, mais comme la mer était moins dure, on repartit pour la France en louvoyant.

Vers le soir, Javel cadet appela ses camarades et leur montra des traces noires, toute une vilaine apparence de pourriture sur la partie du membre qui ne tenait plus à lui.

Les matelots regardaient, disant leur avis.

— Ça pourrait bien être le Noir, pensait l'un.

— Faudrait de l'iau salée là-dessus, déclarait un autre.

On apporta donc de l'eau salée et on en versa sur le mal. Le blessé devint livide, grinça des dents, se tordit un peu ; mais il ne cria pas.

Puis, quand la brûlure se fut calmée : « Donne-moi ton couteau », dit-il à son frère. Le frère tendit son couteau.

— Tiens-moi le bras en l'air, tout drait, tire dessus.

On fit ce qu'il demandait.

Alors il se mit à couper lui-même. Il coupait doucement, avec réflexion, tranchant les derniers tendons avec cette lame aiguë comme un fil de rasoir ; et bientôt il n'eut plus qu'un moignon. Il poussa un profond soupir et déclara : « Fallait ça. J'étais foutu. »

Il semblait soulagé et respirait avec force. Il recommença à verser de l'eau sur le tronçon de membre qui lui restait.

La nuit fut mauvaise encore et on ne put atterrir.

Quand le jour parut, Javel cadet prit son bras détaché et l'examina longuement. La putréfaction se déclarait. Les camarades vinrent aussi l'examiner, et ils se le passaient de main en main, le tâtaient, le retournaient, le flairaient.

Son frère dit : « Faut jeter ça à la mer à c't'heure. »

Mais Javel cadet se fâcha : « Ah ! mais non, ah ! mais non ! J' veux point. C'est à moi, pas vrai, puisque c'est mon bras. »

Il le reprit et le posa entre ses jambes.

— Il va pas moins pourrir, dit l'aîné.

Alors une idée vint au blessé. Pour conserver le poisson quand on tenait longtemps la mer, on l'empilait en des barils de sel.

Il demanda : « J' pourrions t'y point l' mettre dans la saumure ? »

— Ça, c'est vrai, déclarèrent les autres.

Alors on vida un des barils, plein déjà de la pêche des jours derniers ; et, tout au fond, on déposa le bras. On versa du sel dessus, puis on replaça, un à un, les poissons.

Un des matelots fit cette plaisanterie : « Pourvu que je l' vendions point à la criée ! »

Et tout le monde rit, hormis les deux Javel.

Le vent soufflait toujours. On louvoya encore en vue de Boulogne jusqu'au lendemain dix heures. Le blessé continuait sans cesse à jeter de l'eau sur sa plaie.

De temps en temps il se levait et marchait d'un bout à l'autre du bateau.

Son frère, qui tenait la barre, le suivait de l'œil en hochant la tête.

On finit par rentrer au port.

Le médecin examina la blessure et la déclara en bonne voie. Il fit un pansement complet et ordonna le repos. Mais Javel ne voulut pas se coucher sans avoir repris son bras, et il retourna bien vite au port pour retrouver le baril qu'il avait marqué d'une croix.

On le vida devant lui et il ressaisit son membre, bien conservé dans la saumure, ridé, rafraîchi. Il l'enveloppa dans une serviette emportée à cette intention et rentra chez lui.

Sa femme et ses enfants examinèrent longuement ce débris du père, tâtant les doigts, enlevant les brins de sel restés sous les ongles ; puis on fit venir le menuisier pour un petit cercueil.

Le lendemain, l'équipage complet du chalutier suivit l'enterrement du bras détaché. Les deux frères, côte à côte, conduisaient le deuil. Le sacristain de la paroisse tenait son cadavre sous son aisselle.

Javel cadet cessa de naviguer. Il obtint un petit emploi dans le port et, quand il parlait plus tard de son accident, il confiait tout bas à son auditeur : « Si le frère avait voulu couper le chalut, j'aurais encore mon bras, pour sûr. Mais il était regardant à son bien. »

TOMBOUCTOU

Le boulevard, ce fleuve de vie, grouillait dans la poudre d'or du soleil couchant. Tout le ciel était rouge, aveuglant ; et, derrière la Madeleine, une immense nuée flamboyante jetait dans toute la longue avenue une oblique averse de feu, vibrante comme une vapeur de brasier.

La foule gaie, palpitante, allait sous cette brume enflammée et semblait dans une apothéose. Les visages étaient dorés ; les chapeaux noirs et les habits avaient des reflets de pourpre ; le vernis des chaussures jetait des flammes sur l'asphalte des trottoirs.

Devant les cafés, un peuple d'hommes buvait les boissons brillantes et colorées qu'on aurait prises pour des pierres précieuses fondues dans le cristal.

Au milieu des consommateurs aux légers vêtements plus foncés, deux officiers en grande tenue faisaient baisser tous les yeux par l'éblouissement de leurs dorures. Ils causaient, joyeux sans motif, dans cette gloire de vie, dans ce rayonnement radieux du soir ; et ils regardaient la foule, les hommes lents et les femmes pressées qui laissaient derrière elles une odeur savoureuse et troublante.

Tout à coup un nègre énorme, vêtu de noir, ventru, chamarré de breloques sur un gilet de coutil, la face luisante comme si elle eût été cirée, passa devant eux avec un air de triomphe. Il riait aux passants, il riait aux vendeurs de journaux, il riait au ciel éclatant, il riait à Paris entier. Il était si grand qu'il dépassait toutes les têtes ; et, derrière lui, tous les badauds se retournaient pour le contempler de dos.

Mais soudain il aperçut les officiers et, culbutant les buveurs, il s'élança. Dès qu'il fut devant leur table, il planta sur eux ses yeux luisants et ravis, et les coins de sa bouche lui montèrent jusqu'aux oreilles, découvrant ses dents blanches, claires comme un croissant de lune dans un ciel noir. Les deux hommes, stupéfaits, contemplaient ce géant d'ébène, sans rien comprendre à sa gaieté.

Et il s'écria, d'une voix qui fit rire toutes les tables :

— Bonjou, mon lieutenant !

Un des officiers était chef de bataillon, l'autre colonel.

Le premier dit :

— Je ne vous connais pas, monsieur ; j'ignore ce que vous voulez.

Le nègre reprit :

— Moi aimé beaucoup toi, lieutenant Védié, siège Bézi, beaucoup raisin, cherché moi.

L'officier, tout à fait éperdu, regardait fixement l'homme, cherchant au fond de ses souvenirs ; mais brusquement il s'écria :

— Tombouctou ?

Le nègre, radieux, tapa sur sa cuisse en poussant un rire d'une invraisemblable violence et beuglant :

— Si, si, ya, mon lieutenant, reconné Tombouctou, ya, bonjou !

Le commandant lui tendit la main en riant lui-même de tout son cœur. Alors Tombouctou redevint grave. Il saisit la main de l'officier et, si vite que l'autre ne put l'empêcher, il la baisa, selon la coutume nègre et arabe. Confus, le militaire lui dit d'une voix sévère :

— Allons, Tombouctou, nous ne sommes pas en Afrique. Assieds-toi là et dis-moi comment je te trouve ici.

Tombouctou tendit son ventre et, bredouillant tant il parlait vite :

— Gagné beaucoup d'argent, beaucoup, grand' estaurant, bon mangé, Prussiens, moi beaucoup volé, beaucoup, cuisine française, Tombouctou, cuisinié de l'Empéeu, deux cent mille fancs à moi. Ah ! ah ! ah ! ah !

Et il riait, tordu, hurlant avec une folie de joie dans le regard.

Quand l'officier, qui comprenait son étrange langage, l'eut interrogé quelque temps, il lui dit :

— Eh bien, au revoir, Tombouctou ; à bientôt.

Le nègre aussitôt se leva, serra, cette fois, la main qu'on lui tendait, et riant toujours, cria :

— Bonjou, bonjou, mon lieutenant !

Il s'en alla, si content, qu'il gesticulait en marchant et qu'on le prenait pour un fou.

Le colonel demanda :

— Qu'est-ce que cette brute ?

— Un brave garçon et un brave soldat. Je vais vous dire ce que je sais de lui ; c'est assez drôle.

*
* *

Vous savez qu'au commencement de la guerre de 1870 je fus enfermé dans Bézières, que ce nègre appelle Bézi. Nous n'étions point assiégés, mais bloqués. Les lignes prussiennes nous entouraient de partout, hors de portée des canons, ne tirant pas non plus sur nous, mais nous affamant peu à peu.

J'étais alors lieutenant. Notre garnison se trouvait composée de troupes de toute nature, débris de régiments écharpés, fuyards, maraudeurs, séparés des corps d'armée. Nous avions de tout enfin, même onze turcos arrivés un soir on ne sait comment, on ne sait par où. Ils s'étaient présentés aux portes de la ville, harassés, déguenillés, affamés et saouls. On me les donna.

Je reconnus bientôt qu'ils étaient rebelles à toute discipline, toujours dehors et toujours gris. J'essayai de la salle de police, même de la prison, rien n'y fit. Mes hommes disparaissaient des jours entiers, comme s'ils se fussent enfoncés sous terre, puis reparaissaient ivres à tomber. Ils n'avaient pas d'argent. Où buvaient-ils ? Et comment, et avec quoi ?

Cela commençait à m'intriguer vivement, d'autant plus que ces sauvages m'intéressaient avec leur rire éternel et leur caractère de grands enfants espiègles.

Je m'aperçus alors qu'ils obéissaient aveuglément au plus grand d'eux tous, celui que vous venez de voir. Il les gouvernait à son gré, préparait leurs mystérieuses entreprises en chef tout-puissant et incontesté. Je le fis venir chez moi et je l'interrogeai. Notre conversation dura bien trois heures, tant j'avais de peine à pénétrer son surprenant charabia. Quant à lui, le pauvre diable, il faisait des efforts inouïs pour être compris, inventait des mots, gesticulait, suait de peine, s'essuyait le front, soufflait, s'arrêtait et repartait brusquement quand il croyait avoir trouvé un nouveau moyen de s'expliquer.

Je devinai enfin qu'il était fils d'un grand chef, d'une sorte de roi nègre des environs de Tombouctou.

Je lui demandai son nom. Il répondit quelque chose comme Chavaharibouhalikhranafotapolara. Il me parut plus simple de lui donner le nom de son pays : « Tombouctou ». Et, huit jours plus tard, toute la garnison ne le nommait plus autrement.

Mais une envie folle nous tenait de savoir où cet ex-prince africain trouvait à boire. Je le découvris d'une singulière façon.

J'étais un matin sur les remparts, étudiant l'horizon, quand j'aperçus dans une vigne quelque chose qui remuait. On arrivait au temps des vendanges, les raisins étaient mûrs, mais je ne songeais guère à cela. Je pensai qu'un espion s'approchait de la ville, et j'organisai une expédition complète pour saisir le rôdeur. Je pris moi-même le commandement, après avoir obtenu l'autorisation du général.

J'avais fait sortir, par trois portes différentes, trois petites troupes qui devaient se rejoindre auprès de la vigne suspecte et la cerner. Pour couper la retraite à l'espion, un de ces détachements avait à faire une marche d'une heure au moins. Un homme resté en observation sur les murs m'indiqua par signe que l'être aperçu n'avait point quitté le champ. Nous allions en grand silence, rampant, presque couchés dans les ornières. Enfin, nous touchons au point désigné ; je déploie brusquement mes soldats, qui s'élancent dans la vigne, et trouvent... Tombouctou voyageant à quatre pattes au milieu des ceps et mangeant du raisin, ou plutôt happant du raisin comme un chien qui mange sa soupe, à pleine bouche, à la plante même, en arrachant la grappe d'un coup de dent.

Je voulus le faire relever ; il n'y fallait pas songer, et je compris alors pourquoi il se traînait ainsi sur les mains et sur les genoux. Dès qu'on l'eut planté sur ses jambes, il oscilla quelques secondes, tendit les bras et s'abattit sur le nez. Il était gris comme je n'ai jamais vu un homme être gris.

On le rapporta sur deux échalas, il ne cessa de rire tout le long de la route en gesticulant des bras et des jambes.

C'était là tout le mystère. Mes gaillards buvaient au raisin lui-même. Puis, lorsqu'ils étaient saouls à ne plus bouger, ils dormaient sur place.

Quant à Tombouctou, son amour de la vigne passait toute croyance et toute mesure. Il vivait là-dedans à la façon des grives, qu'il haïssait d'ailleurs d'une haine de rival jaloux. Il répétait sans cesse :

— Les gives mangé tout le raisin, capules !

***

Un soir, on vint me chercher. On apercevait par la plaine quelque chose arrivant vers nous. Je n'avais point pris ma lunette, et je distinguais fort mal. On eût dit un grand serpent qui se déroulait, un convoi, que sais-je ?

J'envoyai quelques hommes au-devant de cette étrange caravane qui fit bientôt son entrée triomphale. Tombouctou et neuf de ses compagnons portaient sur une sorte d'autel, fait avec des chaises de campagne, huit têtes coupées, sanglantes et grimaçantes. Le dixième turco traînait un cheval à la queue duquel un autre était attaché, et six autres bêtes suivaient encore, retenues de la même façon.

Voici ce que j'appris. Etant partis aux vignes, mes Africains avaient aperçu tout à coup un détachement prussien s'approchant d'un village. Au lieu de fuir, ils s'étaient cachés ; puis, lorsque les officiers eurent mis pied à terre devant une auberge pour se rafraîchir, les onze gaillards s'élancèrent, mirent en fuite les uhlans qui se crurent attaqués, tuèrent les deux sentinelles, plus le colonel et les cinq officiers de son escorte.

Ce jour-là, j'embrassai Tombouctou. Mais je m'aperçus qu'il marchait avec peine. Je le crus blessé ; il se mit à rire et me dit :

— Moi, povisions pou pays.

C'est que Tombouctou ne faisait point la guerre pour l'honneur, mais bien pour le gain. Tout ce qu'il trouvait, tout ce qui lui paraissait avoir une valeur quelconque, tout ce qui brillait surtout, il le plongeait dans sa poche ! Quelle poche ! un gouffre qui commençait à la hanche et finissait aux chevilles. Ayant retenu un terme de troupier, il l'appelait sa « profonde », et c'était sa profonde, en effet !

Donc il avait détaché l'or des uniformes prussiens, le cuivre des casques, les boutons, etc., et jeté le tout dans sa « profonde » qui était pleine à déborder.

Chaque jour, il précipitait là-dedans tout objet luisant qui lui tombait sous les yeux, morceaux d'étain ou pièces d'argent, ce qui lui donnait parfois une tournure infiniment drôle.

Il comptait remporter cela au pays des autruches, dont il semblait bien frère, ce fils de roi, torturé par le besoin d'engloutir les corps brillants. S'il n'avait pas eu sa profonde, qu'aurait-il fait ? Il les aurait sans doute avalés.

Chaque matin sa poche était vide. Il avait donc un magasin général où s'entassaient ses richesses. Mais où ? Je ne l'ai pu découvrir.

Le général, prévenu du haut fait de Tombouctou, fit bien vite enterrer les corps demeurés au village voisin, pour qu'on ne découvrît point qu'ils avaient été décapités. Les Prussiens y revinrent le lendemain. Le maire et sept habitants notables furent fusillés sur-le-champ, par représailles, comme ayant dénoncé la présence des Allemands.

⁂

L'hiver était venu. Nous étions harassés et désespérés. On se battait maintenant tous les jours. Les hommes, affamés, ne marchaient plus. Seuls les huit turcos (trois avaient été tués) demeuraient gras et luisants et vigoureux, toujours prêts à se battre. Tombouctou engraissait même. Il me dit un jour :

— Toi beaucoup faim, moi bon viande.

Et il m'apporta en effet un excellent filet. Mais de quoi ? Nous n'avions plus ni bœufs, ni moutons, ni chèvres, ni ânes, ni porcs. Il était impossible de se procurer du cheval. Je réfléchis à tout cela après avoir dévoré ma viande. Alors une pensée horrible me vint. Ces nègres étaient nés bien près du pays où l'on mange des hommes ! Et chaque jour tant de soldats tombaient autour de la ville ! J'interrogeai Tombouctou. Il ne voulut pas répondre. Je n'insistai point, mais je refusai désormais ses présents.

Il m'adorait. Une nuit, la neige nous surprit aux avant-postes. Nous étions assis par terre. Je regardais avec pitié les pauvres nègres grelottant sous cette poussière blanche et glacée. Comme j'avais grand froid, je me mis à tousser. Je sentis aussitôt quelque chose s'abattre sur moi, comme une grande et chaude couverture. C'était le manteau de Tombouctou qu'il me jetait sur les épaules.

Je me levai et, lui rendant son vêtement :

— Garde ça, mon garçon : tu en as plus besoin que moi.

Il répondit :

— Non, mon lieutenant, pou toi, moi pas besoin, moi chaud, chaud.

Et il me contemplait avec des yeux suppliants.

Je repris :

— Allons, obéis, garde ton manteau, je le veux.

Le nègre alors se leva, tira son sabre qu'il savait rendre coupant comme une faux, et tenant de l'autre main sa large capote que je refusais :

— Si toi pas gadé manteau, moi coupé ; pésonne manteau.

Il l'aurait fait. Je cédai.

*
* *

Huit jours plus tard, nous avions capitulé. Quelques-uns d'entre nous avaient pu s'enfuir. Les autres allaient sortir de la ville et se rendre aux vainqueurs.

Je me dirigeais vers la place d'Armes où nous devions nous réunir quand je demeurai stupide d'étonnement devant un nègre géant vêtu de coutil blanc et coiffé d'un chapeau de paille. C'était Tombouctou. Il semblait radieux et se promenait, les mains dans ses poches, devant une petite boutique où l'on voyait en montre deux assiettes et deux verres.

Je lui dis :

— Qu'est-ce que tu fais ?

Il répondit :

— Moi pas pati, moi bon cuisiné, moi fait mangé colonel, Algéie ; moi mangé Prussiens, beaucoup volé, beaucoup.

Il gelait à dix degrés. Je grelottais devant ce nègre

en coutil. Alors il me prit par le bras et me fit entrer. J'aperçus une enseigne démesurée qu'il allait pendre devant sa porte sitôt que nous serions partis, car il avait quelque pudeur.

Et je lus, tracé par la main de quelque complice, cet appel :

CUISINE MILITAIRE DE M. TOMBOUCTOU

ANCIEN CUISINIER DE S. M. L'EMPEREUR

Artiste de Paris — Prix modérés

Malgré le désespoir qui me rongeait le cœur, je ne pus m'empêcher de rire, et je laissai mon nègre à son nouveau commerce.

Cela ne valait-il pas mieux que de le faire emmener prisonnier ?

Vous venez de voir qu'il a réussi, le gaillard.

Bézières, aujourd'hui, appartient à l'Allemagne. Le restaurant Tombouctou est un commencement de revanche.

AUX CHAMPS

A Octave Mirbeau.

Les deux chaumières étaient côte à côte, au pied d'une colline, proches d'une petite ville de bains. Les deux paysans besognaient dur sur la terre inféconde pour élever tous leurs petits. Chaque ménage en avait quatre. Devant les deux portes voisines, toute la marmaille grouillait du matin au soir. Les deux aînés avaient six ans et les deux cadets quinze mois environ ; les mariages et ensuite les naissances s'étaient produites à peu près simultanément dans l'une et l'autre maison.

Les deux mères distinguaient à peine leurs produits dans le tas ; et les deux pères confondaient tout à fait. Les huit noms dansaient dans leur tête, se mêlaient sans cesse ; et quand il fallait en appeler un, les hommes souvent en criaient trois avant d'arriver au véritable.

La première des deux demeures, en venant de la station d'eaux de Rolleport, était occupée par les Tuvache, qui avaient trois filles et un garçon ; l'autre masure abritait les Vallin, qui avaient une fille et trois garçons.

Tout cela vivait péniblement de soupe, de pommes de terre et de grand air. A sept heures, le matin, puis à midi, puis à six heures, le soir, les ménagères réunissaient leurs mioches pour donner la pâtée, comme des gardeurs d'oies assemblent leurs bêtes. Les enfants étaient assis, par rang d'âge, devant la table en bois vernie par cinquante ans d'usage. Le dernier moutard avait à peine la bouche au niveau de la planche. On posait devant eux l'assiette creuse pleine de pain molli dans l'eau où avaient cuit les pommes de terre, un demi-chou et trois oignons ; et toute la lignée mangeait jusqu'à plus faim. La mère empâtait elle-même le petit. Un peu de viande au pot-au-feu, le dimanche, était une fête pour tous ; et le père, ce jour-là, s'attardait au repas en répétant : « Je m'y ferais bien tous les jours. »

Par un après-midi du mois d'août, une légère voiture s'arrêta brusquement devant les deux chaumières, et une jeune femme, qui conduisait elle-même, dit au monsieur assis à côté d'elle :

— Oh ! regarde, Henri, ce tas d'enfants ! Sont-ils jolis, comme ça, à grouiller dans la poussière !

L'homme ne répondit rien, accoutumé à ces admirations qui étaient une douleur et presque un reproche pour lui.

La jeune femme reprit :

— Il faut que je les embrasse ! Oh ! comme je voudrais en avoir un, celui-là, le tout petit.

Et, sautant de la voiture, elle courut aux enfants, prit un des deux derniers, celui des Tuvache, et, l'enlevant dans ses bras, elle le baisa passionnément sur ses joues sales, sur ses cheveux blonds frisés et pommadés de terre, sur ses menottes qu'il agitait pour se débarrasser des caresses ennuyeuses.

Puis elle remonta dans sa voiture et partit au grand trot. Mais elle revint la semaine suivante, s'assit elle-même par terre, prit le moutard dans ses bras, le bourra de gâteaux, donna des bonbons à tous les autres ; et joua avec eux comme une gamine, tandis que son mari attendait patiemment dans sa frêle voiture.

Elle revint encore, fit connaissance avec les parents, reparut tous les jours, les poches pleines de friandises et de sous.

Elle s'appelait Mme Henri d'Hubières.

Un matin, en arrivant, son mari descendit avec elle ; et sans s'arrêter aux mioches, qui la connaissaient bien maintenant, elle pénétra dans la demeure des paysans.

Ils étaient là, en train de fendre du bois pour la soupe ; ils se redressèrent, tout surpris, donnèrent des chaises et attendirent. Alors la jeune femme, d'une voix entrecoupée, tremblante, commença :

— Mes braves gens, je viens vous trouver parce que je voudrais bien... je voudrais bien emmener avec moi votre... petit garçon...

Les campagnards, stupéfaits et sans idée, ne répondirent pas.

Elle reprit haleine et continua :

— Nous n'avons pas d'enfants ; nous sommes seuls, mon mari et moi... Nous le garderions... voulez-vous ?

La paysanne commençait à comprendre. Elle demanda :

— Vous voulez nous prend' Charlot ? Ah ! ben non, pour sûr !

Alors M. d'Hubières intervint :

— Ma femme s'est mal expliquée. Nous voulons l'adopter ; mais il reviendra vous voir. S'il tourne bien, comme tout porte à le croire, il sera notre héritier. Si nous avions, par hasard, des enfants, il partagerait également avec eux. Mais s'il ne répondait pas à nos soins, nous lui donnerions, à sa majorité, une somme de vingt mille francs, qui sera immédiatement déposée en son nom chez un notaire. Et comme on a aussi pensé à vous, on vous servira jusqu'à votre mort une rente de cent francs par mois. Avez-vous bien compris ?

La fermière s'était levée, toute furieuse.

— Vous voulez que j' vous vendions Charlot ? Ah ! mais non ! C'est pas des choses qu'on d'mande à une mère, ça ! Ah ! mais non ! Ce serait une abomination !

L'homme ne disait rien, grave et réfléchi ; mais il approuvait sa femme d'un mouvement continu de la tête.

Mme d'Hubières, éperdue, se mit à pleurer, et se tournant vers son mari, avec une voix pleine de sanglots, une voix d'enfant dont tous les désirs ordinaires sont satisfaits, elle balbutia :

— Ils ne veulent pas, Henri, ils ne veulent pas !

Alors ils firent une dernière tentative :

— Mais, mes amis, songez à l'avenir de votre enfant, à son bonheur, à...

La paysanne, exaspérée, lui coupa la parole :

— C'est tout vu, c'est tout entendu, c'est tout réfléchi... Allez-vous-en, et pi, que j' vous revoie point par ici ! C'est-i permis d' vouloir prendre un éfant comme ça !

Alors Mme d'Hubières, en sortant, s'avisa qu'ils étaient deux tout petits, et elle demanda à travers ses larmes, avec une ténacité de femme volontaire et gâtée qui ne veut jamais attendre :

— Mais l'autre petit n'est pas à vous ?

Le père Tuvache répondit :

— Non, c'est aux voisins ; vous pouvez y aller si vous voulez.

Et il rentra dans sa maison, où retentissait la voix indignée de sa femme.

Les Vallin étaient à table, en train de manger avec lenteur des tranches de pain qu'ils frottaient parcimonieusement avec un peu de beurre piqué au couteau, dans une assiette entre eux deux.

M. d'Hubières recommença ses propositions, mais avec plus d'insinuations, de précautions oratoires, d'astuce.

Les deux ruraux hochaient la tête en signe de refus ; mais quand ils apprirent qu'ils auraient cent francs par mois, ils se considérèrent, se consultant de l'œil, très ébranlés.

Ils gardèrent longtemps le silence, torturés, hésitants. La femme enfin demanda :

— Qué qu' t'en dis, l'homme ?

Il prononça d'un ton sentencieux :

— J' dis qu' c'est point méprisable.

Alors Mme d'Hubières, qui tremblait d'angoisse, leur parla de l'avenir du petit, de son bonheur, et de tout l'argent qu'il pourrait leur donner plus tard.

Le paysan demanda :

— C'te rente de douze cents francs, ce s'ra promis d'vant l' notaire ?

M. d'Hubières répondit :

— Mais certainement, dès demain.

La fermière, qui méditait, reprit :

— Cent francs par mois, c'est point suffisant pour nous priver du petit ; ça travaillera dans quéqu'z'ans, ct'éfant ; i nous faut cent vingt francs.

Mme d'Hubières, trépignant d'impatience, les accorda tout de suite ; et comme elle voulait enlever l'enfant, elle donna cent francs en cadeau pendant que son mari faisait un écrit. Le maire et un voisin, appelés aussitôt, servirent de témoins complaisants.

Et la jeune femme, radieuse, emporta le marmot hurlant, comme on emporte un bibelot désiré d'un magasin.

Les Tuvache, sur leur porte, le regardaient partir, muets, sévères, regrettant peut-être leur refus.

On n'entendit plus du tout parler du petit Jean Vallin. Les parents, chaque mois, allaient toucher leurs cent vingt francs chez le notaire ; et ils étaient fâchés avec leurs voisins parce que la mère Tuvache les agonisait d'ignominies, répétant sans cesse de porte en porte qu'il fallait être dénaturé pour vendre son enfant, que c'était une horreur, une saleté, une corromperie.

Et parfois, elle prenait en ses bras son Charlot, avec ostentation, lui criant, comme s'il eût compris :

— J' t'ai pas vendu, mé, j' t'ai pas vendu, mon p'tiot ! J' vends pas m's éfants, mé. J' sieus pas riche, mais j' vends pas m's éfants.

Et pendant des années et encore des années, ce fut ainsi chaque jour des allusions grossières qui étaient vociférées devant la porte, de façon à entrer dans la maison voisine. La mère Tuvache avait fini par se croire supérieure à toute la contrée parce qu'elle n'avait pas vendu Charlot. Et ceux qui parlaient d'elle disaient :

— J' sais bien que c'était engageant, c'est égal, elle s'a conduite comme une bonne mère.

On la citait ; et Charlot, qui prenait dix-huit ans, élevé dans cette idée qu'on lui répétait sans répit, se jugeait lui-même supérieur à ses camarades, parce qu'on ne l'avait pas vendu.

Les Vallin vivotaient à leur aise, grâce à la pension. La fureur inapaisable des Tuvache, restés misérables, venait de là.

Leur fils aîné partit au service. Le second mourut ; Charlot resta seul à peiner avec le vieux père pour nourrir la mère et les deux autres sœurs cadettes qu'il avait.

Il prenait vingt et un ans quand, un matin, une brillante voiture s'arrêta devant les deux chaumières. Un jeune monsieur, avec une chaîne de montre en or, descendit, donnant la main à une vieille dame en cheveux blancs. La vieille dame lui dit :

— C'est là, mon enfant, à la seconde maison.

Et il entra comme chez lui dans la masure des Vallin.

La vieille mère lavait ses tabliers ; le père, infirme, sommeillait près de l'âtre. Tous deux levèrent la tête et le jeune homme dit :

— Bonjour, papa ; bonjour, maman.

Ils se dressèrent, effarés. La paysanne laissa tomber d'émoi son savon dans son eau et balbutia :

— C'est-i té, m' n'éfant ? C'est-i té, m' n'éfant ?

Il la prit dans ses bras et l'embrassa, en répétant : « Bonjour, maman », tandis que le vieux, tout tremblant, disait, de son ton calme qu'il ne perdait jamais : « Te v'là-t'i revenu, Jean ? » comme s'il l'avait vu un mois auparavant.

Et, quand ils se furent reconnus, les parents voulurent tout de suite sortir le fieu dans le pays pour le montrer. On le conduisit chez le maire, chez l'adjoint, chez le curé, chez l'instituteur.

Charlot, debout sur le seuil de sa chaumière, le regardait passer.

Le soir, au souper, il dit aux vieux :

— Faut-i qu' vous ayez été sots pour laisser prendre le p'tit aux Vallin !

Sa mère répondit obstinément :

— J' voulions point vendre not' éfant !

Le père ne disait rien.

Le fils reprit :

— C'est-i pas malheureux d'être sacrifié comme ça !

Alors le père Tuvache articula d'un ton coléreux :

— Vas-tu pas nous r'procher d' t'avoir gardé ?

Et le jeune homme, brutalement :

— Oui, j' vous le r'proche, que vous n'êtes que des niants. Des parents comme vous, ça fait l' malheur des éfants. Qu' vous mériteriez que j' vous quitte.

La bonne femme pleurait dans son assiette. Elle gémit tout en avalant des cuillerées de soupe dont elle répandait la moitié :

— Tuez-vous donc pour élever d's éfants !

Alors le gars, rudement :

— J'aimerais mieux n'être point né que d'être c' que j' suis. Quand j'ai vu l'autre, tantôt, mon sang n'a fait qu'un tour. Je m' suis dit : v'là c' que j' serais maintenant !

Il se leva.

— Tenez, j' sens bien que je ferai mieux de ne pas rester ici, parce que j' vous le reprocherais du matin au soir, et que j' vous ferais une vie d' misère. Ça, voyez-vous, j' vous l' pardonnerai jamais !

Les deux vieux se taisaient, atterrés, larmoyants.

Il reprit :

— Non, c't'idée-là, ce serait trop dur. J'aime mieux m'en aller chercher ma vie aut' part !

Il ouvrit la porte. Un bruit de voix entra. Les Vallin festoyaient avec l'enfant revenu.

Alors Charlot tapa du pied et, se tournant vers ses parents, cria :

— Manants, va !

Et il disparut dans la nuit.

L'AVENTURE DE WALTER SCHNAFFS

A Robert Pinchon.

Depuis son entrée en France avec l'armée d'invasion, Walter Schnaffs se jugeait le plus malheureux des hommes. Il était gros, marchait avec peine, soufflait beaucoup et souffrait affreusement des pieds qu'il avait fort plats et fort gras. Il était en outre pacifique et bienveillant, nullement magnanime ou sanguinaire, père de quatre enfants qu'il adorait et marié avec une jeune femme blonde, dont il regrettait désespérément chaque soir les tendresses, les petits soins et les baisers. Il aimait se lever tard et se coucher tôt, manger lentement de bonnes choses et boire de la bière dans les brasseries. Il songeait en outre que tout ce qui est doux dans l'existence disparaît avec la vie ; et il gardait au cœur une haine épouvantable, instinctive et raisonnée en même temps, pour les canons, les fusils, les revolvers et les sabres, mais surtout pour les baïonnettes, se sentant incapable de manœuvrer assez vivement cette arme rapide pour défendre son gros ventre.

Et quand il se couchait sur la terre, la nuit venue, roulé dans son manteau à côté des camarades qui ronflaient, il pensait longuement aux siens laissés là-bas et aux dangers semés sur sa route : « S'il était tué, que deviendraient les petits ? Qui donc les nourrirait et les élèverait ? A l'heure même, ils n'étaient pas riches, malgré les dettes qu'il avait contractées en partant pour leur laisser quelque argent. Et Walter Schnaffs pleurait quelquefois.

Au commencement des batailles, il se sentait dans les jambes de telles faiblesses qu'il se serait laissé tomber, s'il n'avait songé que toute l'armée lui passerait sur le corps. Le sifflement des balles hérissait le poil sur sa peau.

Depuis des mois il vivait ainsi dans la terreur et dans l'angoisse.

Son corps d'armée s'avançait vers la Normandie, et fut un jour envoyé en reconnaissance avec un faible détachement qui devait simplement explorer une partie du pays et se replier ensuite. Tout semblait calme dans la campagne ; rien n'indiquait une résistance préparée.

Or, les Prussiens descendaient avec tranquillité dans une petite vallée que coupaient des ravins profonds, quand une fusillade violente les arrêta net, jetant bas une vingtaine des leurs ; et unc troupe de francs-tireurs, sortant brusquement d'un petit bois grand comme la main, s'élança en avant, la baïonnette au fusil.

Walter Schnaffs demeura d'abord immobile, tellement surpris et éperdu qu'il ne pensait même pas à fuir. Puis un désir fou de détaler le saisit ; mais il songea aussitôt qu'il courait comme une tortue en comparaison des maigres Français qui arrivaient en bondissant comme un troupeau de chèvres. Alors, apercevant à six pas devant lui un large fossé plein de broussailles couvertes de feuilles sèches, il y sauta à pieds joints sans songer même à la profondeur, comme on saute d'un pont dans une rivière.

Il passa, à la façon d'une flèche, à travers une couche épaisse de lianes et de ronces aiguës qui lui déchirèrent la face et les mains, et il tomba lourdement assis sur un lit de pierres.

Levant aussitôt les yeux, il vit le ciel par le trou qu'il avait fait. Ce trou révélateur le pouvait dénoncer, et il se traîna avec précaution, à quatre pattes, au fond de cette ornière, sous le toit de branchages enlacés, allant le plus vite possible, en s'éloignant du lieu de combat. Puis il s'arrêta et s'assit de nouveau, tapi comme un lièvre au milieu des hautes herbes sèches.

Il entendit pendant quelque temps encore des détonations, des cris et des plaintes. Puis les clameurs de la lutte s'affaiblirent, cessèrent. Tout redevint muet et calme.

Soudain quelque chose remua contre lui. Il eut un sursaut épouvantable. C'était un petit oiseau qui, s'étant posé sur une branche, agitait des feuilles mortes. Pendant près d'une heure, le cœur de Walter Schnaffs en battit à grands coups pressés.

La nuit venait, emplissant d'ombre le ravin. Et le soldat se mit à songer. Qu'allait-il faire ? Qu'allait-il devenir ? Rejoindre son armée ?... Mais comment ? Mais par où ? Et il lui faudrait recommencer l'horrible vie d'angoisses, d'épouvantes, de fatigues et de souffrances qu'il menait depuis le commencement de la guerre ! Non ! Il ne se sentait plus ce courage ! Il n'aurait plus l'énergie qu'il fallait pour supporter les marches et affronter les dangers de toutes les minutes.

Mais que faire ? Il ne pouvait rester dans ce ravin

et s'y cacher jusqu'à la fin des hostilités. Non, certes. S'il n'avait pas fallu manger, cette perspective ne l'aurait pas trop atterré ; mais il fallait manger, manger tous les jours.

Et il se trouvait ainsi tout seul, en armes, en uniforme, sur le territoire ennemi, loin de ceux qui le pouvaient défendre. Des frissons lui couraient sur la peau.

Soudain, il pensa : « Si seulement j'étais prisonnier ! » Et son cœur frémit de désir, d'un désir violent, immodéré, d'être prisonnier des Français. Prisonnier ! Il serait sauvé, nourri, logé, à l'abri des balles et des sabres, sans appréhension possible, dans une bonne prison bien gardée. Prisonnier ! Quel rêve !

Et sa résolution fut prise immédiatement :

— Je vais me constituer prisonnier.

Il se leva, résolu à exécuter ce projet sans tarder d'une minute. Mais il demeura immobile, assailli soudain par des réflexions fâcheuses et par des terreurs nouvelles.

Où allait-il se constituer prisonnier ? Comment ? De quel côté ? Et des images affreuses, des images de mort, se précipitèrent dans son âme.

Il allait courir des dangers terribles en s'aventurant seul, avec son casque à pointe, par la campagne.

S'il rencontrait des paysans ? Ces paysans, voyant un Prussien perdu, un Prussien sans défense, le tueraient comme un chien errant ! Ils le massacreraient avec leurs fourches, leurs pioches, leurs faux, leurs pelles ! Ils en feraient une bouillie, une pâtée, avec l'acharnement des vaincus exaspérés.

S'il rencontrait des francs-tireurs ? Ces francs-tireurs, des enragés sans loi ni discipline, le fusilleraient pour s'amuser, pour passer une heure, histoire de rire en voyant sa tête. Et il se croyait déjà appuyé contre un mur en face de douze canons de fusil, dont les petits trous ronds et noirs semblaient le regarder.

S'il rencontrait l'armée française elle-même ? Les hommes d'avant-garde le prendraient pour un éclaireur, pour quelque hardi et malin troupier parti seul en reconnaissance, et ils lui tireraient dessus. Et il entendait déjà les détonations irrégulières des soldats couchés dans les broussailles, tandis que lui, debout au milieu d'un champ, s'affaissait, troué comme une écumoire par les balles qu'il sentait entrer dans sa chair.

Il se rassit, désespéré. Sa situation lui paraissait sans issue.

La nuit était tout à fait venue, la nuit muette et noire. Il ne bougeait plus, tressaillant à tous les bruits inconnus et légers qui passent dans les ténèbres. Un lapin, tapant du cul au bord d'un terrier, faillit faire s'enfuir Walter Schnaffs. Les cris des chouettes lui déchiraient l'âme, le traversant de peurs soudaines, douloureuses comme des blessures. Il écarquillait ses gros yeux pour tâcher de voir dans l'ombre ; et il s'imaginait à tout moment entendre marcher près de lui.

Après d'interminables heures et des angoisses de damné, il aperçut, à travers son plafond de branchages, le ciel qui devenait clair. Alors, un soulagement immense le pénétra ; ses membres se détendirent, reposés soudain ; son cœur s'apaisa ; ses yeux se fermèrent. Il s'endormit.

Quand il se réveilla, le soleil lui parut arrivé à peu près au milieu du ciel ; il devait être midi. Aucun bruit ne troublait la paix morne des champs ; et

Walter Schnaffs s'aperçut qu'il était atteint d'une faim aiguë.

Il bâillait, la bouche humide à la pensée du saucisson, du bon saucisson des soldats ; et son estomac lui faisait mal.

Il se leva, fit quelques pas, sentit que ses jambes étaient faibles, et se rassit pour réfléchir. Pendant deux ou trois heures encore, il établit le pour et le contre, changeant à tout moment de résolution, combattu, malheureux, tiraillé par les raisons les plus contraires.

Une idée lui parut enfin logique et pratique, c'était de guetter le passage d'un villageois seul, sans armes, et sans outils de travail dangereux, de courir au-devant de lui et de se remettre en ses mains en lui faisant bien comprendre qu'il se rendait.

Alors il ôta son casque, dont la pointe le pouvait trahir, et il sortit sa tête au bord de son trou, avec des précautions infinies.

Aucun être isolé ne se montrait à l'horizon. Là-bas à gauche, il apercevait, au bout des arbres d'une avenue, un grand château flanqué de tourelles.

Il attendit jusqu'au soir, souffrant affreusement, ne voyant rien que des vols de corbeaux, n'entendant rien que les plaintes sourdes de ses entrailles.

Et la nuit encore tomba sur lui.

Il s'allongea au fond de sa retraite et il s'endormit d'un sommeil fiévreux, hanté de cauchemars, d'un sommeil d'homme affamé.

L'aurore se leva de nouveau sur sa tête. Il se remit en observation. Mais la campagne restait vide comme la veille ; et une peur nouvelle entrait dans l'esprit de Walter Schnaffs, la peur de mourir de faim ! Il se voyait étendu au fond de son trou, sur le dos, les deux yeux fermés. Puis des bêtes, des petites bêtes de toute sorte s'approchaient de son cadavre et se mettaient à le manger, l'attaquant partout à la fois, se glissant sous ses vêtements pour mordre sa peau froide. Et un grand corbeau lui piquait les yeux de son bec effilé.

Alors il devint fou, s'imaginant qu'il allait s'évanouir de faiblesse et ne plus pouvoir marcher. Et déjà, il s'apprêtait à s'élancer vers le village, résolu à tout oser, à tout braver, quand il aperçut trois paysans qui s'en allaient aux champs avec leurs fourches sur l'épaule, et il se replongea dans sa cachette.

Mais dès que le soir obscurcit la plaine, il sortit lentement du fossé, et se mit en route, courbé, craintif, le cœur battant, vers le château lointain, préférant entrer là-dedans plutôt qu'au village qui lui semblait redoutable comme une tanière pleine de tigres.

Les fenêtres d'en bas brillaient. Une d'elles était même ouverte ; et une forte odeur de viande cuite s'en échappait, une odeur qui pénétra brusquement dans le nez et jusqu'au fond du ventre de Walter Schnaffs, qui le crispa, le fit haleter, l'attirant irrésistiblement, lui jetant au cœur une audace désespérée.

Et brusquement, sans réfléchir, il apparut, casqué, dans le cadre de la fenêtre.

Huit domestiques dînaient autour d'une grande table. Mais soudain une bonne demeura béante, laissant tomber son verre, les yeux fixes. Tous les regards suivirent le sien.

On aperçut l'ennemi !

Seigneur ! les Prussiens attaquaient le château !...

Ce fut d'abord un cri, un seul cri, fait de huit cris poussés sur huit tons différents, un cri d'épouvante horrible, puis une levée tumultueuse, une bousculade, mêlée, une fuite éperdue vers la porte du fond. Les chaises tombaient, les hommes renversaient les femmes et passaient dessus. En deux secondes, la pièce fut vide, abandonnée, avec la table couverte de mangeaille en face de Walter Schnaffs stupéfait, toujours debout dans sa fenêtre.

Après quelques instants d'hésitation, il enjamba le mur d'appui et s'avança vers les assiettes. Sa faim exaspérée le faisait trembler comme un fiévreux ; mais une terreur le retenait, le paralysait encore. Il écouta. Toute la maison semblait frémir ; des portes se fermaient, des pas rapides couraient sur le plancher de dessus. Le Prussien, inquiet, tendait l'oreille à ces confuses rumeurs ; puis il entendit des bruits sourds comme si des corps fussent tombés dans la terre molle, au pied des murs, des corps humains sautant du premier étage.

Puis tout mouvement, toute agitation cessèrent, et le grand château devint silencieux comme un tombeau.

Walter Schnaffs s'assit devant une assiette restée intacte, et il se mit à manger. Il mangeait par grandes bouchées comme s'il eût craint d'être interrompu trop tôt, de n'en pouvoir engloutir assez. Il jetait à deux mains les morceaux dans sa bouche ouverte comme une trappe ; et des paquets de nourriture lui descendaient coup sur coup dans l'estomac, gonflant sa gorge en passant. Parfois, il s'interrompait, prêt à crever à la façon d'un tuyau trop plein. Il prenait à la cruche au cidre et se déblayait l'œsophage comme on lave un conduit bouché.

Il vida toutes les assiettes, tous les plats et toutes les bouteilles ; puis, saoul de liquide et de mangeaille, abruti, rouge, secoué par des hoquets, l'esprit troublé et la bouche grasse, il déboutonna son uniforme pour souffler, incapable d'ailleurs de faire un pas. Ses yeux se fermaient, ses idées s'engourdissaient ; il posa son front pesant dans ses bras croisés sur la table, et il perdit doucement la notion des choses et des faits.

Le dernier croissant éclairait vaguement l'horizon au-dessus des arbres du parc. C'était l'heure froide qui précède le jour.

Des ombres glissaient dans les fourrés, nombreuses et muettes ; et parfois, un rayon de lune faisait reluire dans l'ombre une pointe d'acier.

Le château tranquille dressait sa grande silhouette noire. Deux fenêtres seules brillaient encore au rez-de-chaussée.

Soudain, une voix tonnante hurla :

— En avant ! nom d'un nom ! à l'assaut ! mes enfants !

Alors, en un instant, les portes, les contrevents et les vitres s'enfoncèrent sous un flot d'hommes qui s'élança, brisa, creva tout, envahit la maison. En un instant cinquante soldats armés jusqu'aux cheveux bondirent dans la cuisine où reposait pacifiquement Walter Schnaffs et, lui posant sur la poitrine cinquante fusils chargés, le culbutèrent, le roulèrent, le saisirent, le lièrent des pieds à la tête.

Il haletait d'ahurissement, trop abruti pour comprendre, battu, crossé et fou de peur.

Et tout d'un coup, un gros militaire chamarré d'or lui planta son pied sur le ventre en vociférant :

— Vous êtes mon prisonnier, rendez-vous !

Le Prussien n'entendit que ce seul mot : « prisonnier », et il gémit : « *Ya, ya, ya.* »

Il fut relevé, ficelé sur une chaise, et examiné avec une vive curiosité par ses vainqueurs qui soufflaient comme des baleines. Plusieurs s'assirent, n'en pouvant plus d'émotion et de fatigue.

Il souriait, lui, il souriait maintenant, sûr d'être enfin prisonnier !

Un autre officier entra et prononça :

— Mon colonel, les ennemis se sont enfuis ; plusieurs semblent avoir été blessés. Nous restons maîtres de la place.

Le gros militaire qui s'essuyait le front vociféra : « Victoire ! »

Et il écrivit sur un petit agenda de commerce tiré de sa poche :

« Après une lutte acharnée, les Prussiens ont dû battre en retraite, emportant leurs morts et leurs blessés, qu'on évalue à cinquante hommes hors de combat. Plusieurs sont restés entre nos mains. »

Le jeune officier reprit :

— Quelles dispositions dois-je prendre, mon colonel ?

Le colonel répondit :

— Nous allons nous replier pour éviter un retour offensif avec de l'artillerie et des forces supérieures.

Et il donna l'ordre de repartir.

La colonne se reforma dans l'ombre, sous les murs du château, et se mit en mouvement, enveloppant de partout Walter Schnaffs garrotté, tenu par six guerriers le revolver au poing.

Des reconnaissances furent envoyées pour éclairer

la route. On avançait avec prudence, faisant halte de temps en temps.

Au jour levant, on arrivait à la sous-préfecture de La Roche-Oysel, dont la garde nationale avait accompli ce fait d'armes.

La population anxieuse et surexcitée attendait. Quand on aperçut le casque du prisonnier, des clameurs formidables éclatèrent. Les femmes levaient les bras ; des vieilles pleuraient ; un aïeul lança sa béquille au Prussien et blessa le nez d'un de ses gardiens.

Le colonel hurlait :

— Veillez à la sûreté du captif !

On parvint enfin à la maison de ville. La prison fut ouverte, et Walter Schnaffs jeté dedans, libre de liens. Deux cents hommes en armes montèrent la garde autour du bâtiment.

Alors, malgré des symptômes d'indigestion qui le tourmentaient depuis quelque temps, le Prussien, fou de joie, se mit à danser éperdument, en levant les bras et les jambes, à danser en poussant des cris frénétiques, jusqu'au moment où il tomba, épuisé, au pied d'un mur.

Il était prisonnier ! Sauvé !

C'est ainsi que le château de Champignet fut repris à l'ennemi après six heures seulement d'occupation.

Le colonel Ratier, marchand de drap, qui enleva cette affaire à la tête des gardes nationaux de La Roche-Oysel, fut décoré.

LA REMPAILLEUSE

A Léon Hennique.

C'était à la fin du dîner d'ouverture de chasse chez le marquis de Bertrans. Onze chasseurs, huit jeunes femmes et le médecin du pays étaient assis autour de la grande table illuminée, couverte de fruits et de fleurs.

On vint à parler d'amour, et une grande discussion s'éleva, l'éternelle discussion, pour savoir si on pouvait aimer vraiment une fois ou plusieurs fois. On cita des exemples de gens n'ayant jamais eu qu'un amour sérieux ; on cita aussi d'autres exemples de gens ayant aimé souvent, avec violence. Les hommes, en général, prétendaient que la passion, comme les maladies, peut frapper plusieurs fois le même être, et le frapper à le tuer si quelque obstacle se dresse devant lui. Bien que cette manière de voir ne fût pas contestable, les femmes, dont l'opinion s'appuyait sur la poésie bien plus que sur l'observation, affirmaient que l'amour, l'amour vrai, le grand amour, ne pouvait tomber qu'une fois sur un mortel, qu'il était semblable à la foudre, cet amour, et qu'un cœur touché par lui demeurait ensuite tellement vidé, ravagé, incendié, qu'aucun autre sentiment puissant, même aucun rêve, n'y pouvait germer de nouveau.

Le marquis, ayant aimé beaucoup, combattait vivement cette croyance :

— Je vous dis, moi, qu'on peut aimer plusieurs fois avec toutes ses forces et toute son âme. Vous me citez des gens qui se sont tués par amour, comme preuve de l'impossibilité d'une seconde passion. Je vous répondrai que, s'il n'avaient pas commis cette bêtise de se suicider, ce qui leur enlevait toute chance de rechute, ils se seraient guéris ; et ils auraient recommencé, et toujours, jusqu'à leur mort naturelle. Il en est des amoureux comme des ivrognes. Qui a bu boira — qui a aimé aimera. C'est une affaire de tempérament, cela.

On prit pour arbitre le docteur, vieux médecin parisien retiré aux champs, et on le pria de donner son avis.

Justement, il n'en avait pas.

— Comme l'a dit le marquis, c'est une affaire de tempérament ; quant à moi, j'ai eu connaissance d'une passion qui dura cinquante-cinq ans sans un jour de répit, et qui ne se termina que par la mort.

La marquise battit des mains.

— Est-ce beau cela ! Et quel rêve d'être aimé ainsi ! Quel bonheur de vivre cinquante-cinq ans tout enveloppé de cette affection acharnée et pénétrante ! Comme il a dû être heureux et bénir la vie, celui qu'on adora de la sorte !

Le médecin sourit :

— En effet, Madame, vous ne vous trompez pas sur ce point, que l'être aimé fut un homme. Vous le connaissez, c'est M. Chouquet, le pharmacien du bourg. Quant à elle, la femme, vous l'avez connue aussi, c'est la vieille rempailleuse de chaises qui venait tous les ans au château. Mais je vais me faire mieux comprendre.

L'enthousiasme des femmes était tombé ; et leur visage dégoûté disait : « Pouah ! » comme si l'amour n'eût dû frapper que des êtres fins et distingués, seuls dignes de l'intérêt des gens comme il faut.

Le médecin reprit :

— J'ai été appelé, il y a trois mois, auprès de cette vieille femme, à son lit de mort. Elle était arrivée, la veille, dans la voiture qui lui servait de maison, traînée par la rosse que vous avez vue, et accompagnée de ses deux grands chiens noirs, ses amis et ses gardiens. Le curé était déjà là. Elle nous fit ses exécuteurs testamentaires, et, pour nous dévoiler le sens de ses volontés dernières, elle nous raconta toute sa vie. Je ne sais rien de plus singulier et de plus poignant.

Son père était rempailleur et sa mère rempailleuse. Elle n'a jamais eu de logis planté en terre.

Toute petite, elle errait, haillonneuse, vermineuse, sordide. On s'arrêtait à l'entrée des villages, le long des fossés ; on dételait la voiture ; le cheval broutait ; le chien dormait, le museau sur ses pattes ; et la petite se roulait dans l'herbe pendant que le père et la mère rafistolaient, à l'ombre des ormes du chemin, tous les vieux sièges de la commune. On ne parlait guère dans cette demeure ambulante. Après les quelques mots nécessaires pour décider qui ferait le tour des maisons en poussant le cri bien connu : « Rempailleur de chaises ! » on se mettait à tortiller la paille, face à face ou côte à côte. Quand l'enfant allait trop loin ou tentait d'entrer en relation avec quelque galopin du village, la voix colère du père la rappelait :

« Veux-tu bien revenir ici, crapule ! » C'étaient les seuls mots de tendresse qu'elle entendait.

Quand elle devint plus grande, on l'envoya faire la récolte des fonds de sièges avariés. Alors elle ébaucha quelques connaissances de place en place avec des gamins ; mais c'étaient, cette fois, les parents de ses nouveaux amis qui rappelaient brutalement leurs enfants : « Veux-tu bien venir ici, polisson ! Que je te voie causer avec les va-nu-pieds !... »

Souvent les petits gars lui jetaient des pierres.

Des dames lui ayant donné quelques sous, elle les garda soigneusement.

Un jour — elle avait alors onze ans — comme elle passait par ce pays, elle rencontra derrière le cimetière le petit Chouquet qui pleurait parce qu'un camarade lui avait volé deux liards. Ces larmes d'un petit bourgeois, d'un de ces petits qu'elle s'imaginait dans sa frêle caboche de déshéritée, être toujours contents et joyeux, la bouleversèrent. Elle s'approcha, et quand elle connut la raison de sa peine, elle versa entre ses mains toutes ses économies, sept sous, qu'il prit naturellement, en essuyant ses larmes. Alors, folle de joie, elle eut l'audace de l'embrasser. Comme il considérait attentivement sa monnaie, il se laissa faire. Ne se voyant ni repoussée, ni battue, elle recommença ; elle l'embrassa à pleins bras, à plein cœur. Puis elle se sauva.

Que se passa-t-il dans cette misérable tête ? S'est-elle attachée à ce mioche parce qu'elle lui avait sacrifié sa fortune de vagabonde, ou parce qu'elle lui avait donné son premier baiser tendre ? Le mystère est le même pour les petits que pour les grands.

Pendant des mois elle rêva de ce coin de cimetière et de ce gamin. Dans l'espérance de le revoir, elle vola ses parents, grappillant un sou par-ci, un sou par-là, sur un rempaillage, ou sur les provisions qu'elle allait acheter.

Quand elle revint, elle avait deux francs dans sa poche, mais elle ne put qu'apercevoir le petit pharmacien, bien propre, derrière les carreaux de la boutique paternelle, entre un bocal rouge et un ténia.

Elle ne l'en aima que davantage, séduite, émue, extasiée par cette gloire de l'eau colorée, cette apothéose des cristaux luisants.

Elle garda en elle son souvenir ineffaçable, et quand elle le rencontra, l'an suivant, derrière l'école, jouant aux billes avec ses camarades, elle se jeta sur lui, le saisit dans ses bras, et le baisa avec tant de violence qu'il se mit à hurler de peur. Alors, pour l'apaiser, elle lui donna son argent : trois francs vingt, un vrai trésor, qu'il regardait avec des yeux agrandis.

Il le prit et se laissa caresser tant qu'elle voulut.

Pendant quatre ans encore, elle versa entre ses mains toutes ses réserves, qu'il empochait avec conscience en échange de baisers consentis. Ce fut une fois trente sous, une fois deux francs, une fois douze sous (elle en pleura de peine et d'humiliation, mais l'année avait été mauvaise) et la dernière fois cinq francs, une grosse pièce ronde qui le fit rire d'un rire content.

Elle ne pensait plus qu'à lui ; et il attendait son retour avec une certaine impatience, courait au-devant d'elle en la voyant, ce qui faisait bondir le cœur de la fillette.

Puis il disparut. On l'avait mis au collège. Elle le sut en interrogeant habilement. Alors elle usa d'une diplomatie infinie pour changer l'itinéraire de ses parents et les faire passer par ici au moment des vacances. Elle y réussit, mais après un an de ruses. Elle était donc restée deux ans sans le revoir ; et elle le reconnut à peine, tant il était changé, grandi, embelli, imposant dans sa tunique à boutons d'or. Il feignit de ne pas la voir et passa fièrement près d'elle.

Elle en pleura pendant deux jours ; et depuis lors elle souffrit sans fin.

Tous les ans elle revenait ; passait devant lui sans oser le saluer et sans qu'il daignât même tourner les yeux vers elle. Elle l'aimait éperdument. Elle me dit : « C'est le seul homme que j'aie vu sur la terre, monsieur le médecin ; je ne sais pas si les autres existaient seulement. »

Ses parents moururent. Elle continua leur métier, mais elle prit deux chiens au lieu d'un, deux terribles chiens qu'on n'aurait pas osé braver.

Un jour, en rentrant dans ce village où son cœur était resté, elle aperçut une jeune femme qui sortait de la boutique Chouquet au bras de son bien-aimé. C'était sa femme. Il était marié.

Le soir même, elle se jeta dans la mare qui est sur la place de la Mairie. Un ivrogne attardé la repêcha, et la porta à la pharmacie. Le fils Chouquet descendit en robe de chambre pour la soigner et, sans paraître la reconnaître, la déshabilla, la frictionna, puis il dit d'une voix dure : « Mais vous êtes folle ! Il ne faut pas être bête comme ça ! »

Cela suffit pour la guérir. Il lui avait parlé ! Elle était heureuse pour longtemps.

Il ne voulut rien recevoir en rémunération de ses soins, bien qu'elle insistât vivement pour le payer.

Et toute sa vie s'écoula ainsi. Elle rempaillait en songeant à Chouquet. Tous les ans, elle l'apercevait derrière ses vitraux. Elle prit l'habitude d'acheter chez lui des provisions de menus médicaments. De la sorte elle le voyait de près, et lui parlait, et lui donnait encore de l'argent.

Comme je vous l'ai dit en commençant, elle est morte ce printemps. Après m'avoir raconté toute cette triste histoire, elle me pria de remettre à celui qu'elle avait si patiemment aimé toutes les économies de son existence, car elle n'avait travaillé que pour lui, disait-elle, jeûnant même pour mettre de côté, et être sûre qu'il penserait à elle, au moins une fois, quand elle serait morte.

Elle me donna donc deux mille trois cent vingt-sept francs. Je laissai à M. le curé les vingt-sept francs pour l'enterrement, et j'emportai le reste quand elle eut rendu le dernier soupir.

Le lendemain, je me rendis chez les Chouquet. Ils achevaient de déjeuner en face l'un de l'autre, gros et rouges, fleurant les produits pharmaceutiques, importants et satisfaits.

On me fit asseoir ; on m'offrit un kirsch, que j'acceptai ; et je commençai mon discours d'une voix émue, persuadé qu'ils allaient pleurer.

Dès qu'il eut compris qu'il avait été aimé de cette vagabonde, de cette rempailleuse, de cette rouleuse, Chouquet bondit d'indignation, comme si elle lui avait volé sa réputation, l'estime des honnêtes gens, son honneur intime, quelque chose de délicat qui lui était plus cher que la vie.

Sa femme, aussi exaspérée que lui, répétait : « Cette gueuse ! cette gueuse ! cette gueuse !... » Sans pouvoir trouver autre chose.

Il s'était levé ; il marchait à grands pas derrière la table, le bonnet grec chaviré sur une oreille. Il balbutiait : « Comprend-on ça, docteur ? Voilà de ces choses horribles pour un homme ! Que faire ? Oh ! si je l'avais su de son vivant, je l'aurais fait arrêter par la gendarmerie et flanquer en prison. Et elle n'en serait pas sortie, je vous en réponds ! »

Je demeurais stupéfait du résultat de ma démarche pieuse. Je ne savais que dire ni que faire. Mais j'avais à compléter ma mission. Je repris : « Elle m'a chargé de vous remettre ses économies, qui montent à deux mille trois cents francs. Comme ce que je viens de vous apprendre semble vous être fort désagréable, le mieux serait peut-être de donner cet argent aux pauvres. »

Ils me regardaient, l'homme et la femme, perclus de saisissement.

Je tirai l'argent de ma poche, du misérable argent de tous les pays et de toutes les marques, de l'or et des sous mêlés. Puis je demandai : « Que décidez-vous ? »

Mme Chouquet parla la première : « Mais puisque c'était sa dernière volonté, à cette femme... il me semble qu'il nous est bien difficile de refuser. »

Le mari, vaguement confus, reprit : « Nous pourrions toujours acheter avec ça quelque chose pour nos enfants. »

Je dis d'un air sec : « Comme vous voudrez. »

Il reprit : « Donnez toujours, puisqu'elle vous en a chargé ; nous trouverons bien moyen de l'employer à quelque bonne œuvre. »

Je remis l'argent, je saluai, et je partis.

Le lendemain Chouquet vint me trouver et, brusquement : « Mais elle a laissé ici sa voiture, cette... cette femme. Qu'est-ce que vous en faites, de cette voiture ? »

— Rien, prenez-la si vous voulez.

— Parfait ; cela me va ; j'en ferai une cabane pour mon potager.

Il s'en allait. Je le rappelai : « Elle a laissé aussi son vieux cheval et ses deux chiens. Les voulez-vous ? » Il s'arrêta, surpris : « Ah ! non, par exemple ; que voulez-vous que j'en fasse ? Disposez-en comme vous voudrez. » Et il riait. Puis il me tendit sa main que je serrai. Que voulez-vous ? Il ne faut pas, dans un pays, que le médecin et le pharmacien soient ennemis.

J'ai gardé les chiens chez moi. Le curé, qui a une grande cour, a pris le cheval. La voiture sert de cabane à Chouquet ; et il a acheté cinq obligations de chemin de fer avec l'argent.

Voilà le seul amour profond que j'aie rencontré dans ma vie.

Le médecin se tut.

Alors la marquise, qui avait des larmes dans les yeux, soupira : « Décidément, il n'y a que les femmes pour savoir aimer ! »

DENIS

I

A Léon Chapron.

M. Marambot ouvrit la lettre que lui remettait Denis, son serviteur, et il sourit.

Denis, depuis vingt ans dans la maison, petit homme trapu et jovial, qu'on citait dans toute la contrée comme le modèle des domestiques, demanda :

— Monsieur est content ? Monsieur a reçu une bonne nouvelle ?

M. Marambot n'était pas riche. Ancien pharmacien de village, célibataire, il vivait d'un petit revenu acquis avec peine en vendant des drogues aux paysans. Il répondit :

— Oui, mon garçon. Le père Malois recule devant le procès dont je le menace. Je recevrai demain mon argent. Cinq mille francs ne font pas de mal dans la caisse d'un vieux garçon.

Et M. Marambot se frottait les mains. C'était un homme d'un caractère résigné, plutôt triste que gai, incapable d'un effort prolongé, nonchalant dans ses affaires.

Il aurait pu certainement gagner une aisance plus

considérable en profitant du décès de confrères établis en des centres importants, pour aller occuper leur place et prendre leur clientèle. Mais l'ennui de déménager, et la pensée de toutes les démarches qu'il lui faudrait accomplir, l'avaient sans cesse retenu ; et il se contentait de dire après deux jours de réflexion :

— Baste ! ce sera pour la prochaine fois. Je ne perds rien à attendre. Je trouverai mieux peut-être.

Denis, au contraire, poussait son maître aux entreprises. D'un caractère actif, il répétait sans cesse :

— Oh ! moi, si j'avais eu le premier capital, j'aurais fait fortune. Seulement mille francs, et je tenais mon affaire.

M. Marambot souriait sans répondre et sortait dans son petit jardin, où il se promenait, les mains derrière le dos, en rêvassant.

Denis, tout le jour, chanta, comme un homme en joie, des refrains et des rondes du pays. Il montra même une activité inusitée, car il nettoya les carreaux de toute la maison, essuyant le verre avec ardeur en entonnant à plein gosier ses couplets.

M. Marambot, étonné de son zèle, lui dit à plusieurs reprises, en souriant :

— Si tu travailles comme ça, mon garçon, tu ne garderas rien à faire pour demain.

Le lendemain, vers neuf heures du matin, le facteur remit à Denis quatre lettres pour son maître, dont une très lourde. M. Marambot s'enferma aussitôt dans sa chambre jusqu'au milieu de l'après-midi. Il confia alors à son domestique quatre enveloppes pour la poste. Une d'elles était adressée à M. Malois, c'était sans doute un reçu de l'argent.

Denis ne posa pas de questions à son maître ; il

parut aussi triste et sombre ce jour-là, qu'il avait été joyeux la veille.

La nuit vint. M. Marambot se coucha à son heure ordinaire et s'endormit.

Il fut réveillé par un bruit singulier. Il s'assit aussitôt dans son lit et écouta. Mais brusquement sa porte s'ouvrit, et Denis parut sur le seuil, tenant une bougie d'une main, un couteau de cuisine de l'autre, avec de gros yeux fixes, la lèvre et les joues contractées comme celles des gens qu'agite une horrible émotion, et si pâle qu'il semblait un revenant.

M. Marambot, interdit, le crut devenu somnambule, et il allait se lever pour courir au-devant de lui, quand le domestique souffla la bougie en se ruant vers le lit. Son maître tendit les mains en avant pour recevoir le choc qui le renversa sur le dos ; et il cherchait à saisir les mains de son domestique qu'il pensait maintenant atteint de folie, afin de parer les coups précipités qu'il lui portait.

Il fut atteint une première fois à l'épaule par le couteau, une seconde fois au front, une troisième fois à la poitrine. Il se débattait éperdument, agitant ses mains dans l'obscurité, lançant aussi des coups de pied et criant :

— Denis ! Denis ! es-tu fou, voyons, Denis !

Mais l'autre, haletant, s'acharnait, frappait toujours, repoussé tantôt d'un coup de pied, tantôt d'un coup de poing, et revenant furieusement. M. Marambot fut encore blessé deux fois à la jambe et une fois au ventre. Mais soudain une pensée rapide lui traversa l'esprit et il se mit à crier :

— Finis donc, finis donc, Denis, je n'ai pas reçu mon argent !

L'homme aussitôt s'arrêta ; et son maître entendait, dans l'obscurité, sa respiration sifflante.

M. Marambot reprit aussitôt :

— Je n'ai rien reçu. M. Malois se dédit, le procès va avoir lieu ; c'est pour ça que tu as porté les lettres à la poste. Lis plutôt celles qui sont sur mon secrétaire.

Et d'un dernier effort, il saisit les allumettes sur sa table de nuit et alluma sa bougie.

Il était couvert de sang. Des jets brûlants avaient éclaboussé le mur. Les draps, les rideaux, tout était rouge. Denis, sanglant aussi des pieds à la tête, se tenait debout au milieu de la chambre.

Quand il vit cela, M. Marambot se crut mort et il perdit connaissance.

Il se ranima au point du jour. Il fut quelque temps avant de reprendre ses sens, de comprendre, de se rappeler. Mais soudain le souvenir de l'attentat et de ses blessures lui revint, et une peur si véhémente l'envahit qu'il ferma les yeux pour ne rien voir. Au bout de quelques minutes son épouvante se calma et il réfléchit. Il n'était pas mort sur le coup, il pouvait donc en revenir. Il se sentait faible, très faible, mais sans souffrance vive, bien qu'il éprouvât en divers points du corps une gêne sensible, comme des piqûres. Il se sentait aussi glacé, et tout mouillé, et serré, comme roulé dans des bandelettes. Il pensa que cette humidité venait du sang répandu ; et des frissons d'angoisse le secouaient à la pensée affreuse de ce liquide rougi sorti de ses veines et dont son lit était couvert. L'idée de revoir ce spectacle épouvantable le bouleversait et il tenait ses yeux fermés avec force comme s'ils allaient s'ouvrir malgré lui.

Qu'était devenu Denis ? Il s'était sauvé, probablement.

Mais qu'allait-il faire, maintenant, lui, Marambot ? Se lever ? appeler au secours ? Or, s'il faisait un seul mouvement, ses blessures se rouvriraient sans aucun doute ; et il tomberait mort au bout de son sang.

Tout à coup, il entendit pousser la porte de sa chambre. Son cœur cessa presque de battre. C'était Denis qui venait l'achever, certainement. Il retint sa respiration pour que l'assassin crût tout bien fini, l'ouvrage terminé.

Il sentit qu'on relevait son drap, puis qu'on lui palpait le ventre. Une douleur vive, près de la hanche, le fit tressaillir. On le lavait maintenant avec de l'eau fraîche, tout doucement. Donc on avait découvert le forfait et on le soignait, on le sauvait. Une joie éperdue le saisit ; mais, par un reste de prudence, il ne voulut pas montrer qu'il avait repris connaissance, et il entrouvrit un œil, un seul, avec les plus grandes précautions.

Il reconnut Denis debout près de lui, Denis en personne ! Miséricorde ! Il referma son œil avec précipitation.

Denis ! Que faisait-il, alors ? Que voulait-il ? Quel projet affreux nourrissait-il encore ?

Ce qu'il faisait ? Mais il le lavait pour effacer les traces ! Et il allait l'enfouir maintenant dans le jardin, à dix pieds sous terre, pour qu'on ne le découvrît pas ? Ou peut-être dans la cave, sous les bouteilles de vin fin ?

Et M. Marambot se mit à trembler si fort que tous ses membres palpitaient.

Il se disait : « Je suis perdu, perdu ! » Et il serrait désespérément les paupières pour ne pas voir arriver le dernier coup de couteau. Il ne le reçut pas. Denis, maintenant, le soulevait et le ligaturait dans un linge. Puis il se mit à panser la plaie de la jambe avec soin, comme il avait appris à le faire quand son maître était pharmacien.

Aucune hésitation n'était plus possible pour un homme de métier ; son domestique, après avoir voulu le tuer, essayait de le sauver.

Alors M. Marambot, d'une voix mourante, lui donna ce conseil pratique :

— Opère les lavages et les pansements avec de l'eau coupée de coaltar saponiné !

Denis répondit :

— C'est ce que je fais, monsieur.

M. Marambot ouvrit les deux yeux.

Il n'y avait plus de trace de sang ni sur le lit, ni dans la chambre, ni sur l'assassin. Le blessé était étendu en des draps bien blancs.

Les deux hommes se regardèrent.

Enfin, M. Marambot prononça avec douceur :

— Tu as commis un grand crime.

Denis répondit :

— Je suis en train de le réparer, monsieur. Si vous ne me dénoncez pas, je vous servirai fidèlement comme par le passé.

Ce n'était pas le moment de mécontenter son domestique. M. Marambot articula en refermant les yeux :

— Je te jure de ne pas te dénoncer.

II

Denis sauva son maître. Il passa les nuits et les jours sans sommeil, ne quitta point la chambre du malade, lui prépara les drogues, les tisanes, les potions, lui tâtant le pouls, comptant anxieusement les pulsations, le maniant avec une habileté de garde-malade et un dévouement de fils.

A tout moment, il demandait :

— Eh bien, monsieur, comment vous trouvez-vous ?

M. Marambot répondait d'une voix faible :

— Un peu mieux, mon garçon, je te remercie.

Et quand le blessé s'éveillait, la nuit, il voyait souvent son gardien qui pleurait dans son fauteuil et s'essuyait les yeux en silence.

Jamais l'ancien pharmacien n'avait été si bien soigné, si dorloté, si câliné. Il s'était dit tout d'abord :

« Dès que je serai guéri, je me débarrasserai de ce garnement. »

Il entrait maintenant en convalescence et remettait de jour en jour le moment de se séparer de son meurtrier. Il songeait que personne n'aurait pour lui autant d'égards et d'attentions, qu'il tenait ce garçon par la peur ; et il le prévint qu'il avait déposé chez un notaire un testament le dénonçant à la justice s'il arrivait quelque accident nouveau.

Cette précaution lui paraissait le garantir dans l'avenir de tout nouvel attentat ; et il se demandait alors s'il ne serait même pas plus prudent de conserver près de lui cet homme, pour le surveiller attentivement.

Comme autrefois, quand il hésitait à acquérir quelque pharmacie plus importante, il ne se pouvait décider à prendre une résolution.

« Il sera toujours temps », se disait-il.

Denis continuait à se montrer un incomparable serviteur. M. Marambot était guéri. Il le garda.

Or un matin, comme il achevait de déjeuner, il entendit tout à coup un grand bruit dans la cuisine. Il y courut. Denis se débattait, saisi par deux gendarmes. Le brigadier prenait gravement des notes sur son carnet.

Dès qu'il aperçut son maître, le domestique se mit à sangloter, criant :

— Vous m'avez dénoncé, monsieur, ce n'est pas bien, après ce que vous m'aviez promis. Vous manquez à votre parole d'honneur, monsieur Marambot ; ce n'est pas bien, ce n'est pas bien !...

M. Marambot, stupéfait et désolé d'être soupçonné, leva la main :

— Je te jure devant Dieu, mon garçon, que je ne t'ai pas dénoncé. J'ignore absolument comment messieurs les gendarmes ont pu connaître la tentative d'assassinat sur moi.

Le brigadier eut un sursaut :

— Vous dites qu'il a voulu vous tuer, monsieur Marambot ?

Le pharmacien, éperdu, répondit :

— Mais oui... Mais je ne l'ai pas dénoncé... Je n'ai rien dit... Je jure que je n'ai rien dit... Il me servait très bien depuis ce moment-là...

Le brigadier articula sévèrement :

— Je prends note de votre déposition. La justice appréciera ce nouveau motif dont elle ignorait, monsieur Marambot. Je suis chargé d'arrêter votre domestique pour vol de deux canards enlevés subrepticement par lui chez M. Duhamel, pour lesquels il y a des témoins du délit. Je vous demande pardon, monsieur Marambot. Je rendrai compte de votre déclaration.

Et se tournant vers ses hommes, il commanda :

— Allons, en route !

Les deux gendarmes entraînèrent Denis.

III

L'avocat venait de plaider la folie, appuyant les deux délits l'un sur l'autre pour fortifier son argumentation. Il avait clairement prouvé que le vol des deux canards provenait du même état mental que les huit coups de couteau dans la personne de Marambot. Il avait finement analysé toutes les phases de cet état passager d'aliénation mentale, qui céderait, sans aucun doute, à un traitement de quelques mois dans une excellente maison de santé. Il avait parlé en termes enthousiastes du dévouement continu de cet honnête serviteur, des soins incomparables dont il avait entouré son maître blessé par lui dans une seconde d'égarement.

Touché jusqu'au cœur par ce souvenir, M. Marambot se sentit les yeux humides.

L'avocat s'en aperçut, ouvrit les bras d'un geste large, déployant ses longues manches noires comme des ailes de chauve-souris. Et d'un ton vibrant, il cria :

— Regardez, regardez, regardez, messieurs les

jurés, regardez ces larmes ! Qu'ai-je à dire maintenant pour mon client ? Quel discours, quel argument, quel raisonnement vaudraient ces larmes de son maître ! Elles parlent plus haut que moi, plus haut que la loi ; elles crient : « Pardon pour l'insensé d'une heure ! » Elles implorent, elles absolvent, elles bénissent !

Il se tut et s'assit.

Le président, alors, se tournant vers Marambot, dont la déposition avait été excellente pour son domestique, lui demanda :

— Mais enfin, monsieur, en admettant même que vous ayez considéré cet homme comme dément, cela n'explique pas que vous l'ayez gardé ? Il n'en était pas moins dangereux.

Marambot répondit en s'essuyant les yeux :

— Que voulez-vous, monsieur le Président, on a tant de mal à trouver des domestiques par le temps qui court... je n'aurais pas rencontré mieux.

Denis fut acquitté et mis, aux frais de son maître, dans un asile d'aliénés.

LA FICELLE

A Harry Alis.

Sur toutes les routes autour de Goderville, les paysans et leurs femmes s'en venaient vers le bourg, car c'était jour de marché. Les mâles allaient, à pas tranquilles, tout le corps en avant à chaque mouvement de leurs longues jambes torses, déformées par les rudes travaux, par la pesée sur la charrue qui fait en même temps monter l'épaule gauche et dévier la taille, par le fauchage des blés qui fait écarter les genoux pour prendre un aplomb solide, par toutes les besognes lentes et pénibles de la campagne. Leur blouse bleue, empesée, brillante, comme vernie, ornée au col et aux poignets d'un petit dessin de fil blanc, gonflée autour de leur torse osseux, semblait un ballon prêt à s'envoler, d'où sortaient une tête, deux bras et deux pieds.

Les uns tiraient au bout d'une corde une vache, un veau. Et leurs femmes, derrière l'animal, lui fouettaient les reins d'une branche encore garnie de feuilles, pour hâter sa marche. Elles portaient au bras de larges paniers d'où sortaient des têtes de poulets par-ci, des têtes de canards par-là. Et elles marchaient d'un pas plus court et plus vif que leurs hommes, la taille sèche, droite et drapée dans un petit châle étriqué, épinglé sur leur poitrine plate, la tête enveloppée d'un linge blanc collé sur les cheveux et surmontée d'un bonnet.

Puis un char à bancs passait, au trot saccadé d'un bidet, secouant étrangement deux hommes assis côte à côte et une femme dans le fond du véhicule, dont elle tenait le bord pour atténuer les durs cahots.

Sur la place de Goderville, c'était une foule, une cohue d'humains et de bêtes mélangés. Les cornes des bœufs, les hauts chapeaux à longs poils des paysans riches et les coiffes des paysannes émergeaient à la surface de l'assemblée. Et les voix criardes, aiguës, glapissantes, formaient une clameur continue et sauvage que dominait parfois un grand éclat poussé par la robuste poitrine d'un campagnard en gaieté, ou le long meuglement d'une vache attachée au mur d'une maison.

Tout cela sentait l'étable, le lait et le fumier, le foin et la sueur, dégageait cette saveur aigre, affreuse, humaine et bestiale, particulière aux gens des champs.

Maître Hauchecorne, de Bréauté, venait d'arriver à Goderville, et il se dirigeait vers la place, quand il aperçut par terre un petit bout de ficelle. Maître Hauchecorne, économe en vrai Normand, pensa que tout était bon à ramasser qui peut servir ; et il se baissa péniblement, car il souffrait de rhumatismes. Il prit par terre le morceau de corde mince, et il se disposait à le rouler avec soin, quand il remarqua, sur le seuil de sa porte, maître Malandain, le bourrelier, qui le regardait. Ils avaient eu des affaires ensemble au sujet d'un licol, autrefois, et ils étaient restés fâchés, étant rancuniers tous deux. Maître Hauchecorne fut pris d'une sorte de honte d'être vu ainsi, par son ennemi, cherchant dans la crotte un bout de ficelle. Il cacha brusquement sa trouvaille sous sa blouse, puis dans la poche de sa culotte ; puis il fit semblant de chercher encore par terre quelque chose qu'il ne trouvait point, et il s'en alla vers le marché, la tête en avant, courbé en deux par ses douleurs.

Il se perdit aussitôt dans la foule criarde et lente, agitée par les interminables marchandages. Les paysans tâtaient les vaches, s'en allaient, revenaient, perplexes, toujours dans la crainte d'être mis dedans, n'osant jamais se décider, épiant l'œil du vendeur, cherchant sans fin à découvrir la ruse de l'homme et le défaut de la bête.

Les femmes, ayant posé à leurs pieds leurs grands paniers, en avaient tiré leurs volailles qui gisaient par terre, liées par les pattes, l'œil effaré, la crête écarlate.

Elles écoutaient les propositions, maintenaient leurs prix, l'air sec, le visage impassible, ou bien tout à coup, se décidant au rabais proposé, criaient au client qui s'éloignait lentement :

— C'est dit, maît' Anthime. J' vous l' donne.

Puis peu à peu, la place se dépeupla, et l'angélus sonnant midi, ceux qui demeuraient trop loin se répandirent dans les auberges.

Chez Jourdain, la grande salle était pleine de mangeurs, comme la vaste cour était pleine de véhicules de toute race, charrettes, cabriolets, chars à bancs, tilburys, carrioles innommables, jaunes de crotte, déformées, rapiécées, levant au ciel, comme deux bras, leurs brancards, ou bien le nez par terre et le derrière en l'air.

Tout contre les dîneurs attablés, l'immense cheminée, pleine de flamme claire, jetait une chaleur vive dans le dos de la rangée de droite. Trois broches tournaient, chargées de poulets, de pigeons et de gigots ; et une délectable odeur de viande rôtie et de jus ruisselant sur la peau rissolée, s'envolait de l'âtre, allumait les gaietés, mouillait les bouches.

Toute l'aristocratie de la charrue mangeait là, chez maît' Jourdain, aubergiste et maquignon, un malin qui avait des écus.

Les plats passaient, se vidaient comme les brocs de cidre jaune. Chacun racontait ses affaires, ses achats et ses ventes. On prenait des nouvelles des récoltes. Le temps était bon pour les verts, mais un peu mucre pour les blés.

Tout à coup le tambour roula, dans la cour, devant la maison. Tout le monde aussitôt fut debout, sauf quelques indifférents, et on courut à la porte, aux fenêtres, la bouche encore pleine et la serviette à la main.

Après qu'il eut terminé son roulement, le crieur public lança d'une voix saccadée, scandant ses phrases à contretemps :

— Il est fait assavoir aux habitants de Goderville, et en général à toutes — les personnes présentes au marché, qu'il a été perdu ce matin, sur la route de Beuzeville, entre — neuf heures et dix heures, un portefeuille en cuir noir contenant cinq cents francs et des papiers d'affaires. On est prié de le rapporter — à la mairie, incontinent, ou chez maître Fortuné Houlbrèque, de Manneville. Il y aura vingt francs de récompense.

Puis l'homme s'en alla. On entendit encore une fois au loin les battements sourds de l'instrument et la voix affaiblie du crieur.

Alors on se mit à parler de cet événement, en énumérant les chances qu'avait maître Houlbrèque de retrouver ou de ne pas retrouver son portefeuille.

Et le repas s'acheva.

On finissait le café, quand le brigadier de gendarmerie parut sur le seuil.

Il demanda :

— Maître Hauchecorne, de Bréauté, est-il ici ?

Maître Hauchecorne, assis à l'autre bout de la table, répondit :

— Me v'là.

Et le brigadier reprit :

— Maître Hauchecorne, voulez-vous avoir la complaisance de m'accompagner à la mairie ? M. le maire voudrait vous parler.

Le paysan, surpris, inquiet, avala d'un coup son petit verre, se leva et, plus courbé encore que le matin, car les premiers pas après chaque repos étaient particulièrement difficiles, il se mit en route en répétant :

— Me v'là, me v'là.

Et il suivit le brigadier.

Le maire l'attendait, assis dans un fauteuil. C'était le notaire de l'endroit, homme gros, grave, à phrases pompeuses.

— Maître Hauchecorne, dit-il, on vous a vu ce matin ramasser, sur la route de Beuzeville, le portefeuille perdu par maître Houlbrèque, de Manneville.

Le campagnard, interdit, regardait le maire, apeuré déjà par ce soupçon qui pesait sur lui, sans qu'il comprît pourquoi.

— Mé, mé, j'ai ramassé çu portafeuille ?

— Oui, vous-même.

— Parole d'honneur, je n'en ai seulement point eu connaissance.

— On vous a vu.

— On m'a vu, mé ? Qui ça qui m'a vu ?

— M. Malandain, le bourrelier.

Alors le vieux se rappela, comprit et, rougissant de colère :

— Ah ! i m'a vu, çu manant ! I m'a vu ramasser ct'e ficelle-là, tenez, m'sieu le Maire.

Et, fouillant au fond de sa poche, il en retira le petit bout de corde.

Mais le maire, incrédule, remuait la tête :

— Vous ne me ferez pas accroire, maître Hauchecorne, que M. Malandain, qui est un homme digne de foi, a pris ce fil pour un portefeuille ?

Le paysan, furieux, leva la main, cracha de côté pour attester son honneur, répétant :

— C'est pourtant la vérité du bon Dieu, la sainte vérité, m'sieu le Maire. Là, sur mon âme et mon salut, je l' répète.

Le maire reprit :

— Après avoir ramassé l'objet, vous avez même encore cherché longtemps dans la boue si quelque pièce de monnaie ne s'en était pas échappée.

Le bonhomme suffoquait d'indignation et de peur.

— Si on peut dire !... si on peut dire !... des menteries comme ça pour dénaturer un honnête homme ! Si on peut dire !...

Il eut beau protester, on ne le crut pas.

Il fut confronté avec M. Malandain, qui répéta et soutint son affirmation. Ils s'injurièrent une heure durant. On fouilla, sur sa demande, maître Hauchecorne. On ne trouva rien sur lui.

Enfin le maire, fort perplexe, le renvoya, en le

prévenant qu'il allait aviser le parquet et demander des ordres.

La nouvelle s'était répandue. A sa sortie de la mairie, le vieux fut entouré, interrogé avec une curiosité sérieuse et goguenarde, mais où n'entrait aucune indignation. Et il se mit à raconter l'histoire de la ficelle. On ne le crut pas. On riait.

Il allait, arrêté par tous, arrêtant ses connaissances, recommençant sans fin son récit et ses protestations, montrant ses poches retournées, pour prouver qu'il n'avait rien.

On lui disait :

— Vieux malin, va !

Et il se fâchait, s'exaspérant, enfiévré, désolé de n'être pas cru, ne sachant que faire, et contant toujours son histoire.

La nuit vint. Il fallait partir. Il se mit en route avec trois voisins à qui il montra la place où il avait ramassé le bout de corde ; et tout le long du chemin il parla de son aventure.

Le soir, il fit une tournée dans le village de Bréauté, afin de la dire à tout le monde. Il ne rencontra que des incrédules.

Il en fut malade toute la nuit.

Le lendemain, vers une heure de l'après-midi, Marius Paumelle, valet de ferme de maître Breton, cultivateur à Ymauville, rendait le portefeuille et son contenu à maître Houlbrèque, de Manneville.

Cet homme prétendait avoir en effet trouvé l'objet sur la route ; mais ne sachant pas lire, il l'avait rapporté à la maison et donné à son patron.

La nouvelle se répandit aux environs. Maître Hauchecorne en fut informé. Il se mit aussitôt en tournée et commença à narrer son histoire complétée du dénouement. Il triomphait.

— C' qui m' faisait deuil, disait-il, c'est point tant la chose, comprenez-vous ; mais c'est la menterie. Y a rien qui vous nuit comme d'être en réprobation pour une menterie.

Tout le jour il parlait de son aventure, il la contait sur les routes aux gens qui passaient, au cabaret aux gens qui buvaient, à la sortie de l'église le dimanche suivant. Il arrêtait des inconnus pour la leur dire. Maintenant il était tranquille, et pourtant quelque chose le gênait sans qu'il sût au juste ce que c'était. On avait l'air de plaisanter en l'écoutant. On ne paraissait pas convaincu. Il lui semblait sentir des propos derrière son dos.

Le mardi de l'autre semaine, il se rendit au marché de Goderville, uniquement poussé par le besoin de conter son cas.

Malandain, debout sur sa porte, se mit à rire en le voyant passer. Pourquoi ?

Il aborda un fermier de Criquetot, qui ne le laissa pas achever et, lui jetant une tape dans le creux de son ventre, lui cria par la figure : « Gros malin, va ! » Puis lui tourna les talons.

Maître Hauchecorne demeura interdit et de plus en plus inquiet. Pourquoi l'avait-on appelé « gros malin » ?

Quand il fut assis à table, dans l'auberge de Jourdain, il se remit à expliquer l'affaire.

Un maquignon de Montivilliers lui cria :

— Allons, allons, vieille pratique, je la connais, ta ficelle !

Hauchecorne balbutia :

— Puisqu'on l'a retrouvé çu portafeuille ?

Mais l'autre reprit :

— Tais-té, mon pé, y en a un qui trouve et y en a un qui r'porte. Ni vu ni connu, je t'embrouille !

Le paysan resta suffoqué. Il comprenait enfin. On l'accusait d'avoir fait reporter le portefeuille par un compère, par un complice.

Il voulut protester. Toute la table se mit à rire.

Il ne put achever son dîner et s'en alla, au milieu des moqueries.

Il rentra chez lui, honteux et indigné, étranglé par la colère, par la confusion, d'autant plus atterré qu'il était capable, avec sa finauderie de Normand, de faire ce dont on l'accusait, et même de s'en vanter comme d'un bon tour. Son innocence lui apparaissait confusément comme impossible à prouver, sa malice étant connue. Et il se sentait frappé au cœur par l'injustice du soupçon.

Alors il recommença à conter l'aventure, en allongeant chaque jour son récit, ajoutant chaque fois des raisons nouvelles, des protestations plus énergiques, des serments plus solennels qu'il imaginait, qu'il préparait dans ses heures de solitude, l'esprit uniquement occupé de l'histoire de la ficelle. On le croyait d'autant moins que sa défense était plus compliquée et son argumentation plus subtile.

— Ça, c'est des raisons d' menteux, disait-on derrière son dos.

Il le sentait, se rongeait les sangs, s'épuisait en efforts inutiles.

Il dépérissait à vue d'œil.

Les plaisants maintenant lui faisaient conter « la Ficelle » pour s'amuser, comme on fait conter sa bataille au soldat qui a fait campagne. Son esprit, atteint à fond, s'affaiblissait.

Vers la fin de décembre, il s'alita.

Il mourut dans les premiers jours de janvier et, dans le délire de l'agonie, il attestait son innocence, répétant :

— Une 'tite ficelle... une 'tite ficelle... t'nez, la voilà, m'sieu le Maire.

LE GUEUX

Il avait connu des jours meilleurs, malgré sa misère et son infirmité.

A l'âge de quinze ans, il avait eu les deux jambes écrasées par une voiture sur la grand'route de Varville. Depuis ce temps-là, il mendiait en se traînant le long des chemins, à travers les cours des fermes, balancé sur ses béquilles qui lui avaient fait remonter les épaules à la hauteur des oreilles. Sa tête semblait enfoncée entre deux montagnes.

Enfant trouvé dans un fossé par le curé des Billettes, la veille du jour des Morts, et baptisé pour cette raison Nicolas Toussaint, élevé par charité, demeuré étranger à toute instruction, estropié après avoir bu quelques verres d'eau-de-vie offerts par le boulanger du village, histoire de rire, et depuis lors vagabond, il ne savait rien faire autre chose que tendre la main.

Autrefois, la baronne d'Avary lui abandonnait pour dormir une espèce de niche pleine de paille, à côté du poulailler, dans la ferme attenant au château ; et il était sûr, aux jours de grande famine, de trouver toujours un morceau de pain et un verre de cidre à la cuisine. Souvent il recevait encore là quelques sols jetés par la vieille dame du haut de son perron ou des fenêtres de sa chambre. Maintenant elle était morte.

Dans les villages, on ne lui donnait guère : on le connaissait trop ; on était fatigué de lui depuis quarante ans qu'on le voyait promener de masure en masure son corps loqueteux et difforme sur ses deux pattes de bois. Il ne voulait point s'en aller cependant, parce qu'il ne connaissait pas autre chose sur la terre que ce coin de pays, ces trois ou quatre hameaux où il avait traîné sa vie misérable. Il avait mis des frontières à sa mendicité et il n'aurait jamais passé les limites qu'il était accoutumé de ne point franchir.

Il ignorait si le monde s'étendait encore loin derrière les arbres qui avaient borné sa vue. Il ne se le demandait pas. Et quand les paysans, las de le rencontrer toujours au bord de leurs champs ou le long de leurs fossés, lui criaient : « Pourquoi qu' tu n' vas point dans l's autres villages, au lieu d' béquiller toujours par ci ? » il ne répondait pas et s'éloignait, saisi d'une peur vague de l'inconnu, d'une peur de pauvre qui redoute confusément mille choses, les visages nouveaux, les injures, les regards soupçonneux des gens qui ne le connaissaient pas, et les gendarmes qui vont deux par deux sur les routes et qui le faisaient plonger, par instinct, dans les buissons ou derrière les tas de cailloux.

Quand il les apercevait au loin, reluisants sous le soleil, il trouvait soudain une agilité singulière, une agilité de monstre pour gagner quelque cachette. Il dégringolait de ses béquilles, se laissait tomber à la façon d'une loque, et il se roulait en boule, devenait tout petit, invisible, rasé comme un lièvre au gîte, confondant ses haillons bruns avec la terre.

Il n'avait pourtant jamais eu d'affaires avec eux.

Mais il portait cela dans le sang, comme s'il eût reçu cette crainte et cette ruse de ses parents, qu'il n'avait point connus.

Il n'avait pas de refuge, pas de toit, pas de hutte, pas d'abri. Il dormait partout, en été, et l'hiver il se glissait sous les granges ou dans les étables avec une adresse remarquable. Il déguerpissait toujours avant qu'on se fût aperçu de sa présence. Il connaissait les trous pour pénétrer dans les bâtiments ; et le maniement des béquilles ayant rendu ses bras d'une vigueur surprenante, il grimpait à la seule force des poignets jusque dans les greniers à fourrages où il demeurait parfois quatre ou cinq jours sans bouger, quand il avait recueilli dans sa tournée des provisions suffisantes.

Il vivait comme les bêtes des bois, au milieu des hommes, sans connaître personne, sans aimer personne, n'excitant chez les paysans qu'une sorte de mépris indifférent et d'hostilité résignée. On l'avait surnommé « Cloche », parce qu'il se balançait, entre ses deux piquets de bois, ainsi qu'une cloche entre ses portants.

Depuis deux jours, il n'avait point mangé. Personne ne lui donnait plus rien. On ne voulait plus de lui, à la fin. Les paysannes, sur leurs portes, lui criaient de loin en le voyant venir :

— Veux-tu bien t'en aller, manant ! V'là pas trois jours que j' t'ai donné un morciau d' pain !

Et il pivotait sur ses tuteurs et s'en allait à la maison voisine, où on le recevait de la même façon.

Les femmes déclaraient, d'une porte à l'autre :

— On n' peut pourtant pas nourrir ce fainéant toute l'année.

Cependant le fainéant avait besoin de manger tous les jours.

Il avait parcouru Saint-Hilaire, Varville et les Billettes, sans récolter un centime ou une vieille croûte. Il ne lui restait d'espoir qu'à Tournolles ; mais il lui fallait faire deux lieues sur la grand'route, et il se sentait las à ne plus se traîner, ayant le ventre aussi vide que sa poche.

Il se mit en marche pourtant.

C'était en décembre, un vent froid courait sur les champs, sifflait dans les branches nues ; et les nuages galopaient à travers le ciel bas et sombre, se hâtant on ne sait où. L'estropié allait lentement, déplaçant ses supports l'un après l'autre d'un effort pénible, en se calant sur la jambe tordue qui lui restait, terminée par un pied bot et chaussé d'une loque.

De temps en temps, il s'asseyait sur le fossé et se reposait quelques minutes. La faim jetait une détresse dans son âme confuse et lourde. Il n'avait qu'une idée : manger, mais il ne savait par quel moyen.

Pendant trois heures, il peina sur le long chemin ; puis quand il aperçut les arbres du village, il hâta ses mouvements.

Le premier paysan qu'il rencontra, et auquel il demanda l'aumône, lui répondit :

— Te r'voilà encore, vieille pratique ! J' s'rons donc jamais débarrassé de té !

Et Cloche s'éloigna. De porte en porte on le rudoya, on le renvoya sans lui rien donner. Il continuait cependant sa tournée, patient et obstiné. Il ne recueillit pas un sou.

Alors il visita les fermes, se déambulant à travers les terres molles de pluie, tellement exténué qu'il ne pouvait plus lever ses bâtons. On le chassa de partout. C'était un de ces jours froids et tristes où les cœurs se serrent, où les esprits s'irritent, où l'âme est sombre, où la main ne s'ouvre ni pour donner ni pour secourir.

Quand il eut fini la visite de toutes les maisons qu'il connaissait, il alla s'abattre au coin d'un fossé, le long de la cour de maître Chiquet. Il se décrocha, comme on disait pour exprimer comment il se laissait tomber entre ses hautes béquilles en les faisant glisser sous ses bras. Et il resta longtemps immobile, torturé par la faim, mais trop brute pour bien pénétrer son insondable misère.

Il attendait on ne sait quoi, de cette vague attente qui demeure constamment en nous. Il attendait au coin de cette cour, sous le vent glacé, l'aide mystérieuse qu'on espère toujours du ciel ou des hommes, sans se demander comment, ni pourquoi, ni par qui elle pourrait lui arriver. Une bande de poules noires passait, cherchant sa vie dans la terre qui nourrit tous les êtres. A tout instant, elles piquaient d'un coup de bec un grain ou un insecte invisible, puis continuaient leur recherche lente et sûre.

Cloche les regardait sans penser à rien ; puis il lui vint, plutôt au ventre que dans la tête, la sensation plutôt que l'idée, qu'une de ces bêtes-là serait bonne à manger grillée sur un feu de bois mort.

Le soupçon qu'il allait commettre un vol ne l'effleura pas. Il prit une pierre à portée de sa main, et, comme il était adroit, il tua net en la lançant la volaille la plus proche de lui. L'animal tomba sur le côté en remuant les ailes. Les autres s'enfuirent, balancés sur leurs pattes minces, et Cloche, escaladant de nouveau ses béquilles, se mit en marche pour aller ramasser sa chasse, avec des mouvements pareils à ceux des poules.

Comme il arrivait auprès du petit corps noir taché de rouge à la tête, il reçut une poussée terrible dans le dos qui lui fit lâcher ses bâtons et l'envoya rouler à dix pas devant lui. Et maître Chiquet, exaspéré, se précipitant sur le maraudeur, le roua de coups, tapant comme un forcené, comme tape un paysan volé, avec le poing et avec le genou par tout le corps de l'infirme, qui ne pouvait se défendre.

Les gens de la ferme arrivaient à leur tour qui se mirent avec le patron à assommer le mendiant. Puis quand ils furent las de le battre, ils le ramassèrent et l'emportèrent, et l'enfermèrent dans le bûcher, pendant qu'on allait chercher les gendarmes.

Cloche, à moitié mort, saignant et crevant de faim, demeura couché sur le sol. Le soir vint, puis la nuit, puis l'aurore. Il n'avait toujours pas mangé.

Vers midi, les gendarmes parurent et ouvrirent la porte avec précaution, s'attendant à une résistance, car maître Chiquet prétendait avoir été attaqué par le gueux et ne s'être défendu qu'à grand'peine.

Le brigadier cria :

— Allons, debout !

Mais Cloche ne pouvait plus remuer, il essaya bien de se hisser sur ses pieux, il n'y parvint point. On crut à une feinte, à une ruse, à un mauvais vouloir de malfaiteur, et les deux hommes armés, le rudoyant, l'empoignèrent et le plantèrent de force sur ses béquilles.

La peur l'avait saisi, cette peur native des baudriers jaunes, cette peur du gibier devant le chasseur, de la souris devant le chat. Et, par des efforts surhumains, il réussit à rester debout.

— En route ! dit le brigadier.

Il marcha. Tout le personnel de la ferme le regardait partir. Les femmes lui montraient le poing ; les hommes ricanaient, l'injuriaient ; on l'avait pris enfin ! Bon débarras !

Il s'éloigna entre ses deux gardiens. Il trouva l'énergie désespérée qu'il lui fallait pour se traîner encore jusqu'au soir, abruti, ne sachant seulement plus ce qui lui arrivait, trop effaré pour rien comprendre.

Les gens qu'on rencontrait s'arrêtaient pour le voir passer, et les paysans murmuraient :

— C'est quéque voleux !

On parvint, vers la nuit, au chef-lieu du canton. Il n'était jamais venu jusque-là. Il ne se figurait pas vraiment ce qui se passait, ni ce qui pouvait survenir. Toutes ces choses terribles, imprévues, ces figures et ces maisons nouvelles le consternaient.

Il ne prononça pas un mot, n'ayant rien à dire, car il ne comprenait plus rien. Depuis tant d'années d'ailleurs qu'il ne parlait à personne, il avait à peu près perdu l'usage de sa langue ; et sa pensée aussi était trop confuse pour se formuler par des paroles.

On l'enferma dans la prison du bourg. Les gendarmes ne pensèrent pas qu'il pouvait avoir besoin de manger, et on le laissa jusqu'au lendemain.

Mais quand on vint pour l'interroger, au petit matin, on le trouva mort, sur le sol. Quelle surprise !

MON ONCLE JULES

A M. Achille Bénouville.

Un vieux pauvre, à barbe blanche, nous demanda l'aumône. Mon camarade, Joseph Davranche, lui donna cent sous. Je fus surpris. Il me dit :

— Ce misérable m'a rappelé une histoire que je vais te dire et dont le souvenir me poursuit sans cesse. La voici :

Ma famille, originaire du Havre, n'était pas riche. On s'en tirait, voilà tout. Le père travaillait, rentrait tard du bureau et ne gagnait pas grand'chose. J'avais deux sœurs.

Ma mère souffrait beaucoup de la gêne où nous vivions, et elle trouvait souvent des paroles aigres pour son mari, des reproches voilés et perfides. Le pauvre homme avait alors un geste qui me navrait. Il se passait la main ouverte sur le front, comme pour essuyer une sueur qui n'existait pas, et il ne répondait rien. Je sentais sa douleur impuissante. On économisait sur tout ; on n'acceptait jamais un dîner, pour n'avoir pas à le rendre ; on achetait les provisions au rabais, les fonds de boutique. Mes sœurs faisaient leurs robes elles-mêmes et avaient de longues discussions sur le prix d'un galon qui valait quinze centimes le mètre. Notre nourriture ordinaire consistait en soupe grasse et bœuf accommodé à toutes les sauces. Cela est sain et réconfortant, paraît-il ; j'aurais préféré autre chose.

On me faisait des scènes abominables pour les boutons perdus et les pantalons déchirés.

Mais chaque dimanche nous allions faire notre tour de jetée en grande tenue. Mon père, en redingote, en grand chapeau, en gants, offrait le bras à ma mère, pavoisée comme un navire un jour de fête. Mes sœurs, prêtes les premières, attendaient le signal du départ ; mais, au dernier moment, on découvrait toujours une tache oubliée sur la redingote du père de famille, et il fallait bien vite l'effacer avec un chiffon mouillé de benzine.

Mon père, gardant son grand chapeau sur la tête, attendait, en manches de chemise, que l'opération fût terminée, tandis que ma mère se hâtait, ayant ajusté ses lunettes de myope et ôté ses gants pour ne pas les gâter.

On se mettait en route avec cérémonie. Mes sœurs marchaient devant, en se donnant le bras. Elles étaient en âge de mariage, et on en faisait montre en ville. Je me tenais à gauche de ma mère, dont mon père gardait la droite. Et je me rappelle l'air pompeux de mes pauvres parents dans ces promenades du dimanche, la rigidité de leurs traits, la sévérité de leur allure. Ils avançaient d'un pas grave, le corps droit, les jambes raides, comme si une affaire d'une importance extrême eût dépendu de leur tenue.

Et chaque dimanche, en voyant entrer les grands navires qui revenaient de pays inconnus et lointains, mon père prononçait invariablement les mêmes paroles :

— Hein ! si Jules était là-dedans, quelle surprise !

MON ONCLE JULES

Mon oncle Jules, le frère de mon père, était le seul espoir de la famille, après en avoir été la terreur. J'avais entendu parler de lui depuis mon enfance, et il me semblait que je l'aurais reconnu du premier coup, tant sa pensée m'était devenue familière. Je savais tous les détails de son existence jusqu'au jour de son départ pour l'Amérique, bien qu'on ne parlât qu'à voix basse de cette période de sa vie.

Il avait eu, paraît-il, une mauvaise conduite, c'est-à-dire qu'il avait mangé quelque argent, ce qui est bien le plus grand des crimes pour les familles pauvres. Chez les riches, un homme qui s'amuse *fait des bêtises.* Il est ce qu'on appelle, en souriant, un noceur. Chez les nécessiteux, un garçon qui force les parents à écorner le capital devient un mauvais sujet, un gueux, un drôle !

Et cette distinction est juste, bien que le fait soit le même, car les conséquences seules déterminent la gravité de l'acte.

Enfin l'oncle Jules avait notablement diminué l'héritage sur lequel comptait mon père ; après avoir d'ailleurs mangé sa part jusqu'au dernier sou.

On l'avait embarqué pour l'Amérique, comme on faisait alors, sur un navire marchand allant du Havre à New York.

Une fois là-bas, mon oncle Jules s'établit marchand de je ne sais quoi, et il écrivit bientôt qu'il gagnait un peu d'argent et qu'il espérait pouvoir dédommager mon père du tort qu'il lui avait fait. Cette lettre causa dans la famille une émotion profonde. Jules, qui ne valait pas, comme on dit, les quatre fers d'un chien, devint tout à coup un honnête homme, un garçon de cœur, un vrai Davranche, intègre comme tous les Davranche.

Un capitaine nous apprit en outre qu'il avait loué une grande boutique et qu'il faisait un commerce important.

Une seconde lettre, deux ans plus tard, disait : « Mon cher Philippe, je t'écris pour que tu ne t'inquiètes pas de ma santé, qui est bonne. Les affaires aussi vont bien. Je pars demain pour un long voyage dans l'Amérique du Sud. Je serai peut-être plusieurs années sans te donner de mes nouvelles. Si je ne t'écris pas, ne sois pas inquiet. Je reviendrai au Havre une fois fortune faite. J'espère que ce ne sera pas trop long, et nous vivrons heureux ensemble... »

Cette lettre était devenue l'évangile de la famille. On la lisait à tout propos, on la montrait à tout le monde.

Pendant dix ans, en effet, l'oncle Jules ne donna plus de nouvelles ; mais l'espoir de mon père grandissait à mesure que le temps marchait ; et ma mère aussi disait souvent :

— Quand ce bon Jules sera là, notre situation changera. En voilà un qui a su se tirer d'affaire !

Et chaque dimanche, en regardant venir de l'horizon les gros vapeurs noirs vomissant sur le ciel des serpents de fumée, mon père répétait sa phrase éternelle :

— Hein ! si Jules était là-dedans, quelle surprise !

Et on s'attendait presque à le voir agiter un mouchoir, et crier :

— Ohé ! Philippe !

On avait échafaudé mille projets sur ce retour assuré ; on devait même acheter, avec l'argent de l'oncle, une petite maison de campagne près d'Ingouville. Je n'affirmerais pas que mon père n'eût point entamé déjà des négociations à ce sujet.

L'aînée de mes sœurs avait alors vingt-huit ans ; l'autre vingt-six. Elles ne se mariaient pas, et c'était là un gros chagrin pour tout le monde.

Un prétendant enfin se présenta pour la seconde. Un employé, pas riche, mais honorable. J'ai toujours eu la conviction que la lettre de l'oncle Jules, montrée un soir, avait terminé les hésitations et emporté la résolution du jeune homme.

On l'accepta avec empressement, et il fut décidé qu'après le mariage toute la famille ferait ensemble un petit voyage à Jersey.

Jersey est l'idéal du voyage pour les gens pauvres. Ce n'est pas loin ; on passe la mer dans un paquebot et on est en terre étrangère, cet îlot appartenant aux Anglais. Donc un Français, avec deux heures de navigation, peut s'offrir la vue d'un peuple voisin chez lui et étudier les mœurs, déplorables d'ailleurs, de cette île couverte par le pavillon britannique, comme disent les gens qui parlent avec simplicité.

Ce voyage de Jersey devint notre préoccupation, notre unique attente, notre rêve de tous les instants.

On partit enfin. Je vois cela comme si c'était hier : le vapeur chauffant contre le quai de Granville ; mon père, effaré, surveillant l'embarquement de nos trois colis ; ma mère inquiète ayant pris le bras de ma sœur non mariée, qui semblait perdue depuis le départ de l'autre, comme un poulet resté seul de sa couvée, et, derrière nous, les nouveaux époux qui restaient toujours en arrière, ce qui me faisait souvent tourner la tête.

Le bâtiment siffla. Nous voici montés, et le navire, quittant la jetée, s'éloigna sur une mer plate comme une table de marbre vert. Nous regardions les côtes s'enfuir, heureux et fiers comme tous ceux qui voyagent peu.

Mon père tendait son ventre, sous sa redingote dont on avait, le matin même, effacé avec soin toutes les taches, et il répandait autour de lui cette odeur de benzine des jours de sortie, qui me faisait reconnaître les dimanches.

Tout à coup, il avisa deux dames élégantes à qui deux messieurs offraient des huîtres. Un vieux matelot déguenillé ouvrait d'un coup de couteau les coquilles et les passait aux messieurs, qui les tendaient ensuite aux dames. Elles mangeaient d'une manière délicate, en tenant l'écaille sur un mouchoir fin et en avançant la bouche pour ne point tacher leurs robes. Puis elles buvaient l'eau d'un petit mouvement rapide et jetaient la coquille à la mer.

Mon père, sans doute, fut séduit par cet acte distingué de manger des huîtres sur un navire en marche. Il trouva cela bon genre, raffiné, supérieur, et il s'approcha de ma mère et de mes sœurs en demandant :

— Voulez-vous que je vous offre quelques huîtres ?

Ma mère hésitait, à cause de la dépense ; mais mes deux sœurs acceptèrent tout de suite. Ma mère dit, d'un ton contrarié :

— J'ai peur de me faire mal à l'estomac. Offre ça aux enfants seulement, mais pas trop, tu les rendrais malades.

Puis se tournant vers moi, elle ajouta :

— Quant à Joseph, il n'en a pas besoin ; il ne faut pas gâter les garçons.

Je restai donc à côté de ma mère, trouvant injuste cette distinction. Je suivais de l'œil mon père, qui conduisait pompeusement ses deux filles et son gendre vers le vieux matelot déguenillé.

Les deux dames venaient de partir, et mon père indiquait à mes sœurs comment il fallait s'y prendre pour manger sans laisser couler l'eau ; il voulut même donner l'exemple et il s'empara d'une huître. En essayant d'imiter les dames, il renversa immédiatement tout le liquide sur sa redingote et j'entendis ma mère murmurer :

— Il ferait mieux de se tenir tranquille.

Mais tout à coup mon père me parut inquiet ; il s'éloigna de quelques pas, regarda fixement sa famille pressée autour de l'écailleur, et, brusquement, il vint vers nous. Il me sembla fort pâle, avec des yeux singuliers. Il dit à mi-voix à ma mère :

— C'est extraordinaire comme cet homme qui ouvre les huîtres ressemble à Jules.

Ma mère, interdite, demanda :

— Quel Jules ?

Mon père reprit :

— Mais... mon frère... Si je ne le savais pas en bonne position en Amérique, je croirais que c'est lui.

Ma mère, effarée, balbutia :

— Tu es fou ! Du moment que tu sais bien que ce n'est pas lui, pourquoi dire ces bêtises-là ?

Mais mon père insistait :

— Va donc le voir, Clarisse ; j'aime mieux que tu t'en assures toi-même de tes propres yeux.

Elle se leva et alla rejoindre ses filles. Moi aussi, je regardais l'homme. Il était vieux, sale, tout ridé, et ne détournait pas le regard de sa besogne.

Ma mère revint. Je m'aperçus qu'elle tremblait. Elle prononça très vite :

— Je crois que c'est lui. Va donc demander des

renseignements au capitaine. Surtout, sois prudent, pour que ce garnement ne nous retombe pas sur les bras, maintenant !

Mon père s'éloigna, mais je le suivis. Je me sentais étrangement ému.

Le capitaine, un grand monsieur maigre, à longs favoris, se promenait sur la passerelle d'un air important, comme s'il eût commandé le courrier des Indes.

Mon père l'aborda avec cérémonie, en l'interrogeant sur son métier avec accompagnement de compliments :

— Quelle était l'importance de Jersey ? Ses productions ? Sa population ? Ses mœurs ? Ses coutumes ? La nature du sol, etc.

On eût cru qu'il s'agissait au moins des Etats-Unis d'Amérique.

Puis on parla du bâtiment qui nous portait, l'*Express ;* puis on en vint à l'équipage. Mon père, enfin, d'une voix troublée :

— Vous avez là un vieil écailleur d'huîtres qui paraît bien intéressant. Savez-vous quelques détails sur ce bonhomme ?

Le capitaine, que cette conversation finissait par irriter, répondit sèchement :

— C'est un vieux vagabond français que j'ai trouvé en Amérique l'an dernier, et que j'ai rapatrié. Il a, paraît-il, des parents au Havre, mais il ne veut pas retourner près d'eux parce qu'il leur doit de l'argent. Il s'appelle Jules... Jules Darmanche ou Darvanche, quelque chose comme ça, enfin. Il paraît qu'il a été riche un moment là-bas, mais voyez où il en est réduit maintenant.

Mon père, qui devenait livide, articula, la gorge serrée, les yeux hagards :

— Ah ! ah ! très bien... fort bien... Cela ne m'étonne pas... Je vous remercie beaucoup, capitaine.

Et il s'en alla, tandis que le marin le regardait s'éloigner avec stupeur.

Il revint auprès de ma mère, tellement décomposé qu'elle lui dit :

— Assieds-toi ; on va s'apercevoir de quelque chose.

Il tomba sur le banc en bégayant :

— C'est lui, c'est bien lui !

Puis il demanda :

— Qu'allons-nous faire ?...

Elle répondit vivement :

— Il faut éloigner les enfants. Puisque Joseph sait tout, il va aller les chercher. Il faut prendre garde surtout que notre gendre ne se doute de rien.

Mon père paraissait atterré. Il murmura :

— Quelle catastrophe !

Ma mère ajouta, devenue tout à coup furieuse :

— Je me suis toujours doutée que ce voleur ne ferait rien et qu'il nous retomberait sur le dos ! Comme si on pouvait attendre quelque chose d'un Davranche !...

Et mon père se passa la main sur le front, comme il faisait sous les reproches de sa femme.

Elle ajouta :

— Donne de l'argent à Joseph pour qu'il aille payer ces huîtres, à présent. Il ne manquerait plus que d'être reconnus par ce mendiant. Cela ferait un joli effet sur le navire. Allons-nous-en à l'autre bout, et fais en sorte que cet homme n'approche pas de nous !

Elle se leva, et ils s'éloignèrent après m'avoir remis une pièce de cent sous.

Mes sœurs, surprises, attendaient leur père. J'affirmai que maman s'était trouvée un peu gênée par la mer, et je demandai à l'ouvreur d'huîtres :

— Combien est-ce que nous vous devons, Monsieur ?

J'avais envie de dire : mon oncle.

Il répondit :

— Deux francs cinquante.

Je tendis mes cent sous et il me rendit la monnaie.

Je regardais sa main, une pauvre main de matelot toute plissée, et je regardais son visage, un vieux et misérable visage, triste, accablé, en me disant : « C'est mon oncle, le frère de papa, mon oncle ! »

Je lui donnai dix sous de pourboire. Il me remercia :

— Dieu vous bénisse, mon jeune monsieur !

Avec l'accent d'un pauvre qui reçoit l'aumône. Je pensai qu'il avait dû mendier, là-bas !

Mes sœurs me contemplaient, stupéfaites de ma générosité.

Quand je remis les deux francs à mon père, ma mère, surprise, demanda :

— Il y en avait pour trois francs ?... Ce n'est pas possible.

Je déclarai d'une voix ferme :

— J'ai donné dix sous de pourboire.

Ma mère eut un sursaut et me regarda dans les yeux :

— Tu es fou ! Donner dix sous à cet homme, à ce gueux !...

Elle s'arrêta sous un regard de mon père, qui désignait son gendre.

Puis on se tut.

Devant nous, à l'horizon, une ombre violette semblait sortir de la mer. C'était Jersey.

Lorsqu'on approcha des jetées, un désir violent me vint au cœur de voir encore une fois mon oncle Jules, de m'approcher, de lui dire quelque chose de consolant, de tendre.

Mais comme personne ne mangeait plus d'huîtres, il avait disparu, descendu sans doute au fond de la cale infecte où logeait ce misérable.

Et nous sommes revenus par le bateau de Saint-Malo, pour ne pas le rencontrer. Ma mère était dévorée d'inquiétude.

Je n'ai jamais revu le frère de mon père !

Voilà pourquoi tu me verras quelquefois donner cent sous aux vagabonds.

EN VOYAGE

A Gustave Toudouze.

I

Le wagon était au complet depuis Cannes ; on causait, tout le monde se connaissait. Lorsqu'on passa Tarascon, quelqu'un dit : « C'est ici qu'on assassine. » Et on se mit à parler du mystérieux et insaisissable meurtrier qui, depuis deux ans, s'offre, de temps en temps, la vie d'un voyageur. Chacun faisait des suppositions, chacun donnait son avis ; les femmes regardaient en frissonnant la nuit sombre derrière les vitres, avec la peur de voir apparaître soudain une tête d'homme à la portière. Et on se mit à raconter des histoires effrayantes de mauvaises rencontres, des tête-à-tête avec des fous dans un rapide, des heures passées en face d'un personnage suspect.

Chaque homme savait une anecdote à son honneur, chacun avait intimidé, terrassé et garrotté quelque malfaiteur en des circonstances surprenantes, avec une présence d'esprit et une audace admirables. Un médecin, qui passait chaque hiver dans le Midi, voulut à son tour conter une aventure.

— Moi, dit-il, je n'ai jamais eu la chance d'expérimenter mon courage dans une affaire de cette sorte ; mais j'ai connu une femme, une de mes clientes, morte aujourd'hui, à qui arriva la plus singulière chose du monde, et aussi la plus mystérieuse et la plus attendrissante.

C'était une Russe, la comtesse Marie Baranow, une très grande dame, d'une exquise beauté. Vous savez comme les Russes sont belles, avec leur nez fin, leur bouche délicate, leurs yeux rapprochés, d'une indéfinissable couleur, d'un bleu gris, et leur grâce froide, un peu dure ! Elles ont quelque chose de méchant et de séduisant, d'altier et de doux, de tendre et de sévère, tout à fait charmant pour un Français. Au fond, c'est peut-être seulement la différence de race et de type qui me fait voir tant de choses en elles.

Son médecin, depuis plusieurs années, la voyait menacée d'une maladie de poitrine et tâchait de la décider à venir dans le midi de la France ; mais elle refusait obstinément de quitter Pétersbourg. Enfin l'automne dernier, la jugeant perdue, le docteur prévint le mari qui ordonna aussitôt à sa femme de partir pour Menton.

Elle prit le train, seule dans son wagon, ses gens de service occupant un autre compartiment. Elle restait contre la portière, un peu triste, regardant passer les campagnes et les villages, se sentant bien isolée, bien abandonnée dans la vie, sans enfants, presque sans parents, avec un mari dont l'amour était mort et qui la jetait ainsi au bout du monde sans venir avec elle, comme on envoie à l'hôpital un valet malade.

A chaque station, son serviteur Ivan venait s'informer si rien ne manquait à sa maîtresse. C'était un vieux domestique aveuglément dévoué, prêt à accomplir tous les ordres qu'elle lui donnerait.

La nuit tomba, le convoi roulait à toute vitesse.

Elle ne pouvait dormir, énervée à l'excès. Soudain la pensée lui vint de compter l'argent que son mari lui avait remis à la dernière minute, en or de France. Elle ouvrit son petit sac et vida sur ses genoux le flot luisant de métal.

Mais tout à coup un souffle d'air froid lui frappa le visage. Surprise, elle leva la tête. La portière venait de s'ouvrir. La comtesse Marie, éperdue, jeta brusquement un châle sur son argent répandu dans sa robe, et attendit. Quelques secondes s'écoulèrent, puis un homme parut, nu-tête, blessé à la main, haletant, en costume de soirée. Il referma la porte, s'assit, regarda sa voisine avec des yeux luisants, puis enveloppa d'un mouchoir son poignet dont le sang coulait.

La jeune femme se sentait défaillir de peur. Cet homme, certes, l'avait vue compter son or, et il était venu pour la voler et la tuer.

Il la fixait toujours, essoufflé, le visage convulsé, prêt à bondir sur elle sans doute.

Il dit brusquement :

— Madame, n'ayez pas peur !

Elle ne répondit rien, incapable d'ouvrir la bouche, entendant son cœur battre et ses oreilles bourdonner.

Il reprit :

— Je ne suis pas un malfaiteur, Madame.

Elle ne disait toujours rien, mais dans un brusque mouvement qu'elle fit, ses genoux s'étant rapprochés, son or se mit à couler sur son tapis comme l'eau coule d'une gouttière.

L'homme, surpris, regardait ce ruisseau de métal, et il se baissa tout à coup pour le ramasser.

Elle, effarée, se leva, jetant à terre toute sa fortune, et elle courut à la portière pour se précipiter sur la voie. Mais il comprit ce qu'elle allait faire, s'élança, la saisit dans ses bras, la fit asseoir de force, et la maintenant par les poignets : « Ecoutez-moi, madame, je ne suis pas un malfaiteur, et la preuve, c'est que je vais ramasser cet argent et vous le rendre. Mais je suis un homme perdu, un homme mort, si vous ne m'aidez à passer la frontière. Je ne puis vous en dire davantage. Dans une heure, nous serons à la dernière station russe ; dans une heure vingt, nous franchirons la limite de l'Empire. Si vous ne me secourez point, je suis perdu. Et cependant, madame, je n'ai tué, ni volé, ni rien fait de contraire à l'honneur. Cela, je vous le jure. Je ne puis vous en dire davantage. »

Et, se mettant à genoux, il ramassa l'or jusque sous les banquettes, cherchant les dernières pièces roulées au loin. Puis quand ce petit sac de cuir fut plein de nouveau, il le remit à sa voisine sans ajouter un mot, et il retourna s'asseoir à l'autre coin du wagon.

Ils ne remuaient plus ni l'un ni l'autre. Elle demeurait immobile et muette, encore défaillante de terreur, mais s'apaisant peu à peu. Quant à lui il ne faisait pas un geste, pas un mouvement ; il restait droit, les yeux fixés devant lui, très pâle, comme s'il eût été mort. De temps en temps elle jetait vers lui un regard brusque, vite détourné. C'était un homme de trente ans environ, fort beau, avec toute l'apparence d'un gentilhomme.

Le train courait dans les ténèbres, jetait par la nuit ses appels déchirants, ralentissait parfois sa marche, puis repartait à toute vitesse. Mais soudain il calma son allure, siffla plusieurs fois et s'arrêta tout à fait.

Ivan parut à la portière afin de prendre les ordres.

La comtesse Marie, la voix tremblante, considéra une dernière fois son étrange compagnon, puis elle dit à son serviteur d'une voix brusque :

— Ivan, tu vas retourner près du comte, je n'ai plus besoin de toi.

L'homme, interdit, ouvrait des yeux énormes. Il balbutia :

— Mais... barine.

Elle reprit :

— Non, tu ne viendras pas, j'ai changé d'avis. Je veux que tu restes en Russie. Tiens, voici de l'argent pour retourner. Donne-moi ton bonnet et ton manteau.

Le vieux domestique, effaré, se décoiffa et tendit son manteau, obéissant toujours sans répondre, habitué aux volontés soudaines et aux irrésistibles caprices des maîtres. Et il s'éloigna les larmes aux yeux.

Le train repartit, courant à la frontière.

Alors la comtesse Marie dit à son voisin :

— Ces choses sont pour vous, Monsieur, vous êtes Ivan, mon serviteur. Je ne mets qu'une condition à ce que je fais : c'est que vous ne me parlerez jamais, que vous ne me direz pas un mot, ni pour me remercier, ni pour quoi que ce soit.

L'inconnu s'inclina sans prononcer une parole.

Bientôt on s'arrêta de nouveau et des fonctionnaires en uniforme visitèrent le train. La comtesse leur tendit les papiers et leur montrant l'homme assis au fond de son wagon :

— C'est mon domestique Ivan, dont voici le passeport.

Le train se remit en route.

Pendant toute la nuit ils restèrent en tête à tête, muets tous deux.

Le matin venu, comme on s'arrêtait dans une gare allemande, l'inconnu descendit ; puis, debout à la portière :

— Pardonnez-moi, Madame, de rompre ma promesse ; mais je vous ai privée de votre domestique, il est juste que je le remplace. N'avez-vous besoin de rien ?

Elle répondit froidement :

— Allez chercher ma femme de chambre.

Il y alla. Puis disparut.

Quand elle descendait à quelque buffet, elle l'apercevait de loin qui la regardait. Ils arrivèrent à Menton.

II

Le docteur se tut une seconde, puis reprit :

— Un jour, comme je recevais mes clients dans mon cabinet, je vis entrer un grand garçon qui me dit :

— Docteur, je viens vous demander des nouvelles de la comtesse Marie Baranow. Je suis, bien qu'elle ne me connaisse point, un ami de son mari.

Je répondis :

— Elle est perdue. Elle ne retournera pas en Russie.

Et cet homme brusquement se mit à sangloter, puis il se leva et sortit en trébuchant comme un ivrogne.

Je prévins, le soir même, la comtesse, qu'un étranger était venu m'interroger sur sa santé. Elle parut émue et me raconta toute l'histoire que je viens de vous dire. Elle ajouta :

— Cet homme que je ne connais point me suit maintenant comme mon ombre, je le rencontre chaque fois que je sors ; il me regarde d'une étrange façon, mais il ne m'a jamais parlé.

Elle réfléchit, puis ajouta :

— Tenez, je parie qu'il est sous mes fenêtres.

Elle quitta sa chaise longue, alla écarter les rideaux et me montra en effet l'homme qui était venu me trouver, assis sur un banc de la promenade, les yeux levés vers l'hôtel. Il nous aperçut, se leva et s'éloigna sans retourner une fois la tête.

Alors j'assistai à une chose surprenante et douloureuse, à l'amour muet de ces deux êtres qui ne se connaissaient point.

Il l'aimait, lui, avec le dévouement d'une bête sauvée, reconnaissante et dévouée à la mort. Il venait chaque jour me dire : « Comment va-t-elle ? » comprenant que je l'avais deviné. Et il pleurait affreusement quand il l'avait vue passer plus faible et plus pâle chaque jour.

Elle me disait :

— Je ne lui ai parlé qu'une fois à ce singulier homme, et il me semble que je le connais depuis vingt ans.

Et quand ils se rencontraient, elle lui rendait son salut avec un sourire grave et charmant. Je la sentais heureuse, elle si abandonnée et qui se savait perdue, je la sentais heureuse d'être aimée ainsi, avec ce respect et cette constance, avec cette poésie exagérée, avec ce dévouement prêt à tout. Et pourtant, fidèle à son obstination d'exaltée, elle refusait désespérément de le recevoir, de connaître son nom, de lui parler. Elle disait : « Non, non, cela me gâterait cette étrange amitié. Il faut que nous demeurions étrangers l'un à l'autre. »

Quant à lui, il était certes également une sorte de Don Quichotte, car il ne fit rien pour se rapprocher d'elle. Il voulait tenir jusqu'au bout l'absurde promesse de ne lui jamais parler qu'il avait faite dans le wagon.

Souvent, pendant ses longues heures de faiblesse, elle se levait de sa chaise longue et allait entrouvrir son rideau pour regarder s'il était là, sous sa fenêtre. Et quand elle l'avait vu, toujours immobile sur son banc, elle revenait se coucher avec un sourire aux lèvres.

Elle mourut un matin, vers dix heures. Comme je sortais de l'hôtel, il vint à moi, le visage bouleversé : il savait déjà la nouvelle.

— Je voudrais la voir une seconde, devant vous, dit-il.

Je lui pris le bras et rentrai dans la maison.

Quand il fut devant le lit de la morte, il lui saisit la main et la baisa d'un interminable baiser, puis il se sauva comme un insensé.

Le docteur se tut de nouveau, et rcprit :

— Voilà, certes, la plus singulière aventure de chemin de fer que je connaisse. Il faut dire aussi que les hommes sont de drôles de toqués.

Une femme murmura à mi-voix :

— Ces deux êtres-là ont été moins fous que vous ne croyez... Ils étaient... ils étaient...

Mais elle ne pouvait plus parler, tant elle pleurait. Comme on changea de conversation pour la calmer, on ne sut pas ce qu'elle voulait dire.

LA MÈRE SAUVAGE

A Georges Pouchet.

I

Je n'étais point revenu à Virelogne depuis quinze ans. J'y retournai chasser à l'automne, chez mon ami Serval, qui avait enfin fait reconstruire son château détruit par les Prussiens.

J'aimais ce pays infiniment. Il est des coins du monde délicieux qui ont pour les yeux un charme sensuel. On les aime d'un amour physique. Nous gardons, nous autres que séduit la terre, des souvenirs tendres pour certaines sources, certains bois, certains étangs, certaines collines, vus souvent et qui nous ont attendris à la façon des événements heureux. Quelquefois même la pensée retourne vers un coin de forêt, ou un bout de berge, ou un verger poudré de fleurs, aperçus une seule fois, par un jour gai, et restés en notre cœur comme ces images de femmes rencontrées dans la rue, un matin de printemps, avec une toilette claire et transparente, et qui nous laissent dans l'âme et dans la chair un désir inapaisé, inoubliable, la sensation du bonheur coudoyé.

LA MÈRE SAUVAGE

A Virelogne, j'aimais toute la campagne, semée de petits bois et traversée par des ruisseaux qui couraient dans le sol comme des veines, portant le sang à la terre. On pêchait là-dedans des écrevisses, des truites et des anguilles ! Bonheur divin ! On pouvait se baigner par places, et on trouvait souvent des bécassines dans les hautes herbes qui poussaient sur les bords de ces minces cours d'eau.

J'étais léger comme une chèvre, regardant mes deux chiens fourrager devant moi. Serval, à cent mètres sur ma droite, battait un champ de luzerne. Je tournai les buissons qui forment la limite du bois des Saudres, et j'aperçus une chaumière en ruines.

Tout à coup, je me la rappelai telle que je l'avais vue pour la dernière fois en 1869, propre, vêtue de vigne, avec des poules devant la porte. Quoi de plus triste qu'une maison morte, avec son squelette debout, délabré, sinistre ?

Je me rappelai aussi qu'une bonne femme m'avait fait boire un verre de vin là-dedans, un jour de grande fatigue, et que Serval m'avait dit alors l'histoire des habitants. Le père, vieux braconnier, avait été tué par les gendarmes. Le fils, que j'avais vu autrefois, était un grand garçon sec qui passait également pour un féroce destructeur de gibier. On les appelait les Sauvage.

Etait-ce un nom ou un sobriquet ?

Je hélai Serval. Il s'en vint de son long pas d'échassier.

Je lui demandai :

— Que sont devenus les gens de là ?

Et il me conta cette aventure.

II

Lorsque la guerre fut déclarée, le fils Sauvage, qui avait alors trente-trois ans, s'engagea, laissant la mère seule au logis. On ne la plaignait pas trop, la vieille, parce qu'elle avait de l'argent, on le savait.

Elle resta donc toute seule dans cette maison isolée si loin du village, sur la lisière du bois. Elle n'avait pas peur, du reste, étant de la même race que ses hommes, une rude vieille, haute et maigre, qui ne riait pas souvent et avec qui on ne plaisantait point. Les femmes des champs ne rient guère, d'ailleurs. C'est affaire aux hommes, cela ! Elles ont l'âme triste et bornée, ayant une vie morne et sans éclaircie. Le paysan apprend un peu de gaieté bruyante au cabaret, mais sa compagne reste sérieuse avec une physionomie constamment sévère. Les muscles de leur face n'ont point appris les mouvements du rire.

La mère Sauvage continua son existence ordinaire dans sa chaumière, qui fut bientôt couverte par les neiges. Elle s'en venait au village, une fois par semaine, chercher du pain et un peu de viande ; puis elle retournait dans sa masure. Comme on parlait des loups, elle sortait le fusil au dos, le fusil du fils, rouillé, avec la crosse usée par le frottement de la main ; et elle était curieuse à voir, la grande Sauvage, un peu courbée, allant à lentes enjambées par la neige, le canon de l'arme dépassant la coiffe noire qui lui serrait la tête et emprisonnait ses cheveux blancs, que personne n'avait jamais vus.

Un jour les Prussiens arrivèrent. On les distribua

aux habitants, selon la fortune et les ressources de chacun. La vieille, qu'on savait riche, en eut quatre.

C'étaient quatre gros garçons à la chair blonde, à la barbe blonde, aux yeux bleus, demeurés gras malgré les fatigues qu'ils avaient endurées déjà, et bons enfants, bien qu'en pays conquis. Seuls chez cette femme âgée, ils se montrèrent pleins de prévenances pour elle, lui épargnant, autant qu'ils le pouvaient, des fatigues et des dépenses. On les voyait tous les quatre faire leur toilette autour du puits, le matin, en manches de chemise, mouillant à grande eau, dans le jour cru des neiges, leur chair blanche et rose d'hommes du Nord, tandis que la mère Sauvage allait et venait, préparant la soupe. Puis on les voyait nettoyer la cuisine, frotter les carreaux, casser du bois, éplucher les pommes de terre, laver le linge, accomplir toutes les besognes de la maison, comme quatre bons fils autour de leur mère.

Mais elle pensait sans cesse au sien, la vieille, à son grand maigre au nez crochu, aux yeux bruns, à la forte moustache qui faisait sur la lèvre un bourrelet de poils noirs. Elle demandait chaque jour à chacun des soldats installés à son foyer :

— Savez-vous où est parti le régiment français, vingt-troisième de marche ? Mon garçon est dedans.

Ils répondaient : « Non, bas su, pas savoir tu tout. » Et, comprenant sa peine et ses inquiétudes, eux qui avaient des mères là-bas, ils lui rendaient mille petits soins. Elle les aimait bien, d'ailleurs, ses quatre ennemis ; car les paysans n'ont guère les haines patriotiques ; cela n'appartient qu'aux classes supérieures. Les humbles, ceux qui paient le plus parce qu'ils sont pauvres et que toute charge nouvelle les accable, ceux qu'on tue par masses, qui forment la vraie chair à canon, parce qu'ils sont le nombre, ceux qui souffrent enfin le plus cruellement des atroces misères de la guerre parce qu'ils sont les plus faibles et les moins résistants, ne comprennent guère ces ardeurs belliqueuses, ce point d'honneur excitable et ces prétendues combinaisons politiques qui épuisent en six mois deux nations, la victorieuse comme la vaincue.

On disait dans le pays, en parlant des Allemands de la mère Sauvage :

— En v'là quatre qu'ont trouvé leur gîte.

Or un matin, comme la vieille femme était seule au logis, elle aperçut au loin dans la plaine un homme qui venait vers sa demeure. Bientôt elle le reconnut, c'était le piéton chargé de distribuer les lettres. Il lui remit un papier plié et elle tira de son étui les lunettes dont elle se servait pour coudre ; puis elle lut :

« Madame Sauvage, la présente est pour vous porter une triste nouvelle. Votre garçon Victor a été tué hier par un boulet, qui l'a censément coupé en deux parts. J'étais tout près, vu que nous nous trouvions côte à côte dans la compagnie et qu'il me parlait de vous pour vous prévenir au jour même s'il lui arrivait malheur.

« J'ai pris dans sa poche sa montre pour vous la reporter quand la guerre sera finie.

« Je vous salue amicalement.

« CÉSAIRE RIVOT,
soldat de 2e classe au 23e de marche. »

La lettre était datée de trois semaines.

Elle ne pleurait point, elle demeurait immobile,

tellement saisie, hébétée, qu'elle ne souffrait même pas encore. Elle pensait : « V'là Victor qu'est tué maintenant. » Puis peu à peu les larmes montèrent à ses yeux, et la douleur envahit son cœur. Les idées lui venaient une à une, affreuses, torturantes. Elle ne l'embrasserait plus, son enfant, son grand, plus jamais ! Les gendarmes avaient tué le père, les Prussiens avaient tué le fils... Il avait été coupé en deux par un boulet. Et il lui semblait qu'elle voyait la chose, la chose horrible : la tête tombant, les yeux ouverts, tandis qu'il mâchait le coin de sa grosse moustache, comme il faisait aux heures de colère.

Qu'est-ce qu'on avait fait de son corps, après ?

Si seulement on lui avait rendu son enfant, comme on lui avait rendu son mari, avec sa balle au milieu du front.

Mais elle entendit un bruit de voix. C'étaient les Prussiens qui revenaient du village. Elle cacha bien vite la lettre dans sa poche et elle les reçut tranquillement avec sa figure ordinaire, ayant eu le temps de bien essuyer ses yeux.

Ils riaient tous les quatre, enchantés, car ils rapportaient un beau lapin, volé sans doute, et ils faisaient signe à la vieille qu'on allait manger quelque chose de bon.

Elle se mit tout de suite à la besogne pour préparer le déjeuner ; mais quand il fallut tuer le lapin, le cœur lui manqua. Ce n'était pas le premier pourtant ! Un des soldats l'assomma d'un coup de poing derrière les oreilles.

Une fois la bête morte, elle fit sortir le corps rouge de la peau ; mais la vue du sang qu'elle maniait, qui lui couvrait les mains, du sang tiède qu'elle sentait se refroidir et se coaguler, la faisait trembler de la tête aux pieds ; et elle voyait toujours son grand coupé en deux, et tout rouge aussi comme cet animal encore palpitant.

Elle se mit à table avec les Prussiens, mais elle ne put manger, pas même une bouchée. Ils dévorèrent le lapin sans s'occuper d'elle. Elle les regardait de côté, sans parler, mûrissant une idée, et le visage tellement impassible qu'ils ne s'aperçurent de rien.

Tout à coup, elle demanda : « Je ne sais seulement point vos noms, et v'là un mois que nous sommes ensemble. » Ils comprirent, non sans peine, ce qu'elle voulait, et dirent leurs noms. Cela ne lui suffisait pas ; elle se les fit écrire sur un papier, avec l'adresse de leurs familles, et, reposant ses lunettes sur son grand nez, elle considéra cette écriture inconnue, puis elle plia la feuille et la mit dans sa poche, par-dessus la lettre qui lui disait la mort de son fils.

Quand le repas fut fini, elle dit aux hommes :

— J' vas travailler pour vous.

Et elle se mit à monter du foin dans le grenier où ils couchaient.

Ils s'étonnèrent de cette besogne ; elle leur expliqua qu'ils auraient moins froid ; et ils l'aidèrent. Ils entassaient les bottes jusqu'au toit de paille ; et ils se firent ainsi une sorte de grande chambre avec quatre murs de fourrage, chaude et parfumée, où ils dormiraient à merveille.

Au dîner, un d'eux s'inquiéta de voir que la mère Sauvage ne mangeait point encore. Elle affirma qu'elle avait des crampes. Puis elle alluma un bon feu pour se chauffer, et les quatre Allemands montèrent dans leur logis par l'échelle qui leur servait tous les soirs.

Dès que la trappe fut refermée, la vieille enleva

l'échelle, puis rouvrit sans bruit la porte du dehors, et elle retourna chercher des bottes de paille dont elle emplit sa cuisine. Elle allait nu-pieds dans la neige, si doucement qu'on n'entendait rien. De temps en temps, elle écoutait les ronflements sonores et inégaux des quatre soldats endormis.

Quand elle jugea suffisants ses préparatifs, elle jeta dans le foyer une des bottes et, lorsqu'elle fut enflammée, elle l'éparpilla sur les autres, puis elle ressortit et regarda.

Une clarté violente illumina en quelques secondes tout l'intérieur de la chaumière, puis ce fut un brasier effroyable, un gigantesque four ardent, dont la lueur jaillissait par l'étroite fenêtre et jetait sur la neige un éclatant rayon.

Puis un grand cri partit du sommet de la maison, puis ce fut une clameur de hurlements humains, d'appels déchirants d'angoisse et d'épouvante. Puis la trappe s'étant écroulée à l'intérieur, un tourbillon de feu s'élança dans le grenier, perça le toit de paille, monta dans le ciel comme une immense flamme de torche ; et toute la chaumière flamba.

On n'entendait plus rien dedans que le crépitement de l'incendie, le craquement des murs, l'écroulement des poutres. Le toit tout à coup s'effondra, et la carcasse ardente de la demeure lança dans l'air, au milieu d'un nuage de fumée, un grand panache d'étincelles.

La campagne, blanche, éclairée par le feu, luisait comme une nappe d'argent teintée de rouge.

La cloche, au loin, se mit à sonner.

La vieille Sauvage restait debout, devant son logis détruit, armée de son fusil, celui du fils, de crainte qu'un des hommes n'échappât.

Quand elle vit que c'était fini, elle jeta son arme dans le brasier. Une détonation retentit.

Des gens arrivaient, des paysans, des Prussiens.

On trouva la femme assise sur un tronc d'arbre, tranquille et satisfaite.

Un officier allemand, qui parlait le français comme un fils de France, lui demanda :

— Où sont vos soldats ?

Elle tendit son bras maigre vers l'amas rouge de l'incendie qui s'éteignait, et elle répondit d'une voix forte :

— Là-dedans !

On se pressait autour d'elle. Le Prussien demanda :

— Comment le feu a-t-il pris ?

Elle prononça :

— C'est moi qui l'ai mis.

On ne la croyait pas, on pensait que le désastre l'avait rendue folle. Alors, comme tout le monde l'entourait et l'écoutait, elle dit la chose d'un bout à l'autre, depuis l'arrivée de la lettre jusqu'au dernier cri des hommes flambés avec sa maison. Elle n'oublia pas un détail de ce qu'elle avait ressenti ni de ce qu'elle avait fait.

Quand elle eut fini, elle tira de sa poche deux papiers et, pour les distinguer aux dernières lueurs du feu, elle ajusta encore ses lunettes, puis elle prononça, montrant l'un : « Ça, c'est la mort de Victor. » Montrant l'autre, elle ajouta, en désignant les ruines rouges d'un coup de tête : « Ça, c'est leurs noms, pour qu'on écrive chez eux. » Elle tendit tranquillement la feuille blanche à l'officier, qui la tenait par les épaules, et elle reprit :

— Vous écrirez comment c'est arrivé, et vous direz

à leurs parents que c'est moi qui a fait ça. Victoire Simon, la Sauvage ! N'oubliez pas.

L'officier criait des ordres en allemand. On la saisit, on la jeta contre les murs encore chauds de son logis. Puis douze hommes se rangèrent vivement en face d'elle, à vingt mètres. Elle ne bougea point. Elle avait compris ; elle attendait.

Un ordre retentit, qu'une longue détonation suivit aussitôt. Un coup attardé partit tout seul, après les autres.

La vieille ne tomba point. Elle s'affaissa comme si on lui eût fauché les jambes.

L'officier prussien s'approcha. Elle était presque coupée en deux, et de sa main crispée elle tenait sa lettre baignée de sang.

Mon ami Serval ajouta :

— C'est par représailles que les Allemands ont détruit le château du pays qui m'appartenait.

Moi, je pensais aux mères des quatre doux garçons brûlés là-dedans ; et à l'héroïsme atroce de cette autre mère, fusillée contre ce mur.

Et je ramassai une petite pierre, encore noircie par le feu.

LE PETIT FÛT

A Adolphe Tavernier.

Maître Chicot, l'aubergiste d'Epreville, arrêta son tilbury devant la ferme de la mère Magloire. C'était un grand gaillard de quarante ans, rouge et ventru, et qui passait pour malicieux.

Il attacha son cheval au poteau de la barrière, puis il pénétra dans la cour. Il possédait un bien attenant aux terres de la vieille, qu'il convoitait depuis longtemps. Vingt fois il avait essayé de les acheter, mais la mère Magloire s'y refusait avec obstination.

— J'y sieus née, j'y mourrai, disait-elle.

Il la trouva épluchant des pommes de terre devant sa porte. Agée de soixante-douze ans, elle était sèche, ridée, courbée, mais infatigable comme une jeune fille. Chicot lui tapa dans le dos avec amitié, puis s'assit près d'elle sur un escabeau.

— Eh bien, la mère, et c'te santé, toujours bonne ?

— Pas trop mal ; et vous, maît' Prosper ?

— Eh ! eh ! quéques douleurs ; sans ça, ce s'rait à satisfaction.

— Allons, tant mieux !

Et elle ne dit plus rien. Chicot la regardait accomplir sa besogne. Ses doigts crochus, noués, durs comme des pattes de crabe, saisissaient à la façon de pinces les tubercules grisâtres dans une manne, et vivement elle les faisait tourner, enlevant de longues bandes de peau sous la lame d'un vieux couteau qu'elle tenait de l'autre main. Et quand la pomme de terre était devenue toute jaune, elle la jetait dans un seau d'eau. Trois poules hardies s'en venaient l'une après l'autre jusque dans ses jupes ramasser les épluchures, puis se sauvaient à toutes pattes, portant au bec leur butin.

Chicot semblait gêné, hésitant, anxieux, avec quelque chose sur la langue qui ne voulait pas sortir. A la fin, il se décida :

— Dites donc, mère Magloire...

— Qué qu'i a pour votre service ?

— C'te ferme, vous n' voulez toujours point m' la vendre ?

— Pour ça, non. N'y comptez point. C'est dit, c'est dit, n'y r'venez pas.

— C'est qu' j'ai trouvé un arrangement qui f'rait notre affaire à tous les deux.

— Qué qu' c'est ?

— Le v'là. Vous m' la vendez, et pi vous la gardez tout d' même. Vous n'y êtes point ? Suivez ma raison.

La vieille cessa d'éplucher ses légumes et fixa sur l'aubergiste ses yeux vifs sous leurs paupières fripées.

Il reprit :

— Je m'explique. J' vous donne chaque mois cent cinquante francs. Vous entendez bien : chaque mois j' vous apporte ici, avec mon tilbury, trente écus de cent sous. Et pi n'y a rien de changé de plus, rien de rien ; vous restez chez vous, vous n' vous occupez point de mé, vous n' me d'vez rien. Vous n' faites que prendre mon argent. Ça vous va-t-il ?

Il la regardait d'un air joyeux, d'un air de bonne humeur.

La vieille le considérait avec méfiance, cherchant le piège. Elle demanda :

— Ça, c'est pour mé ; mais pour vous, c'te ferme, ça n' vous la donne point ?

Il reprit :

— N'vous tracassez point de ça. Vous restez tant que l' bon Dieu vous laissera vivre. Vous êtes chez vous. Seulement vous m' ferez un p'tit papier chez l' notaire pour qu'après vous ça me revienne. Vous n'avez point d'éfants, rien qu' des neveux que vous n'y tenez guère. Ça vous va-t-il ? Vous gardez votre bien votre vie durant, et j' vous donne trente écus de cent sous par mois. C'est tout gain pour vous.

La vieille demeurait surprise, inquiète, mais tentée. Elle répliqua :

— Je n' dis point non. Seulement, j' veux m' faire une raison là-dessus. Rev'nez causer d' ça dans l' courant d' l'autre semaine. J' vous f'rai une réponse d' mon idée.

Et maître Chicot s'en alla, content comme un roi qui vient de conquérir un empire.

La mère Magloire demeura songeuse. Elle ne dormit pas la nuit suivante. Pendant quatre jours, elle eut une fièvre d'hésitation. Elle flairait bien quelque chose de mauvais pour elle là-dedans, mais la pensée des trente écus par mois, de ce bel argent sonnant qui s'en viendrait couler dans son tablier, qui lui tomberait comme ça du ciel, sans rien faire, la ravageait de désir.

Alors elle alla trouver le notaire et lui conta son cas. Il lui conseilla d'accepter la proposition de Chicot, mais en demandant cinquante écus de cent sous au lieu de trente, sa ferme valant au bas mot soixante mille francs.

— Si vous vivez quinze ans, disait le notaire, il ne la payera encore, de cette façon, que quarante-cinq mille francs.

La vieille frémit à cette perspective de cinquante écus de cent sous par mois ; mais elle se méfiait toujours, craignant mille choses imprévues, des ruses cachées, et elle demeura jusqu'au soir à poser des questions, ne pouvant se décider à partir. Enfin elle ordonna de préparer l'acte, et elle rentra troublée comme si elle eût bu quatre pots de cidre nouveau.

Quand Chicot vint pour savoir la réponse, elle se fit longtemps prier, déclarant qu'elle ne voulait pas, mais rongée par la peur qu'il ne consentît point à donner les cinquante pièces de cent sous. Enfin, comme il insistait, elle énonça ses prétentions.

Il eut un sursaut de désappointement et refusa.

Alors, pour le convaincre, elle se mit à raisonner sur la durée probable de sa vie.

— Je n'en ai pas pour pu de cinq à six ans, pour sûr. Me v'là sur mes soixante-treize, et pas vaillante avec ça. L'au'te soir, je crûmes que j'allais passer. Il me semblait qu'on me vidait l' corps, qu'il a fallu me porter à mon lit.

Mais Chicot ne se laissait pas prendre.

— Allons, allons, vieille pratique, vous êtes solide comme l' clocher d' l'église. Vous vivrez pour le moins cent dix ans. C'est vous qui m'enterrerez, pour sûr.

Tout le jour fut encore perdu en discussions. Mais comme la vieille ne céda pas, l'aubergiste, à la fin, consentit à donner les cinquante écus.

Ils signèrent l'acte le lendemain. Et la mère Magloire exigea dix écus de pots-de-vin.

Trois ans s'écoulèrent. La bonne femme se portait comme un charme. Elle paraissait n'avoir pas vieilli d'un jour, et Chicot se désespérait. Il lui semblait, à lui, qu'il payait cette rente depuis un demi-siècle, qu'il était trompé, floué, ruiné. Il allait de temps en temps rendre visite à la fermière, comme on va voir en juillet, dans les champs, si les blés sont mûrs pour la faux. Elle le recevait avec une malice dans le regard. On eût dit qu'elle se félicitait du bon tour qu'elle lui avait joué ; et il remontait bien vite dans son tilbury en murmurant :

— Tu ne crèveras donc point, carcasse !

Il ne savait que faire. Il eût voulu l'étrangler en la voyant. Il la haïssait d'une haine féroce, sournoise, d'une haine de paysan volé.

Alors il chercha des moyens.

Un jour enfin, il s'en revint la voir en se frottant les mains, comme il faisait la première fois lorsqu'il lui avait proposé le marché.

Et après avoir causé quelques minutes :

— Dites donc, la mère, pourquoi que vous ne v'nez point dîner à la maison, quand vous passez à Epreville ? On en jase ; on dit comme çe que j' sommes pu amis, et ça me fait deuil. Vous savez, chez mé vous ne payerez point. J' suis pas regardant à un dîner. Tant que le cœur vous en dira, v'nez sans retenue, ça m' fera plaisir.

La mère Magloire ne se le fit point répéter, et le surlendemain, comme elle allait au marché dans sa carriole conduite par son valet Célestin, elle mit sans gêne son cheval à l'écurie chez maître Chicot, et réclama le dîner promis.

L'aubergiste, radieux, la traita comme une dame, lui servit du poulet, du boudin, de l'andouille, du gigot et du lard aux choux. Mais elle ne mangea presque rien, sobre depuis son enfance, ayant toujours vécu d'un peu de soupe et d'une croûte de pain beurrée.

Chicot insistait, désappointé. Elle ne buvait pas non plus. Elle refusa de prendre du café.

Il demanda :

— Vous accepterez toujours bien un p'tit verre ?

— Ah ! pour ça oui. Je ne dis pas non.

Et il cria de tous ses poumons, à travers l'auberge :

— Rosalie, apporte la fine, la surfine, le fil-en-dix !
Et la servante apparut, tenant une longue bouteille ornée d'une feuille de vigne en papier.

Il emplit deux petits verres.

— Goûtez ça, la mère, c'est de la fameuse.

Et la bonne femme se mit à boire tout doucement, à petites gorgées, faisant durer le plaisir. Quand elle eut vidé son verre, elle l'égoutta, puis déclara :

— Ça, oui, c'est de la fine.

Elle n'avait point fini de parler que Chicot lui en versait un second coup. Elle voulut refuser, mais il était trop tard et elle le dégusta longuement, comme le premier.

Il voulut alors lui faire accepter une troisième tournée, mais elle résista. Il insistait :

— Ça, c'est du lait, voyez-vous ; mé, j'en bois dix, douze, sans embarras. Ça passe comme du sucre. Rien au ventre, rien à la tête ; on dirait que ça s'évapore sur la langue. Y a rien de meilleur pour la santé !

Comme elle en avait bien envie, elle céda, mais elle n'en prit que la moitié du verre.

Alors Chicot, dans un élan de générosité, s'écria :

— T'nez, puisqu'elle vous plaît, j'vas vous en

donner un p'tit fût, histoire de vous montrer que j' sommes toujours une paire d'amis.

La bonne femme ne dit pas non, et s'en alla un peu grise.

Le lendemain, l'aubergiste entra dans la cour de la mère Magloire, puis tira du fond de sa voiture une petite barrique cerclée de fer. Puis il voulut lui faire goûter le contenu, pour prouver que c'était bien la même fine ; et quand ils en eurent encore bu chacun trois verres, il déclara en s'en allant :

— Et puis, vous savez, quand n'y en aura pu, y en a encore ; n' vous gênez point. Je n' suis pas regardant. Pû tôt que ce sera fini, pu que je serai content.

Et il remonta dans son tilbury.

Il revint quatre jours plus tard. La vieille était devant sa porte, occupée à couper le pain de la soupe.

Il s'approcha, lui dit bonjour, lui parla dans le nez, histoire de sentir son haleine. Et il reconnut un souffle d'alcool. Alors son visage s'éclaira.

— Vous m'offrirez bien un verre de fil ? dit-il.

Et ils trinquèrent deux ou trois fois.

Mais bientôt le bruit courut dans la contrée que la mère Magloire s'ivrognait toute seule. On la ramassait tantôt dans sa cuisine, tantôt dans sa cour, tantôt dans les chemins des environs, et il fallait la rapporter chez elle, inerte comme un cadavre.

Chicot n'allait plus chez elle, et quand on lui parlait de la paysanne, il murmurait avec un visage triste :

— C'est-il pas malheureux, à son âge, d'avoir pris c't'habitude-là ? Voyez-vous, quand on est vieux, y a pas de ressource. Ça finira bien par lui jouer un mauvais tour !

Ça lui joua un mauvais tour, en effet. Elle mourut l'hiver suivant, vers la Noël, étant tombée, saoule, dans la neige.

Et maître Chicot hérita de la ferme en déclarant :

— C'te manante, si alle s'était point boissonnée, alle en avait bien pour dix ans de plus.

LA BÊTE A MAÎT' BELHOMME

La diligence du Havre allait quitter Criquetot, et tous les voyageurs attendaient l'appel de leur nom dans la cour de l'hôtel du Commerce tenu par Malandain fils.

C'était une voiture jaune, montée sur des roues jaunes aussi autrefois, mais rendues presque grises par l'accumulation des boues. Celles de devant étaient toutes petites ; celles de derrière, hautes et frêles, portaient le coffre difforme et enflé comme un ventre de bête. Trois rosses blanches, dont on remarquait, au premier coup d'œil, les têtes énormes et les gros genoux ronds, attelées en arbalète, devaient traîner cette carriole qui avait du monstre dans sa structure et son allure. Les chevaux semblaient endormis déjà devant l'étrange véhicule.

Le cocher Césaire Horlaville, un petit homme à gros ventre, souple cependant par suite de l'habitude constante de grimper sur ses roues et d'escalader l'impériale, la face rougie par le grand air des champs, les pluies, les bourrasques et les petits verres, les yeux devenus clignotants sous les coups de vent et de grêle, apparut sur la porte de l'hôtel en s'essuyant la bouche d'un revers de main. De larges paniers ronds, pleins de volailles effarées, attendaient devant des paysannes immobiles. Césaire Horlaville les prit l'un après l'autre et les posa sur le toit de sa voiture ; puis il y plaça plus doucement ceux qui contenaient des œufs ; il y jeta ensuite, d'en bas, quelques petits sacs de grain, de menus paquets enveloppés de mouchoirs, de bouts de toile ou de papier. Puis il ouvrit la porte de derrière et, tirant une liste de sa poche, il lut en appelant :

— Monsieur le curé de Gorgeville.

Le prêtre s'avança, un grand homme puissant, large, gros, violacé et d'air aimable. Il retroussa sa soutane pour lever le pied, comme les femmes retroussent leurs jupes et grimpa dans la guimbarde.

— L'instituteur de Rollebosc-les-Grinets.

L'homme se hâta, long, timide, enredingoté jusqu'aux genoux ; et il disparut à son tour dans la porte ouverte.

— Maît' Poiret, deux places.

Poiret s'en vint, haut et tortu, courbé par la charrue, maigri par l'abstinence, osseux, la peau séchée par l'oubli des lavages. Sa femme le suivait, petite et maigre, pareille à une bique fatiguée, portant à deux mains un immense parapluie vert.

— Maît' Rabot, deux places.

Rabot hésita, étant de nature perplexe. Il demanda : « C'est ben mé qu' t'appelles ? »

Le cocher, qu'on avait surnommé « Dégourdi », allait répondre une facétie, quand Rabot piqua une tête vers la portière, lancé en avant par une poussée de sa femme, une gaillarde haute et carrée dont le ventre était vaste et rond comme une futaille, les mains larges comme des battoirs.

Et Rabot fila dans la voiture à la façon d'un rat qui rentre dans son trou.

— Maît' Caniveau.

Un gros paysan plus lourd qu'un bœuf fit plier les ressorts et s'engouffra à son tour dans l'intérieur du coffre jaune.

— Maît' Belhomme.

Belhomme, un grand maigre, s'approcha, le cou de travers, la face dolente, un mouchoir appliqué sur l'oreille comme s'il souffrait d'un fort mal de dents.

Tous portaient la blouse bleue par-dessus d'antiques et singulières vestes de drap noir ou verdâtre, vêtements de cérémonie qu'ils découvriraient dans les rues du Havre ; et leurs chefs étaient coiffés de casquettes de soie, hautes comme des tours, suprême élégance dans la campagne normande.

Césaire Horlaville referma la portière de sa boîte, puis monta sur son siège et fit claquer son fouet.

Les trois chevaux parurent se réveiller et, remuant le cou, firent entendre un vague murmure de grelots.

Le cocher, alors, hurlant : « Hue ! » de toute sa poitrine, fouailla les bêtes à tour de bras. Elles s'agitèrent, firent un effort et se mirent en route d'un petit trot boiteux et lent. Et derrière elles, la voiture secouant ses carreaux branlants et toute la ferraille de ses ressorts, faisait un bruit surprenant de ferblanterie et de verrerie, tandis que chaque ligne de voyageurs, ballottée et balancée par les secousses, avait des reflux de flots à tous les remous des cahots.

On se tut d'abord, par respect pour le curé, qui gênait les épanchements. Il se mit à parler le premier, étant d'un caractère loquace et familier.

— Eh bien, maît' Caniveau, dit-il, ça va-t-il comme vous voulez ?

L'énorme campagnard, qu'une sympathie de taille, d'encolure et de ventre liait avec l'ecclésiastique, répondit en souriant :

— Tout d'même, m'sieu l'curé, tout d'même, et d'vote part ?

— Oh ! d'ma part, ça va toujours.

— Et vous, maît' Poiret ? demanda l'abbé.

— Oh ! Mé, ça irait, n'étaient les cossards (colzas) qui n'donneront guère c't'année ; et, vu les affaires, c'est là-dessus qu'on s'rattrape.

— Que voulez-vous, les temps sont durs.

— Que oui, qu'i sont durs, affirma d'une voix de gendarme la grande femme de maît' Rabot.

Comme elle était d'un village voisin, le curé ne la connaissait que de nom.

— C'est vous, la Blondel ? dit-il.

— Oui, c'est mé qu'a épousé Rabot.

Rabot, fluet, timide et satisfait, salua en souriant ; il salua d'une grande inclinaison de tête en avant, comme pour dire : « C'est bien moi Rabot qu'a épousé la Blondel. »

Soudain maît' Belhomme, qui tenait toujours son mouchoir sur son oreille, se mit à gémir d'une façon lamentable. Il faisait « gniau... gniau... gniau » en tapant du pied pour exprimer son affreuse souffrance.

— Vous avez donc bien mal aux dents ? demanda le curé.

Le paysan cessa un instant de geindre pour répondre :

— Non point, m'sieu le curé... C'est point des dents... c'est d'l'oreille, du fond de l'oreille.

— Qu'est-ce que vous avez donc dans l'oreille ? Un dépôt ?

— J'sais point si c'est un dépôt, mais j'sais ben qu'c'est eune bête, un' grosse bête qui m'a entré d'dans, vu que j'dormais su l'foin dans l'grenier.

— Un' bête ? Vous êtes sûr ?

— Si j'en suis sûr ? Comme du Paradis, m'sieu le curé, vu qu'a m'grignote l'fond d'l'oreille. A m'mange la tête, pour sûr ! A m' mange la tête ! Oh ! gniau... gniau... gniau... — Et il se remit à taper du pied.

Un grand intérêt s'était éveillé dans l'assistance.

Chacun donnait son avis. Poiret voulait que ce fût une araignée, l'instituteur que ce fût une chenille. Il avait vu ça une fois déjà à Campemuret, dans l'Orne, où il était resté six ans ; même la chenille était rentrée dans la tête et sortie par le nez. Mais l'homme était demeuré sourd de cette oreille-là, puisqu'il avait le tympan crevé.

— C'est plutôt un ver, déclara le curé.

Maît' Belhomme, la tête renversée de côté et appuyée contre la portière, car il était monté le dernier, gémissait toujours.

— Oh ! gniau... gniau... gniau... J' crairais ben qu' c'est eune frémi, eune grosse frémi, tant qu'a mord... T'nez, m'sieu le curé... a galope... a galope... Oh ! gniau... gniau... gniau... qué misère !...

— T'as point vu l' médecin ? demanda Caniveau.

— Pour sûr, non !

— D'où vient ça ?

La peur du médecin sembla guérir Belhomme.

Il se redressa, sans toutefois lâcher son mouchoir.

— D'où vient ça ! T'as des sous pour eusse, té, pour ces fainéants-là ? Y s'rait v'nu eune fois, deux fois, trois fois, quat' fois, cinq fois ! Ça fait deusse écus de cent sous, deusse écus, pour sûr... Et qu'est-ce qu'il aurait fait, dis, çu fainéant, dis, qu'est-ce qu'il aurait fait ? Sais-tu, té ?

Caniveau riait.

— Non, j' sais point ! Ousqué tu vas, comme ça ?

— J' vas t'au Havre vé Chambrelan.

— Qué Chambrelan ?

— L' guérisseux, donc.

— Qué guérisseux ?

— L' guérisseux qu'a guéri mon pé.

— Ton pé ?

— Oui, mon pé, dans le temps.

— Qué qu'il avait, ton pé ?

— Un vent dans l' dos, qui n'en pouvait pu r'muer pied ni gambe.

— Qué qui li a fait ton Chambrelan ?

— Il y a manié l' dos comme' pou' fé du pain, avec les deux mains donc ! Et ça y a passé en une couple d'heures !

Belhomme pensait bien aussi que Chambrelan avait prononcé des paroles, mais il n'osait pas dire ça devant le curé.

Caniveau reprit en riant :

— C'est-il point quéque lapin qu' t'as dans l'oreille ? Il aura pris çu trou-là pour son terrier, vu la ronce. Attends, j' vas l' fé sauver.

Et Caniveau, formant un porte-voix de ses mains, commença à imiter les aboiements des chiens courants en chasse. Il jappait, hurlait, piaulait, aboyait. Et tout le monde se mit à rire dans la voiture, même l'instituteur qui ne riait jamais.

Cependant, comme Belhomme paraissait fâché qu'on se moquât de lui, le curé détourna la conversation et, s'adressant à la grande femme de Rabot :

— Est-ce que vous n'avez pas une nombreuse famille ?

— Que oui, m'sieu le curé... Que c'est dur à élever !

Rabot opinait de la tête, comme pour dire : « Oh ! oui, c'est dur à élever. »

— Combien d'enfants ?

Elle déclara avec autorité, d'une voix forte et sûre :

— Seize enfants, m'sieu l'curé ! Quinze de mon homme !

Et Rabot se mit à sourire plus fort, en saluant du front. Il en avait fait quinze, lui, lui tout seul, Rabot ! Sa femme l'avouait ! Donc, on n'en pouvait point douter. Il en était fier, parbleu !

De qui le seizième ? Elle ne le dit pas. C'était le premier, sans doute ? On le savait peut-être, car on ne s'étonna point. Caniveau lui-même demeura impassible.

Mais Belhomme se mit à gémir :

— Oh ! gniau... gniau... gniau... a me trifouille dans l'fond !... Oh ! misère !...

La voiture s'arrêtait au café Polyte. Le curé dit : « Si on vous coulait un peu d'eau dans l'oreille, on la ferait peut-être sortir. Voulez-vous essayer ? »

— Pour sûr ! J'veux ben.

Et tout le monde descendit pour assister à l'opération.

Le prêtre demanda une cuvette, une serviette et un verre d'eau ; et il chargea l'instituteur de tenir bien inclinée la tête du patient ; puis, dès que le liquide aurait pénétré dans le canal, de la renverser brusquement.

Mais Caniveau, qui regardait déjà dans l'oreille de Belhomme pour voir s'il ne découvrirait pas la bête à l'œil nu, s'écria :

— Cré nom d'un nom, qué marmelade ! Faut déboucher ça, mon vieux ! Jamais ton lapin sortira dans c'te confiture-là. Il s'y collerait les quat'pattes.

Le curé examina à son tour le passage et le reconnut trop étroit et trop embourbé pour tenter l'expulsion de la bête. Ce fut l'instituteur qui débarrassa cette voie au moyen d'une allumette et d'une loque. Alors, au milieu de l'anxiété générale, le prêtre versa, dans ce conduit nettoyé, un demi-verre d'eau qui coula sur le visage, dans les cheveux et dans le cou de Belhomme. Puis l'instituteur retourna vivement la tête sur la cuvette, comme s'il eût voulu la dévisser. Quelques gouttes retombèrent dans le vase blanc. Tous les voyageurs se précipitèrent. Aucune bête n'était sortie.

Cependant Belhomme déclarant : « Je sens pu rien », le curé, triomphant, s'écria : « Certainement, elle est noyée ! » Tout le monde était content. On remonta dans la voiture.

Mais à peine se fut-elle remise en route que Belhomme poussa des cris terribles. La bête s'était réveillée et était devenue furieuse. Il affirmait même qu'elle était entrée dans la tête maintenant, qu'elle lui dévorait la cervelle. Il hurlait avec de telles contorsions que la femme de Poiret, le croyant possédé du diable, se mit à pleurer en faisant le signe de la croix. Puis la douleur se calmant un peu, le malade raconta qu'*elle* faisait le tour de son oreille. Il imitait avec son doigt les mouvements de la bête, semblait la voir, la suivre du regard : « T'nez, v'là qu'a r'monte... gniau... gniau... gniau... qué misère ! »

Caniveau s'impatientait : « C'est l'iau qui la rend enragée, c'te bête. All' est p't-être ben accoutumée au vin. »

On se remit à rire. Il reprit : « Quand j'allons arriver au café Bourbeux, donne-li du fil-en-six et all' n' bougera pu, j' te le jure. »

Mais Belhomme n'y tenait plus de douleur. Il se mit à crier comme si on lui arrachait l'âme. Le curé fut obligé de lui soutenir la tête. On pria Césaire Horlaville d'arrêter à la première maison rencontrée.

C'était une ferme en bordure sur la route. Belhomme y fut transporté ; puis on le coucha sur la table de cuisine pour recommencer l'opération. Caniveau conseillait toujours de mêler de l'eau-de-vie à l'eau, afin de griser et d'endormir la bête, de la tuer peut-être. Mais le curé préféra du vinaigre.

On fit couler le mélange goutte à goutte, cette fois, afin qu'il pénétrât jusqu'au fond, puis on le laissa quelques minutes dans l'organe habité.

Une cuvette ayant été de nouveau apportée, Belhomme fut retourné tout d'une pièce par le curé et Caniveau, ces deux colosses, tandis que l'instituteur tapait avec ses doigts sur l'oreille saine, afin de bien vider l'autre.

Césaire Horlaville lui-même était entré pour voir, son fouet à la main.

Et soudain on aperçut au fond de la cuvette un petit point brun, pas plus gros qu'un grain d'oignon. Cela remuait, pourtant. C'était une puce ! Des cris d'étonnement s'élevèrent, puis des rires éclatants. Une puce ! Ah ! elle était bien bonne, bien bonne ! Caniveau se tapait sur la cuisse, Césaire Horlaville fit claquer son fouet ; le curé s'esclaffait à la façon des ânes qui braient, l'instituteur riait comme on éternue, et les deux femmes poussaient de petits cris de gaieté pareils au gloussement des poules.

Belhomme s'était assis sur la table et, ayant pris sur ses genoux la cuvette, il contemplait avec une attention grave et une colère joyeuse dans l'œil la bestiole vaincue qui tournait dans la goutte d'eau.

Il grogna : « Te v'là, charogne ! » et cracha dessus.

Le cocher, fou de gaieté, répétait : « Eune puce, eune puce, ah ! te v'là, sacré puçot, sacré puçot, sacré puçot ! »

Puis s'étant un peu calmé, il cria : « Allons, en route ! V'là assez de temps de perdu ! »

Et les voyageurs, riant toujours, s'en allèrent vers la voiture.

Cependant Belhomme, venu le dernier, déclarait : « Mé, j' m'en r'tourne à Criquetot. J'ai pu que fé au Havre à cette heure. »

Le cocher lui dit :

— N'importe, paye ta place !

— Je t'en dé que la moitié pisque j'ai point passé mi-chemin.

— Tu dois tout, pisque t'as r'tenu jusqu'au bout.

Et une dispute commença qui devint bientôt une querelle furieuse : Belhomme jurait qu'il ne donnerait que vingt sous. Césaire Horlaville affirmait qu'il en recevrait quarante.

Et ils criaient, nez contre nez, les yeux dans les yeux.

Caniveau redescendit.

— D'abord, tu dés quarante sous au curé, t'entends, et pi une tournée à tout le monde, ça fait chinquante-chinq, et pi t'en donneras vingt à Césaire. Ça va-t-il, dégourdi ?

Le cocher, enchanté de voir Belhomme débourser trois francs soixante et quinze, répondit :

— Ça va !

— Allons, paye.

— J' payerai point. L' curé n'est pas médecin, d'abord !

— Si tu n' payes point, j' te r'mets dans la voiture à Césaire et j' t'emporte au Havre.

Et le colosse, ayant saisi Belhomme par les reins, l'enleva comme un enfant.

L'autre vit bien qu'il faudrait céder. Il tira sa bourse et paya.

Puis la voiture se remit en marche vers Le Havre, tandis que Belhomme retournait à Criquetot, et tous les voyageurs, muets à présent, regardaient sur la route blanche la blouse bleue du paysan, balancée sur ses longues jambes.

LA PARURE

C'était une de ces jolies et charmantes filles, nées, comme par une erreur du destin, dans une famille d'employés. Elle n'avait pas de dot, pas d'espérances, aucun moyen d'être connue, comprise, aimée, épousée par un homme riche et distingué ; et elle se laissa marier avec un petit commis du ministère de l'Instruction publique.

Elle fut simple, ne pouvant être parée ; mais malheureuse comme une déclassée ; car les femmes n'ont point de caste ni de race, leur beauté, leur grâce et leur charme leur servant de naissance et de famille. Leur finesse native, leur instinct d'élégance, leur souplesse d'esprit sont leur seule hiérarchie, et font des filles du peuple les égales des plus grandes dames.

Elle souffrait sans cesse, se sentant née pour toutes les délicatesses et tous les luxes. Elle souffrait de la pauvreté de son logement, de la misère des murs, de l'usure des sièges, de la laideur des étoffes. Toutes ces choses, dont une autre femme de sa caste ne se serait même pas aperçue, la torturaient et l'indignaient. La vue de la petite Bretonne qui faisait son humble ménage éveillait en elle des regrets désolés et des rêves éperdus. Elle songeait aux antichambres muettes, capitonnées avec des tentures orientales, éclairées par de hautes torchères de bronze, et aux deux grands valets en culotte courte qui dorment dans les larges fauteuils, assoupis par la chaleur lourde du calorifère. Elle songeait aux grands salons vêtus de soie ancienne, aux meubles fins portant des bibelots inestimables, et aux petits salons coquets, parfumés, faits pour la causerie de cinq heures avec les amis les plus intimes, les hommes connus et recherchés dont toutes les femmes envient et désirent l'attention.

Quand elle s'asseyait, pour dîner, devant la table ronde couverte d'une nappe de trois jours, en face de son mari qui découvrait la soupière en déclarant d'un air enchanté : « Ah ! le bon pot-au-feu ! je ne sais rien de meilleur que cela... », elle songeait aux dîners fins, aux argenteries reluisantes, aux tapisseries peuplant les murailles de personnages anciens et d'oiseaux étranges au milieu d'une forêt de féerie ; elle songeait aux plats exquis servis en des vaisselles merveilleuses, aux galanteries chuchotées et écoutées avec un sourire de sphinx, tout en mangeant la chair rose d'une truite ou des ailes de gelinotte.

Elle n'avait pas de toilettes, pas de bijoux, rien. Et elle n'aimait que cela ; elle se sentait faite pour cela. Elle eût tant désiré plaire, être enviée, être séduisante et recherchée.

Elle avait une amie riche, une camarade de couvent qu'elle ne voulait plus aller voir, tant elle souffrait en revenant. Et elle pleurait pendant des jours entiers, de chagrin, de regret, de désespoir et de détresse.

Or, un soir, son mari rentra, l'air glorieux et tenant à la main une large enveloppe.

— Tiens, dit-il, voici quelque chose pour toi.

Elle déchira vivement le papier et en tira une carte imprimée qui portait ces mots :

Le ministre de l'Instruction publique et Mme Georges Ramponneau prient M. et Mme Loisel de leur faire l'honneur de venir passer la soirée à l'hôtel du ministère, le lundi 18 janvier.

Au lieu d'être ravie comme l'espérait son mari, elle jeta avec dépit l'invitation sur la table, murmurant :

— Que veux-tu que je fasse de cela ?

— Mais, ma chérie, je pensais que tu serais contente ? Tu ne sors jamais, et c'est une occasion, cela, une belle ! J'ai eu une peine infinie à l'obtenir. Tout le monde en veut ; c'est très recherché et on n'en donne pas beaucoup aux employés. Tu verras là tout le monde officiel.

Elle le regardait d'un œil irrité, et elle déclara avec impatience :

— Que veux-tu que je me mette sur le dos pour aller là ?

Il n'y avait pas songé ; il balbutia :

— Mais la robe avec laquelle tu vas au théâtre. Elle me semble très bien, à moi...

Il se tut, stupéfait, éperdu, en voyant que sa femme pleurait. Deux grosses larmes descendaient lentement des coins des yeux vers les coins de la bouche ; il bégaya :

— Qu'as-tu ? Qu'as-tu ?

Mais, par un effort violent, elle avait dompté sa peine et elle répondit d'une voix calme en essuyant ses joues humides :

— Rien. Seulement je n'ai pas de toilette et par conséquent je ne peux aller à cette fête. Donne ta carte à quelque collègue dont la femme sera mieux nippée que moi.

Il était désolé. Il reprit :

— Voyons, Mathilde, combien cela coûterait-il une toilette convenable, qui pourrait te servir encore en d'autres occasions, quelque chose de très simple ?

Elle réfléchit quelques secondes, établissant ses comptes et songeant aussi à la somme qu'elle pouvait demander sans s'attirer un refus immédiat et une exclamation effarée du commis économe.

Enfin, elle répondit en hésitant :

— Je ne sais pas au juste, mais il me semble qu'avec quatre cents francs je pourrais arriver.

Il avait un peu pâli, car il réservait juste cette somme pour acheter un fusil et s'offrir des parties de chasse, l'été suivant, dans la plaine de Nanterre, avec quelques amis qui allaient tirer des alouettes, par là, le dimanche.

Il dit cependant :

— Soit. Je te donne quatre cents francs. Mais tâche d'avoir une belle robe.

Le jour de la fête approchait, et Mme Loisel semblait triste, inquiète, anxieuse. Sa toilette était prête cependant. Son mari lui dit un soir :

— Qu'as-tu ? Voyons, tu es toute drôle depuis trois jours.

Et elle répondit :

— Cela m'ennuie de n'avoir pas un bijou, pas une pierre, rien à mettre sur moi. J'aurai l'air misère comme tout. J'aimerais presque mieux ne pas aller à cette soirée.

Il reprit :

— Tu mettras des fleurs naturelles. C'est très chic

en cette saison-ci. Pour dix francs, tu auras deux ou trois roses magnifiques.

Elle n'était point convaincue.

— Non... il n'y a rien de plus humiliant que d'avoir l'air pauvre au milieu de femmes riches.

Mais son mari s'écria :

— Que tu es bête ! Va trouver ton amie Mme Forestier et demande-lui de te prêter des bijoux. Tu es bien assez liée avec elle pour faire cela.

Elle poussa un cri de joie.

— C'est vrai ! Je n'y avais point pensé.

Le lendemain, elle se rendit chez son amie et lui conta sa détresse.

Mme Forestier alla vers son armoire à glace, prit un large coffret, l'apporta, l'ouvrit, et dit à Mme Loisel :

— Choisis, ma chère.

Elle vit d'abord des bracelets, puis un collier de perles, puis une croix vénitienne, or et pierreries, d'un admirable travail. Elle essayait les parures devant la glace, hésitait, ne pouvait se décider à les quitter, à les rendre. Elle demandait toujours :

— Tu n'as plus rien autre ?

— Mais si. Cherche. Je ne sais pas ce qui peut te plaire.

Tout à coup elle découvrit, dans une boîte de satin noir, une superbe rivière de diamants ; et son cœur se mit à battre d'un désir immodéré. Ses mains tremblaient en la prenant. Elle l'attacha autour de sa gorge, sur sa robe montante, et demeura en extase devant elle-même.

Puis elle demanda, hésitante, pleine d'angoisse :

— Peux-tu me prêter cela, rien que cela ?

— Mais oui, certainement.

Elle sauta au cou de son amie, l'embrassa avec emportement, puis s'enfuit avec son trésor.

Le jour de la fête arriva. Mme Loisel eut un succès. Elle était plus jolie que toutes, élégante, gracieuse, souriante et folle de joie. Tous les hommes la regardaient, demandaient son nom, cherchaient à être présentés. Tous les attachés du cabinet voulaient valser avec elle. Le ministre la remarqua.

Elle dansait avec ivresse, avec emportement, grisée par le plaisir, ne pensant plus à rien, dans le triomphe de sa beauté, dans la gloire de son succès, dans une sorte de nuage de bonheur fait de tous ces hommages, de toutes ces admirations, de tous ces désirs éveillés, de cette victoire si complète et si douce au cœur des femmes.

Elle partit vers quatre heures du matin. Son mari, depuis minuit, dormait dans un petit salon désert avec trois autres messieurs dont les femmes s'amusaient beaucoup.

Il lui jeta sur les épaules les vêtements qu'il avait apportés pour la sortie, modestes vêtements de la vie ordinaire, dont la pauvreté jurait avec l'élégance de la toilette de bal. Elle le sentit et voulut s'enfuir pour ne pas être remarquée par les autres femmes qui s'enveloppaient de riches fourrures.

Loisel la retenait :

— Attends donc. Tu vas attraper froid dehors. Je vais appeler un fiacre.

Mais elle ne l'écoutait point et descendait rapidement l'escalier. Lorsqu'ils furent dans la rue, ils ne trouvèrent pas de voiture ; et ils se mirent à chercher, criant après les cochers qu'ils voyaient passer de loin.

Ils descendaient vers la Seine, désespérés, grelottants. Enfin ils trouvèrent sur le quai un de ces vieux coupés noctambules qu'on ne voit dans Paris que la nuit venue, comme s'ils eussent été honteux de leur misère pendant le jour.

Il les ramena jusqu'à leur porte, rue des Martyrs, et ils remontèrent tristement chez eux. C'était fini, pour elle. Et il songeait, lui, qu'il lui faudrait être au Ministère à dix heures.

Elle ôta les vêtements dont elle s'était enveloppé les épaules, devant la glace, afin de se voir encore une fois dans sa gloire. Mais soudain elle poussa un cri. Elle n'avait plus sa rivière autour du cou.

Son mari, à moitié dévêtu déjà, demanda :

— Qu'est-ce que tu as ?

Elle se tourna vers lui, affolée :

— J'ai... j'ai... je n'ai plus la rivière de Mme Forestier.

Il se dressa, éperdu :

— Quoi !... comment !... Ce n'est pas possible !

Et ils cherchèrent dans les plis de la robe, dans les plis du manteau, dans les poches, partout. Ils ne la trouvèrent point.

Il demandait :

— Tu es sûre que tu l'avais encore en quittant le bal ?

— Oui, je l'ai touchée dans le vestibule du Ministère.

— Mais si tu l'avais perdue dans la rue, nous l'aurions entendue tomber. Elle doit être dans le fiacre.

— Oui. C'est probable. As-tu pris le numéro ?

— Non. Et toi, tu ne l'as pas regardé ?

— Non.

Ils se contemplaient, atterrés. Enfin Loisel se rhabilla.

— Je vais, dit-il, refaire tout le trajet que nous avons fait à pied, pour voir si je ne la retrouverai pas.

Et il sortit. Elle demeura en toilette de soirée, sans force pour se coucher, abattue sur une chaise, sans feu, sans pensée.

Son mari rentra vers sept heures. Il n'avait rien trouvé.

Il se rendit à la Préfecture de police, aux journaux, pour faire promettre une récompense, aux compagnies de petites voitures, partout enfin où un soupçon d'espoir le poussait.

Elle attendit tout le jour, dans le même état d'effarement devant cet affreux désastre.

Loisel revint le soir, avec la figure creusée, pâlie ; il n'avait rien découvert.

— Il faut, dit-il, écrire à ton amie que tu as brisé la fermeture de sa rivière et que tu la fais réparer. Cela nous donnera le temps de nous retourner.

Elle écrivit sous sa dictée.

Au bout d'une semaine, ils avaient perdu toute espérance.

Et Loisel, vieilli de cinq ans, déclara :

— Il faut aviser à remplacer ce bijou.

Ils prirent, le lendemain, la boîte qui l'avait renfermé, et se rendirent chez le joaillier dont le nom se trouvait dedans. Il consulta ses livres :

— Ce n'est pas moi, madame, qui ai vendu cette rivière ; j'ai dû seulement fournir l'écrin.

Alors ils allèrent de bijoutier en bijoutier, cherchant une parure pareille à l'autre, consultant leurs souvenirs, malades tous deux de chagrin et d'angoisse.

Ils trouvèrent, dans une boutique du Palais-Royal,

un chapelet de diamants qui leur parut entièrement semblable à celui qu'ils cherchaient. Il valait quarante mille francs. On le leur laisserait à trente-six mille.

Ils prièrent donc le joaillier de ne pas le vendre avant trois jours. Et ils firent condition qu'on le reprendrait pour trente-quatre mille francs, si le premier était retrouvé avant la fin de février.

Loisel possédait dix-huit mille francs que lui avait laissés son père. Il emprunterait le reste.

Il emprunta, demandant mille francs à l'un, cinq cents à l'autre, cinq louis par-ci, trois louis par-là. Il fit des billets, prit des engagements ruineux, eut affaire aux usuriers, à toutes les races de prêteurs. Il compromit toute la fin de son existence, risqua sa signature sans savoir même s'il pourrait y faire honneur, et, épouvanté par les angoisses de l'avenir, par la noire misère qui allait s'abattre sur lui, par la perspective de toutes les privations physiques et de toutes les tortures morales, il alla chercher la rivière nouvelle, en déposant sur le comptoir du marchand trente-six mille francs.

Quand Mme Loisel reporta la parure à Mme Forestier, celle-ci lui dit d'un air froissé :

— Tu aurais dû me la rendre plus tôt, car je pouvais en avoir besoin.

Elle n'ouvrit pas l'écrin, ce que redoutait son amie. Si elle s'était aperçue de la substitution, qu'aurait-elle pensé ? Qu'aurait-elle dit ? Ne l'aurait-elle pas prise pour une voleuse ?

Mme Loisel connut la vie horrible des nécessiteux. Elle prit son parti, d'ailleurs, tout d'un coup, héroïquement. Il fallait payer cette dette effroyable. Elle payerait. On renvoya la bonne ; on changea de logement ; on loua sous les toits une mansarde.

Elle connut les gros travaux du ménage, les odieuses besognes de la cuisine. Elle lava la vaisselle, usant ses ongles roses sur les poteries grasses et le fond des casseroles. Elle savonna le linge sale, les chemises et les torchons, qu'elle faisait sécher sur une corde ; elle descendit à la rue, chaque matin, les ordures, et monta l'eau, s'arrêtant à chaque étage pour souffler. Et, vêtue comme une femme du peuple, elle alla chez le fruitier, chez l'épicier, chez le boucher, le panier au bras, marchandant, injuriée, défendant sou à sou son misérable argent.

Il fallait chaque mois payer des billets, en renouveler d'autres, obtenir du temps.

Le mari travaillait, le soir, à mettre au net les comptes d'un commerçant, et la nuit, souvent, il faisait de la copie à cinq sous la page.

Et cette vie dura dix ans.

Au bout de dix ans, ils avaient tout restitué, tout, avec le taux de l'usure, et l'accumulation des intérêts superposés.

Mme Loisel semblait vieille, maintenant. Elle était devenue la femme forte, et dure, et rude, des ménages pauvres. Mal peignée, avec les jupes de travers et les mains rouges, elle parlait haut, lavait à grande eau les planchers. Mais parfois, lorsque son mari était au bureau, elle s'asseyait auprès de la fenêtre et elle songeait à cette soirée d'autrefois, à ce bal où elle avait été si belle et si fêtée.

Que serait-il arrivé si elle n'avait point perdu cette parure ? Qui sait ? qui sait ? Comme la vie est singulière, changeante ! Comme il faut peu de chose pour vous perdre ou vous sauver !

Or un dimanche, comme elle était allée faire un tour aux Champs-Elysées pour se délasser des besognes de la semaine, elle aperçut tout à coup une femme qui promenait un enfant. C'était Mme Forestier, toujours jeune, toujours belle, toujours séduisante.

Mme Loisel se sentit émue. Allait-elle lui parler ? Oui, certes. Et maintenant qu'elle avait payé, elle lui dirait tout. Pourquoi pas ?

Elle s'approcha.

— Bonjour, Jeanne.

L'autre ne la reconnaissait point, s'étonnant d'être appelée ainsi familièrement par cette bourgeoise. Elle balbutia :

— Mais... madame !... Je ne sais... Vous devez vous tromper.

— Non. Je suis Mathilde Loisel.

Son amie poussa un cri.

— Oh !... Ma pauvre Mathilde, comme tu es changée !...

— Oui, j'ai eu des jours bien durs, depuis que je ne t'ai vue ; et bien des misères... et cela à cause de toi !...

— De moi ?... Comment ça ?

— Tu te rappelles bien cette rivière de diamants que tu m'as prêtée pour aller à la fête du Ministère ?

— Oui. Eh bien ?

— Eh bien, je l'ai perdue.

— Comment ! Puisque tu me l'as rapportée.

— Je t'en ai rapporté une autre toute pareille. Et voilà dix ans que nous la payons. Tu comprends que ça n'était pas aisé pour nous, qui n'avions rien... Enfin c'est fini, et je suis rudement contente.

Mme Forestier s'était arrêtée.

— Tu dis que tu as acheté une rivière de diamants pour remplacer la mienne ?

— Oui. Tu ne t'en étais pas aperçue, hein ! Elles étaient bien pareilles.

Et elle souriait d'une joie orgueilleuse et naïve.

Mme Forestier, fort émue, lui prit les deux mains.

— Oh ! ma pauvre Mathilde ! Mais la mienne était fausse ! Elle valait au plus cinq cents francs !...

LE VIEUX

Un tiède soleil d'automne tombait dans la cour de ferme, par-dessus les grands hêtres des fossés. Sous le gazon tondu par les vaches, la terre imprégnée de pluie récente était moite, enfonçait sous les pieds avec un bruit d'eau ; et les pommiers chargés de pommes semaient leurs fruits d'un vert pâle, dans le vert foncé de l'herbage.

Quatre jeunes génisses paissaient, attachées en ligne, et meuglaient par moments vers la maison ; les volailles mettaient un mouvement coloré sur le fumier, devant l'étable, et grattaient, remuaient, caquetaient, tandis que les deux coqs chantaient sans cesse, cherchaient des vers pour leurs poules, qu'ils appelaient d'un gloussement vif.

La barrière de bois s'ouvrit ; un homme entra, âgé de quarante ans peut-être, mais qui semblait vieux de soixante, ridé, tortu, marchant à grands pas lents, alourdis par le poids de lourds sabots pleins de paille. Ses bras trop longs pendaient des deux côtés du corps. Quand il approcha de la ferme, un roquet jaune, attaché au pied d'un énorme poirier, à côté d'un baril qui lui servait de niche, remua la queue, puis se mit à japper en signe de joie. L'homme cria :

— A bas, Finot !

Le chien se tut.

Une paysanne sortit de la maison. Son corps osseux, large et plat, se dessinait sous un caraco de laine qui serrait la taille. Une jupe grise, trop courte, tombait jusqu'à la moitié des jambes, cachées en des bas bleus, et elle portait aussi des sabots pleins de paille. Un bonnet blanc, devenu jaune, couvrait quelques cheveux collés au crâne, et sa figure brune, maigre, laide, édentée, montrait cette physionomie sauvage et brute qu'ont souvent les faces des paysans.

L'homme demanda :

— Comment qu'y va ?

La femme répondit :

— M'sieu l' curé dit que c'est la fin, qu'il n' passera point la nuit.

Ils entrèrent tous deux dans la maison.

Après avoir traversé la cuisine, ils pénétrèrent dans la chambre, basse, noire, à peine éclairée par un carreau, devant lequel tombait une loque d'indienne normande. Les grosses poutres du plafond, brunies par le temps, noires et enfumées, traversaient la pièce de part en part, portant le mince plancher du grenier où couraient, jour et nuit, des troupeaux de rats.

Le sol de terre, bossué, humide, semblait gras, et dans le fond de l'appartement le lit faisait une tache vaguement blanche. Un bruit régulier, rauque, une respiration dure, râlante, sifflante, avec un gargouillement d'eau comme celui que fait une pompe brisée, partait de la couche enténébrée où agonisait un vieillard, le père de la paysanne.

L'homme et la femme s'approchaient et regardèrent le moribond de leur œil placide et résigné.

Le gendre dit :

— C'te fois, c'est fini ; i n'ira pas seulement à la nuit.

La fermière reprit :

— C'est d'puis midi qu'i gargotte comme ça.

Puis ils se turent. Le père avait les yeux fermés, le visage couleur de terre, si sec qu'il semblait en bois. Sa bouche entrouverte laissait passer son souffle clapotant et dur ; et le drap de toile grise se soulevait sur la poitrine à chaque aspiration.

Le gendre, après un long silence, prononça :

— Y a qu'à le quitter finir. J'y pouvons rien. Tout d' même, c'est dérangeant pour les cossards, vu l' temps qu'est bon, qu'il faut r'piquer d'main.

Sa femme parut inquiète à cette pensée. Elle réfléchit quelques instants, puis déclara :

— Puisqu'i va passer, on l'enterrera pas avant samedi ; t'auras ben d'main pour les cossards.

Le paysan méditait ; il dit :

— Oui, mais d'main qui faudra qu'invite pour l'imunation, que j' n'ai ben pour cinq à six heures à aller de Tourville à Manetot chez tout le monde.

La femme, après avoir médité deux ou trois minutes, prononça :

— I n'est seulement point trois heures, que tu pourrais commencer la tournée anuit et faire tout le côté de Tourville. Tu peux ben dire qu'il a passé, puisqu'i n'en a pas quasiment pour la relevée.

L'homme demeura quelques instants perplexe, pesant les conséquences et les avantages de l'idée. Enfin il déclara :

— Tout d' même, j'y vas.

Il allait sortir ; il revint et, après une hésitation :

— Pisque t'as point d'ouvrage, loche des pommes à cuire, et pis tu feras quatre douzaines de douillons pour ceux qui viendront à l'imunation, vu qu'i faudra se réconforter. T'allumeras le four avec la bourrée qu'est sous l'hangar au pressoir. Elle est sèque.

Et il sortit de la chambre, rentra dans la cuisine, ouvrit le buffet, prit un pain de six livres, en coupa soigneusement une tranche, recueillit dans le creux de sa main les miettes tombées sur la tablette, et se les jeta dans la bouche pour ne rien perdre. Puis il enleva avec la pointe de son couteau un peu de beurre salé au fond d'un pot de terre brune, l'étendit sur son pain, qu'il se mit à manger lentement, comme il faisait tout.

Et il retraversa la cour, apaisa le chien qui se remettait à japper, sortit sur le chemin qui longeait son fossé, et s'éloigna dans la direction de Tourville.

Restée seule, la femme se mit à la besogne. Elle découvrit la huche à la farine, et prépara la pâte aux douillons. Elle la pétrissait longuement, la tournant et la retournant, la maniant, l'écrasant, la broyant. Puis elle en fit une grosse boule d'un blanc jaune, qu'elle laissa sur le coin de la table.

Alors elle alla chercher les pommes et, pour ne point blesser l'arbre avec la gaule, elle grimpa dedans au moyen d'un escabeau. Elle choisissait les fruits avec soin, pour ne prendre que les mûrs, et les entassait dans son tablier.

Une voix l'appela du chemin :

— Ohé, madame Chicot !

Elle se retourna ; c'était un voisin, maître Osime Favet, le maire, qui s'en allait fumer ses terres, assis, les jambes pendantes, sur le tombereau d'engrais. Elle se retourna et répondit :

— Qué qu'y a pour vot' service, maît' Osime ?

— Et le pé, où qui n'en est ?

Elle cria :

— Il est quasiment passé. C'est samedi l'imunation, à sept heures, vu les cossards qui pressent.

Le voisin répliqua :

— Entendu. Bonne chance ! Portez-vous bien.

Elle répondit à sa politesse :

— Merci, et vous d' même.

Puis elle se remit à cueillir ses pommes.

Aussitôt qu'elle fut rentrée, elle alla voir son père, s'attendant à le trouver mort. Mais dès la porte elle distingua son râle bruyant et monotone et, jugeant inutile d'approcher du lit pour ne point perdre de temps, elle commença à préparer les douillons.

Elle enveloppait les fruits un à un dans une mince feuille de pâte, puis les alignait au bord de la table. Quand elle eut fait quarante-huit boules, rangées par douzaines l'une devant l'autre, elle pensa à préparer le souper, et elle accrocha sur le feu sa marmite pour faire cuire les pommes de terre ; car elle avait réfléchi qu'il était inutile d'allumer le four, ce jour-là même, ayant encore le lendemain tout entier pour terminer les préparatifs.

Son homme rentra vers cinq heures. Dès qu'il eut franchi le seuil, il demanda :

— C'est-il fini ?

Elle répondit :

— Point encore ; ça gargouille toujours.

Ils allèrent voir. Le vieux était absolument dans le même état. Son souffle rauque, régulier comme un mouvement d'horloge, ne s'était ni accéléré, ni ralenti. Il revenait de seconde en seconde, variant un peu de ton, suivant que l'air entrait ou sortait de la poitrine.

Son gendre le regarda, puis il dit :

— I finira sans qu'on y pense, comme une chandelle.

Ils rentrèrent dans la cuisine et, sans parler, se mirent à souper. Quand ils eurent avalé la soupe, ils mangèrent encore une tartine de beurre puis, aussitôt les assiettes lavées, rentrèrent dans la chambre de l'agonisant.

La femme, tenant une petite lampe à mèche fumeuse, la promena devant le visage de son père. S'il n'avait pas respiré, on l'aurait cru mort assurément.

Le lit des deux paysans était caché à l'autre bout de la chambre, dans une espèce d'enfoncement. Ils se couchèrent sans dire un mot, éteignirent la lumière, fermèrent les yeux ; et bientôt deux ronflements inégaux, l'un plus profond, l'autre plus aigu, accompagnèrent le râle ininterrompu du mourant.

Les rats couraient dans le grenier.

Le mari s'éveilla dès les premières pâleurs du jour. Son beau-père vivait encore. Il secoua sa femme, inquiet de cette résistance du vieux.

— Dis donc, Phénie, i n' veut point finir. Qué qu' tu f'rais, té ?

Il la savait de bon conseil.

Elle répondit :

— I n' passera point l' jour, pour sûr. N'y a point n'a craindre. Pour lors que l' maire n'opposera pas qu'on l'enterre tout de même demain, vu qu'on l'a fait pour maître Renard le pé, qu'a trépassé juste aux semences.

Il fut convaincu par l'évidence du raisonnement, et il partit aux champs.

A midi, le vieux n'était point mort. Les gens de

journée loués pour le repiquage des cossards vinrent en groupe considérer l'ancien qui tardait à s'en aller. Chacun dit son mot, puis ils repartirent dans les terres.

A six heures, quand on rentra, le père respirait encore. Son gendre, à la fin, s'effraya :

— Qué qu' tu f'rais, à c'te heure, té, Phénie ?

Elle ne savait non plus que résoudre. On alla trouver le maire. Il promit qu'il fermerait les yeux et autoriserait l'enterrement le lendemain. L'officier de santé, qu'on alla voir, s'engagea aussi, pour obliger maître Chicot, à antidater le certificat de décès. L'homme et la femme rentrèrent tranquilles.

Ils se couchèrent et s'endormirent comme la veille, mêlant leurs souffles sonores au souffle plus faible du vieux.

Quand ils s'éveillèrent, il n'était point mort.

Alors ils furent atterrés. Ils restaient debout, au chevet du père, le considérant avec méfiance, comme s'il avait voulu leur jouer un vilain tour, les tromper, les contrarier par plaisir, et ils lui en voulaient surtout du temps qu'il leur faisait perdre.

Le gendre demanda :

— Qué que j'allons faire ?

Elle n'en savait rien ; elle répondit :

— C'est-i contrariant, tout d' même !

On ne pouvait maintenant prévenir tous les invités qui allaient arriver sur l'heure. On résolut de les attendre, pour leur expliquer la chose.

Vers sept heures moins dix, les premiers apparurent. Les femmes en noir, la tête couverte d'un grand voile, s'en venaient d'un air triste. Les hommes, gênés dans leurs vestes de drap, s'avançaient plus délibérément, deux par deux, en devisant des affaires.

Maître Chicot et sa femme, effarés, les reçurent en se désolant ; et tous deux, tout à coup, au même moment, en abordant le premier groupe, se mirent à pleurer. Ils expliquaient l'aventure, contaient leur embarras, offraient des chaises, se remuaient, s'excusaient, voulaient prouver que tout le monde aurait fait comme eux, parlaient sans fin, devenus brusquement bavards à ne laisser personne leur répondre.

Ils allaient de l'un à l'autre :

— Jc l'aurions point cru ; c'est point croyable qu'il aurait duré comme ça !

Les invités interdits, un peu déçus, comme des gens qui manquent une cérémonie attendue, ne savaient que faire, demeuraient assis ou debout. Quelques-uns voulurent s'en aller. Maître Chicot les retint :

— J'allons casser une croûte tout d' même. J'avions fait des douillons ; faut bien n'en. profiter.

Les visages s'éclairèrent à cette pensée. On se mit à causer à voix basse. La cour peu à peu s'emplissait ; les premiers venus disaient la nouvelle aux nouveaux arrivants. On chuchotait, l'idée des douillons égayant tout le monde.

Les femmes entraient pour regarder le mourant. Elles se signaient auprès du lit, balbutiaient une prière, ressortaient. Les hommes, moins avides de ce spectacle, jetaient un seul coup d'œil de la fenêtre qu'on avait ouverte.

Mme Chicot expliquait l'agonie :

— V'là deux jours qu'il est comme ça, ni plus ni moins, ni plus haut, ni plus bas. Dirait-on point eune pompe qu'a pu d'iau ?

Quand tout le monde eut vu l'agonisant, on pensa à la collation ; mais comme on était trop nombreux pour tenir dans la cuisine, on sortit la table devant la porte. Les quatre douzaines de douillons, dorés, appétissants, tiraient les yeux, disposés dans deux grands plats. Chacun avançait le bras pour prendre le sien, craignant qu'il n'y en eût pas assez. Mais il en resta quatre.

Maître Chicot, la bouche pleine, prononça :

— S'il nous véyait, l'pé, ça lui f'rait deuil. C'est li qui les aimait d'son vivant.

Un gros paysan jovial déclara :

— I n'en mangera pu, à c't'heure. Chacun son tour.

Cette réflexion, loin d'attrister les invités, sembla les réjouir. C'était leur tour, à eux, de manger des boules.

Mme Chicot, désolée de la dépense, allait sans cesse au cellier chercher du cidre. Les brocs se suivaient et se vidaient coup sur coup. On riait maintenant, on parlait fort, on commençait à crier comme on crie dans les repas.

Tout à coup une vieille paysanne qui était restée près du moribond, retenue par une peur avide de cette chose qui lui arriverait bientôt à elle-même, apparut à la fenêtre et s'écria d'une voix aiguë :

— Il a passé ! il a passé !

Chacun se tut. Les femmes se levèrent vivement pour aller voir.

Il était mort, en effet. Il avait cessé de râler. Les hommes se regardaient, baissaient les yeux, mal à leur aise. On n'avait pas fini de mâcher les boules. Il avait mal choisi son moment, ce gredin-là.

Les Chicot, maintenant, ne pleuraient plus. C'était fini, ils étaient tranquilles. Ils répétaient :

— J'savions bien qu'ça n'pouvait point durer. Si

seulement il avait pu s' décider c'te nuit, ça n'aurait point fait tout ce dérangement.

N'importe, c'était fini. On l'enterrerait lundi, voilà tout, et on remangerait des douillons pour l'occasion.

Les invités s'en allèrent en causant de la chose, contents tout de même d'avoir vu ça et aussi d'avoir cassé une croûte.

Et quand l'homme et la femme furent demeurés tout seuls face à face, elle dit, la figure contractée par l'angoisse :

— Faudra tout d' même r'cuire quatre douzaines de boules ! Si seulement il avait pu s' décider c'te nuit !

Et le mari, plus résigné, répondit :

— Ça n' serait pas à r'faire tous les jours.

A CHEVAL

Les pauvres gens vivaient péniblement des petits appointements du mari. Deux enfants étaient nés depuis leur mariage, et la gêne première était devenue une de ces misères humbles, voilées, honteuses, une misère de famille noble qui veut tenir son rang quand même.

Hector de Gribelin avait été élevé en province, dans le manoir paternel, par un vieil abbé précepteur. On n'était pas riche, mais on vivotait en gardant les apparences.

Puis, à vingt ans, on lui avait cherché une position, et il était entré, commis à quinze cents francs, au ministère de la Marine. Il avait échoué sur cet écueil comme tous ceux qui ne sont point préparés de bonne heure au rude combat de la vie, tous ceux qui voient l'existence à travers un nuage, qui ignorent les moyens et les résistances, en qui on n'a pas développé dès l'enfance des aptitudes spéciales, des facultés particulières, une âpre énergie à la lutte, tous ceux à qui on n'a pas remis une arme ou un outil dans la main.

Ses trois premières années de bureau furent horribles.

Il avait retrouvé quelques amis de sa famille, vieilles gens attardés et peu fortunés aussi, qui vivaient dans les rues nobles, les tristes rues du faubourg Saint-Germain ; et il s'était fait un cercle de connaissances.

Etrangers à la vie moderne, humbles et fiers, ces aristocrates nécessiteux habitaient les étages élevés de maisons endormies. Du haut en bas de ces demeures, les locataires étaient titrés ; mais l'argent semblait rare au premier comme au sixième.

Les éternels préjugés, la préoccupation du rang, le souci de ne pas déchoir, hantaient ces familles autrefois brillantes, et ruinées par l'inaction des hommes. Hector de Gribelin rencontra dans ce monde une jeune fille noble et pauvre comme lui, et l'épousa.

Ils eurent deux enfants en quatre ans.

Pendant quatre années encore, ce ménage, harcelé par la misère, ne connut d'autres distractions que la promenade aux Champs-Elysées, le dimanche, et quelques soirées au théâtre, une ou deux par hiver, grâce à des billets de faveur offerts par un collègue.

Mais voilà que, vers le printemps, un travail supplémentaire fut confié à l'employé par son chef, et il reçut une gratification extraordinaire de trois cents francs.

En rapportant cet argent, il dit à sa femme :

« Ma chère Henriette, il faut nous offrir quelque chose, par exemple une partie de plaisir pour les enfants. »

Et après une longue discussion, il fut décidé qu'on irait déjeuner à la campagne...

« Ma foi, s'écria Hector, une fois n'est pas coutume ; nous louerons un break pour toi, les petits et la bonne, et moi je prendrai un cheval au manège. Cela me fera du bien. »

A CHEVAL

Et pendant toute la semaine on ne parla que de l'excursion projetée.

Chaque soir, en rentrant du bureau, Hector saisissait son fils aîné, le plaçait à califourchon sur sa jambe, et, en le faisant sauter de toute sa force, il lui disait :

« Voilà comment il galopera, papa, dimanche prochain, à la promenade. »

Et le gamin, tout le jour, enfourchait les chaises et les traînait autour de la salle en criant :

« C'est papa à dada. »

Et la bonne elle-même regardait Monsieur d'un œil émerveillé, en songeant qu'il accompagnerait la voiture à cheval ; et pendant tous les repas elle l'écoutait parler d'équitation, raconter ses exploits de jadis, chez son père. Oh ! il avait été à bonne école, et une fois la bête entre ses jambes, il ne craignait rien, mais rien !

Il répétait à sa femme en se frottant les mains :

« Si on pouvait me donner un animal un peu difficile, je serais enchanté. Tu verras comme je monte ; et, si tu veux, nous reviendrons par les Champs-Elysées au moment du retour du Bois. Comme nous ferons bonne figure, je ne serais pas fâché de rencontrer quelqu'un du Ministère. Il n'en faut pas plus pour se faire respecter de ses chefs. »

Au jour dit, la voiture et le cheval arrivèrent en même temps devant la porte. Il descendit aussitôt pour examiner sa monture. Il avait fait coudre des sous-pieds à son pantalon, et manœuvrait une cravache achetée la veille.

Il leva et palpa, l'une après l'autre, les quatre jambes de la bête, tâta le cou, les côtes, les jarrets, éprouva du doigt les reins, ouvrit la bouche, examina les dents, déclara son âge et, comme toute la famille descendait, il fit une sorte de petit cours théorique et pratique sur le cheval en général et en particulier sur celui-là, qu'il reconnaissait excellent.

Quand tout le monde fut bien placé dans la voiture, il vérifia les sangles de la selle ; puis, s'enlevant sur un étrier, il retomba sur l'animal, qui se mit à danser sous la charge et faillit désarçonner son cavalier.

Hector, ému, tâchait de le calmer :

« Allons, tout beau, mon ami, tout beau. »

Puis quand le porteur eut repris sa tranquillité et le porté son aplomb, celui-ci demanda :

« Est-on prêt ? »

Toutes les voix répondirent :

« Oui. »

Alors, il commanda :

« En route ! »

Et la cavalcade s'éloigna.

Tous les regards étaient tendus sur lui. Il trottait à l'anglaise en exagérant les ressauts. A peine était-il retombé sur la selle qu'il rebondissait comme pour monter dans l'espace. Souvent il semblait prêt à s'abattre sur la crinière ; et il tenait ses yeux fixes devant lui, ayant la figure crispée et les joues pâles.

Sa femme, gardant sur ses genoux un de ses enfants, et la bonne qui portait l'autre, répétaient sans cesse :

« Regardez papa, regardez papa ! »

Et les deux gamins, grisés par le mouvement, la joie et l'air vif, poussaient des cris aigus. Le cheval, effrayé par ces clameurs, finit par prendre le galop, et, pendant que le cavalier s'efforçait de l'arrêter, le chapeau roula par terre. Il fallut que le cocher descendît de son siège pour ramasser cette coiffure, et quand Hector l'eut reçue de ses mains, il s'adressa de loin à sa femme :

« Empêche donc les enfants de crier comme ça ; tu me ferais emporter ! »

On déjeuna sur l'herbe, dans le bois du Vésinet, avec les provisions déposées dans les coffres.

Bien que le cocher prît soin des chevaux, Hector à tout moment se levait pour aller voir si le sien ne manquait de rien ; et il le caressait sur le cou, lui faisant manger du pain, des gâteaux, du sucre.

Il déclara :

« C'est un rude trotteur. Il m'a même un peu secoué dans les premiers moments ; mais tu as vu que je m'y suis vite remis : il a reconnu son maître, il ne bougera plus maintenant. »

Comme il avait été décidé, on revint par les Champs-Elysées.

La vaste avenue fourmillait de voitures. Et sur les côtés, les promeneurs étaient si nombreux qu'on eût dit deux longs rubans noirs se déroulant, depuis l'Arc de Triomphe jusqu'à la place de la Concorde. Une averse de soleil tombait sur tout ce monde, faisait étinceler le vernis des calèches, l'acier des harnais, les poignées des portières.

Une folie de mouvement, une ivresse de vie semblait agiter cette foule de gens, d'équipages et de bêtes. Et l'Obélisque, là-bas, se dressait dans une buée d'or.

Le cheval d'Hector, dès qu'il eut dépassé l'Arc de Triomphe, fut saisi soudain d'une ardeur nouvelle, et il filait à travers les roues, au grand trot, vers l'écurie, malgré toutes les tentatives d'apaisement de son cavalier.

La voiture était loin maintenant, loin derrière, et voilà qu'en face du Palais de l'Industrie, l'animal, se voyant du champ, tourna à droite et prit le galop.

Une vieille femme en tablier traversait la chaussée d'un pas tranquille ; elle se trouvait juste sur le chemin d'Hector, qui arrivait à fond de train. Impuissant à maîtriser sa bête, il se mit à crier de toute sa force :

« Holà ! hé ! holà ! là-bas ! »

Elle était sourde, peut-être, car elle continua paisiblement sa route jusqu'au moment où, heurtée par le poitrail du cheval lancé comme une locomotive, elle alla rouler dix pas plus loin, les jupes en l'air, après trois culbutes sur la tête.

Des voix criaient :

« Arrêtez-le ! »

Hector, éperdu, se cramponnait à la crinière en hurlant :

« Au secours ! »

Une secousse terrible le fit passer comme une balle par-dessus les oreilles de son coursier et tomber dans les bras d'un sergent de ville qui venait de se jeter à sa rencontre.

En une seconde, un groupe furieux, gesticulant, vociférant, se forma autour de lui. Un vieux monsieur surtout, un vieux monsieur portant une grande décoration ronde et de grandes moustaches blanches, semblait exaspéré. Il répétait :

« Sacrebleu, quand on est maladroit comme ça, on reste chez soi ! On ne vient pas tuer les gens dans la rue quand on ne sait pas conduire un cheval ! »

Mais quatre hommes, portant la vieille, apparurent. Elle semblait morte, avec sa figure jaune et son bonnet de travers, tout gris de poussière.

« Portez cette femme chez un pharmacien, commanda le vieux monsieur, et allons chez le commissaire de police. »

Hector, entre les deux agents, se mit en route. Un troisième tenait son cheval. Une foule suivait ; et soudain le break parut. Sa femme s'élança, la bonne perdait la tête, les marmots piaillaient. Il expliqua qu'il allait rentrer, qu'il avait renversé une femme, que ce n'était rien. Et sa famille, affolée, s'éloigna.

Chez le commissaire, l'explication fut courte. Il donna son nom, Hector de Gribelin, attaché au ministère de la Marine ; et on attendit des nouvelles de la blessée. Un agent envoyé aux renseignements revint. Elle avait repris connaissance, mais elle souffrait effroyablement en dedans, disait-elle. C'était une femme de ménage, âgée de soixante-cinq ans, et dénommée Mme Simon.

Quand il sut qu'elle n'était pas morte, Hector reprit espoir et promit de subvenir aux frais de sa guérison. Puis il courut chez le pharmacien.

Une cohue stationnait devant la porte ; la bonne femme, affaissée dans un fauteuil, geignait, les mains inertes, la face abrutie. Deux médecins l'examinaient encore. Aucun membre n'était cassé, mais on craignait une lésion interne.

Hector lui parla :

« Souffrez-vous beaucoup ?

— Oh ! oui.

— Où ça ?

— C'est comme un feu que j'aurais dans les estomacs. »

Un médecin s'approcha :

« C'est vous, monsieur, qui êtes l'auteur de l'accident ?

— Oui, monsieur.

— Il faudrait envoyer cette femme dans une maison de santé ; j'en connais une où ou la recevrait à six francs par jour. Voulez-vous que je m'en charge ? »

Hector, ravi, remercia et rentra chez lui soulagé. Sa femme l'attendait dans les larmes ; il l'apaisa :

« Ce n'est rien, cette dame Simon va déjà mieux, dans trois jours il n'y paraîtra plus ; je l'ai envoyée dans une maison de santé ; ce n'est rien. »

Ce n'est rien !

En sortant de son bureau, le lendemain, il alla prendre des nouvelles de Mme Simon. Il la trouva en train de manger un bouillon gras d'un air satisfait.

« Eh bien ? » dit-il.

Elle répondit :

« Oh ! mon pauv' monsieur, ça ne change pas. Je me sens quasiment anéantie. N'y a pas de mieux. »

Le médecin déclara qu'il fallait attendre, une complication pouvant survenir.

Il attendit trois jours, puis il revint. La vieille femme, le teint clair, l'œil limpide, se mit à geindre en l'apercevant :

« Je n' peux pu r'muer, mon pauv' monsieur ; je n' peux pu. J'en ai pour jusqu'à la fin de mes jours. »

Un frisson courut dans les os d'Hector. Il demanda le médecin. Le médecin leva les bras :

« Que voulez-vous, Monsieur, je ne sais pas, moi. Elle hurle quand on essaie de la soulever. On ne peut même changer de place son fauteuil sans lui faire pousser des cris déchirants. Je dois croire ce qu'elle me dit, Monsieur ; je ne suis pas dedans. Tant que je ne l'aurai pas vue marcher, je n'ai pas le droit de supposer un mensonge de sa part. »

La vieille écoutait, immobile, l'œil sournois.

Huit jours se passèrent ; puis quinze, puis un mois. Mme Simon ne quittait pas son fauteuil. Elle mangeait du matin au soir, engraissait, causait gaiement avec les autres malades, semblait accoutumée à l'immobilité comme si c'eût été le repos bien gagné par ses cinquante ans d'escaliers montés et descendus, de matelas retournés, de charbon porté d'étage en étage, de coups de balai et de coups de brosse.

Hector, éperdu, venait chaque jour ; chaque jour il la trouvait tranquille et sereine, et déclarant :

« Je n'peux pu r'muer, mon pauv' monsieur ; je n'peux pu. »

Chaque soir, Mme de Gribelin demandait, dévorée d'angoisse :

« Et Mme Simon ? »

Et, chaque fois, il répondait avec un abattement désespéré :

« Rien de changé, absolument rien ! »

On renvoya la bonne, dont les gages devenaient trop lourds. On économisa davantage encore, la gratification tout entière y passa.

Alors Hector assembla quatre grands médecins qui se réunirent autour de la vieille. Elle se laissa examiner, tâter, palper, en les guettant d'un œil malin.

« Il faut la faire marcher », dit l'un.

Elle s'écria :

« Je n'peux pu, mes bons messieurs, je n'peux pu ! »

Alors ils l'empoignèrent, la soulevèrent, la traînèrent quelque pas ; mais elle leur échappa des mains et s'écroula sur le plancher en poussant des clameurs si épouvantables qu'ils la reportèrent sur son siège avec des précautions infinies.

Ils émirent une opinion discrète, concluant cependant à l'impossibilité du travail.

Et quand Hector apporta cette nouvelle à sa femme, elle se laissa choir sur une chaise en balbutiant :

« Il vaudrait encore mieux la prendre ici, ça nous coûterait moins cher. »

Il bondit :

« Ici, chez nous, y penses-tu ? »

Mais elle répondit, résignée à tout maintenant, et avec des larmes dans les yeux :

« Que veux-tu, mon ami, ce n'est pas ma faute !... »

DEUX AMIS

Paris était bloqué, affamé et râlant. Les moineaux se faisaient bien rares sur les toits, et les égouts se dépeuplaient. On mangeait n'importe quoi.

Comme il se promenait tristement par un clair matin de janvier le long du boulevard extérieur, les mains dans les poches de sa culotte d'uniforme et le ventre vide, M. Morissot, horloger de son état et pantouflard par occasion, s'arrêta net devant un confrère qu'il reconnut pour un ami. C'était M. Sauvage, une connaissance du bord de l'eau.

Chaque dimanche, avant la guerre, Morissot partait dès l'aurore, une canne en bambou d'une main, une boîte en fer-blanc sur le dos. Il prenait le chemin de fer d'Argenteuil, descendait à Colombes, puis gagnait à pied l'île Marante. A peine arrivé en ce lieu de ses rêves, il se mettait à pêcher ; il pêchait jusqu'à la nuit.

Chaque dimanche, il rencontrait là un petit homme replet et jovial, M. Sauvage, mercier rue Notre-Dame-de-Lorette, autre pêcheur fanatique. Ils passaient souvent une demi-journée côte à côte, la ligne à la main et les pieds ballants au-dessus du courant ; et ils s'étaient pris d'amitié l'un pour l'autre.

En certains jours, ils ne parlaient pas. Quelquefois ils causaient ; mais ils s'entendaient admirablement sans rien dire, ayant des goûts semblables et des sensations identiques.

Au printemps, le matin, vers dix heures, quand le soleil rajeuni faisait flotter sur le fleuve tranquille cette petite buée qui coule avec l'eau et versait dans le dos des deux enragés pêcheurs une bonne chaleur de saison nouvelle, Morissot parfois disait à son voisin : « Hein ! quelle douceur ! » et M. Sauvage répondait : « Je ne connais rien de meilleur. » Et cela leur suffisait pour se comprendre et s'estimer.

A l'automne, vers la fin du jour, quand le ciel, ensanglanté par le soleil couchant, jetait dans l'eau des figures de nuages écarlates, empourprait le fleuve entier, enflammait l'horizon, faisait rouge comme du feu entre les deux amis et dorait les arbres roussis déjà, frémissants d'un frisson d'hiver, M. Sauvage regardait en souriant Morissot et prononçait : « Quel spectacle ! » Et Morissot émerveillé répondait, sans quitter des yeux son flotteur : « Cela vaut mieux que le boulevard, hein ? »

Dès qu'ils se furent reconnus, ils se serrèrent les mains énergiquement, tout émus de se retrouver en des circonstances si différentes. M. Sauvage, poussant un soupir, murmura : « En voilà des événements ! » Morissot, très morne, gémit : « Et quel temps ! C'est aujourd'hui le premier beau jour de l'année. »

Le ciel était, en effet, tout bleu et plein de lumière.

Ils se mirent à marcher côte à côte, rêveurs et tristes. Morissot reprit : « Et la pêche, hein ? Quel bon souvenir ! »

M. Sauvage demanda : « Quand y retournerons-nous ? »

Ils entrèrent dans un petit café et burent ensemble

une absinthe ; puis ils se remirent à se promener sur les trottoirs.

Morissot s'arrêta soudain : « Une seconde verte, hein ? » M. Sauvage y consentit : « A votre disposition. » Et ils pénétrèrent chez un autre marchand de vins.

Ils étaient fort étourdis en sortant, troublés comme des gens à jeun dont le ventre est plein d'alcool. Il faisait doux. Une brise caressante leur chatouillait le visage.

M. Sauvage, que l'air tiède achevait de griser, s'arrêta : « Si on y allait ?

— Où ça ?

— A la pêche, donc.

— Mais où ?

— Mais à notre île. Les avant-postes français sont auprès de Colombes. Je connais le colonel Dumoulin ; on nous laissera passer facilement. »

Morissot frémit de désir : « C'est dit. J'en suis. » Et ils se séparèrent pour prendre leurs instruments.

Une heure après, ils marchaient côte à côte sur la grand-route. Puis ils gagnèrent la villa qu'occupait le colonel. Il sourit de leur demande et consentit à leur fantaisie. Ils se remirent en marche, munis d'un laissez-passer.

Bientôt ils franchirent les avant-postes, traversèrent Colombes abandonné, et se trouvèrent au bord des petits champs de vigne qui descendent vers la Seine. Il était environ onze heures.

En face, le village d'Argenteuil semblait mort. Les hauteurs d'Orgemont et de Sannois dominaient tout le pays. La grande plaine qui va jusqu'à Nanterre était vide, toute vide, avec ses cerisiers nus et ses terres grises.

M. Sauvage, montrant du doigt les sommets, murmura : « Les Prussiens sont là-haut ! » Et une inquiétude paralysait les deux amis devant ce pays désert.

Les Prussiens ! Ils n'en avaient jamais aperçu, mais ils les sentaient là depuis des mois, autour de Paris, ruinant la France, pillant, massacrant, affamant, invisibles et tout-puissants. Et une sorte de terreur superstitieuse s'ajoutait à la haine qu'ils avaient pour ce peuple inconnu et victorieux.

Morissot balbutia : « Hein ! si nous allions en rencontrer ? »

M. Sauvage répondit, avec cette gouaillerie parisienne reparaissant malgré tout :

« Nous leur offririons une friture. »

Mais ils hésitaient à s'aventurer dans la campagne, intimidés par le silence de tout l'horizon.

A la fin, M. Sauvage se décida : « Allons, en route ! Mais avec précaution. » Et ils descendirent dans un champ de vigne, courbés en deux, rampant, profitant des buissons pour se couvrir, l'œil inquiet, l'oreille tendue.

Une bande de terre nue restait à traverser pour gagner le bord du fleuve. Ils se mirent à courir ; et dès qu'ils eurent atteint la berge, ils se blottirent dans les roseaux secs.

Morissot colla sa joue par terre pour écouter si on ne marchait pas dans les environs. Il n'entendit rien. Ils étaient bien seuls, tout seuls.

Ils se rassurèrent et se mirent à pêcher.

En face d'eux, l'île Marante abandonnée les cachait à l'autre berge. La petite maison du restaurant était close, semblait délaissée depuis des années.

M. Sauvage prit le premier goujon. Morissot attrapa le second, et d'instant en instant ils levaient leurs lignes avec une petite bête argentée frétillant au bout du fil ; une vraie pêche miraculeuse.

Ils introduisaient délicatement les poissons dans une poche de filet à mailles très serrées, qui trempait à leurs pieds, et une joie délicieuse les pénétrait, cette joie qui vous saisit quand on retrouve un plaisir aimé dont on est privé depuis longtemps.

Le bon soleil leur coulait sa chaleur entre les épaules ; ils n'écoutaient plus rien ; ils ne pensaient plus à rien ; ils ignoraient le reste du monde ; ils pêchaient.

Mais soudain un bruit sourd qui semblait venir de sous terre fit trembler le sol. Le canon se remettait à tonner.

Morissot tourna la tête et par-dessus la berge il aperçut là-bas, sur la gauche, la grande silhouette du Mont-Valérien, qui portait au front une aigrette blanche, une buée de poudre qu'il venait de cracher.

Et aussitôt un second jet de fumée partit du sommet de la forteresse ; et quelques instants après une nouvelle détonation gronda.

Puis d'autres suivirent, et de moment en moment, la montagne jetait son haleine de mort, soufflait ses vapeurs laiteuses qui s'élevaient lentement dans le ciel calme, faisaient un nuage au-dessus d'elle.

M. Sauvage haussa les épaules. « Voilà qu'ils recommencent », dit-il.

Morissot, qui regardait anxieusement plonger coup sur coup la plume de son flotteur, fut pris soudain d'une colère d'homme paisible contre ces enragés qui se battaient ainsi, et il grommela : « Faut-il être stupide pour se tuer comme ça ! »

M. Sauvage reprit : « C'est pis que des bêtes. »

Et Morissot, qui venait de saisir une ablette,

déclara : « Et dire que ce sera toujours ainsi tant qu'il y aura des gouvernements. »

M. Sauvage l'arrêta : « La République n'aurait pas déclaré la guerre... »

Morissot l'interrompit : « Avec les rois on a la guerre au-dehors ; avec la République on a la guerre au-dedans. »

Et tranquillement ils se mirent à discuter, débrouillant les grands problèmes politiques avec une raison saine d'hommes doux et bornés, tombant d'accord sur ce point : qu'on ne serait jamais libres. Et le Mont-Valérien tonnait sans repos, démolissant à coups de boulet des maisons françaises, broyant des vies, écrasant des êtres, mettant fin à bien des rêves, à bien des joies attendues, à bien des bonheurs espérés, ouvrant en des cœurs de femmes, en des cœurs de filles, en des cœurs de mères, là-bas, en d'autres pays, des souffrances qui ne finiraient plus.

« C'est la vie », déclara M. Sauvage.

« Dites plutôt que c'est la mort », reprit en riant Morissot.

Mais ils tressaillirent, effarés, sentant bien qu'on venait de marcher derrière eux ; et ayant tourné les yeux, ils aperçurent, debout contre leurs épaules, quatre hommes, quatre grands hommes armés et barbus, vêtus comme des domestiques en livrée et coiffés de casquettes plates, les tenant en joue au bout de leurs fusils.

Les deux lignes s'échappèrent de leurs mains et se mirent à descendre la rivière.

En quelques secondes, ils furent saisis, emportés, jetés dans une barque et passés dans l'île.

Et derrière la maison qu'ils avaient crue abandonnée, ils aperçurent une vingtaine de soldats allemands.

Une sorte de géant velu, qui fumait, à cheval sur une chaise, une grande pipe de porcelaine, leur demanda, en excellent français : « Eh bien, Messieurs, avez-vous fait bonne pêche ? »

Alors un soldat déposa aux pieds de l'officier le filet plein de poissons qu'il avait eu soin d'emporter. Le Prussien sourit : « Eh ! eh ! je vois que ça n'allait pas mal. Mais il s'agit d'autre chose. Ecoutez-moi et ne vous troublez pas.

« Pour moi, vous êtes deux espions envoyés pour me guetter. Je vous prends et je vous fusille. Vous faisiez semblant de pêcher afin de mieux dissimuler vos projets. Vous êtes tombés entre mes mains, tant pis pour vous ; c'est la guerre.

« Mais comme vous êtes sortis par les avant-postes, vous avez assurément un mot d'ordre pour rentrer. Donnez-moi ce mot d'ordre et je vous fais grâce. »

Les deux amis, livides, côte à côte, les mains agitées d'un léger tremblement nerveux, se taisaient.

L'officier reprit : « Personne ne le saura jamais, vous rentrerez paisiblement. Le secret disparaîtra avec vous. Si vous refusez, c'est la mort, et tout de suite. Choisissez. »

Ils demeuraient immobiles sans ouvrir la bouche.

Le Prussien, toujours calme, reprit en étendant la main vers la rivière : « Songez que dans cinq minutes vous serez au fond de cette eau. Dans cinq minutes ! Vous devez avoir des parents ? »

Le Mont-Valérien tonnait toujours.

Les deux pêcheurs restaient debout et silencieux. L'Allemand donna des ordres dans sa langue. Puis il changea sa chaise de place pour ne pas se trouver trop près des prisonniers ; et douze hommes vinrent se placer à vingt pas, le fusil au pied.

L'officier reprit : « Je vous donne une minute, pas deux secondes de plus. »

Puis il se leva brusquement, s'approcha des deux Français, prit Morissot sous le bras, l'entraîna plus loin, lui dit à voix basse : « Vite, ce mot d'ordre ? Votre camarade ne saura rien, j'aurai l'air de m'attendrir. »

Morissot ne répondit rien.

Le Prussien entraîna alors M. Sauvage et lui posa la même question.

M. Sauvage ne répondit pas.

Ils se retrouvèrent côte à côte.

Et l'officier se mit à commander. Les soldats élevèrent leurs armes.

Alors le regard de Morissot tomba par hasard sur le filet plein de goujons, resté dans l'herbe, à quelques pas de lui.

Un rayon de soleil faisait briller le tas de poissons qui s'agitaient encore. Et une défaillance l'envahit. Malgré ses efforts, ses yeux s'emplirent de larmes.

Il balbutia : « Adieu, monsieur Sauvage. »

M. Sauvage répondit : « Adieu, monsieur Morissot. »

Ils se serrèrent la main, secoués des pieds à la tête par d'invincibles tremblements.

L'officier cria : « Feu ! »

Les douze coups n'en firent qu'un.

M. Sauvage tomba d'un bloc sur le nez. Morissot, plus grand, oscilla, pivota et s'abattit en travers sur son camarade, le visage au ciel, tandis que des bouillons de sang s'échappaient de sa tunique crevée à la poitrine.

L'Allemand donna de nouveaux ordres.

Ses hommes se dispersèrent, puis revinrent avec des cordes et des pierres qu'ils attachèrent aux pieds des deux morts ; puis ils les portèrent sur la berge.

Le Mont-Valérien ne cessait pas de gronder, coiffé maintenant d'une montagne de fumée.

Deux soldats prirent Morissot par la tête et par les jambes ; deux autres saisirent M. Sauvage de la même façon. Les corps, un instant balancés avec force, furent lancés au loin, décrivirent une courbe, puis plongèrent, debout, dans le fleuve, les pierres entraînant les pieds d'abord.

L'eau rejaillit, bouillonna, frissonna, puis se calma, tandis que de toutes petites vagues s'en venaient jusqu'aux rives.

Un peu de sang flottait.

L'officier, toujours serein, dit à mi-voix : « C'est le tour des poissons maintenant. »

Puis il revint vers la maison.

Et soudain il aperçut le filet aux goujons dans l'herbe. Il le ramassa, l'examina, sourit, cria : « Wilhelm ! »

Un soldat accourut, en tablier blanc. Et le Prussien, lui jetant la pêche des deux fusillés, commanda : « Fais-moi frire tout de suite ces petits animaux-là pendant qu'ils sont encore vivants. Ce sera délicieux. »

Puis il se remit à fumer sa pipe.

LE VOLEUR

« Puisque je vous dis qu'on ne la croira pas.

— Racontez tout de même.

— Je le veux bien. Mais j'éprouve d'abord le besoin de vous affirmer que mon histoire est vraie en tous points, quelque invraisemblable qu'elle paraisse. Les peintres seuls ne s'étonneront point, surtout les vieux qui ont connu cette époque de charges furieuses, cette époque où l'esprit farceur sévissait si bien qu'il nous hantait encore dans les circonstances les plus graves. »

Et le vieil artiste se mit à cheval sur une chaise.

Ceci se passait dans la salle à manger d'un hôtel de Barbizon.

Il reprit : « Donc nous avions dîné ce soir-là chez le pauvre Sorieul, aujourd'hui mort, le plus enragé de nous. Nous étions trois seulement : Sorieul, moi et Le Poittevin, je crois ; mais je n'oserais affirmer que c'était lui. Je parle, bien entendu, du peintre de marine Eugène Le Poittevin, mort aussi, et non du paysagiste, bien vivant et plein de talent.

Dire que nous avions dîné chez Sorieul, cela signifie que nous étions gris, Le Poittevin seul avait gardé sa raison, un peu noyée il est vrai, mais claire encore.

LE VOLEUR

Nous étions jeunes en ce temps-là. Etendus sur des tapis, nous discourions extravagamment dans la petite chambre qui touchait à l'atelier. Sorieul, le dos à terre, les jambes sur une chaise, parlait bataille, discourait sur les uniformes de l'Empire, et soudain se levant, il prit dans sa grande armoire aux accessoires une tunique complète de hussard, et s'en revêtit. Après quoi il contraignit Le Poittevin à se costumer en grenadier. Et comme celui-ci résistait, nous l'empoignâmes, et, après l'avoir déshabillé, nous l'introduisîmes dans un uniforme immense où il fut englouti.

Je me déguisai moi-même en cuirassier. Et Sorieul nous fit exécuter un mouvement compliqué. Puis il s'écria : « Puisque nous sommes ce soir des soudards, buvons comme des soudards ! »

Un punch fut allumé, avalé, puis une seconde fois la flamme s'éleva sur le bol rempli de rhum. Et nous chantions à pleine gueule des chansons anciennes, des chansons que braillaient jadis les vieux troupiers de la grande armée.

Tout à coup Le Poittevin, qui restait malgré tout presque maître de lui, nous fit taire, puis, après un silence de quelques secondes, il dit à mi-voix : « Je suis sûr qu'on a marché dans l'atelier. » Sorieul se leva comme il put et s'écria : « Un voleur ! quelle chance ! » Puis, soudain, il entonna la *Marseillaise :*

Aux armes, citoyens !

Et se précipitant sur une panoplie, il nous équipa, selon nos uniformes. J'eus une sorte de mousquet et un sabre ; Le Poittevin, un gigantesque fusil à baïonnette, et Sorieul, ne trouvant pas ce qu'il fallait, s'empara d'un pistolet d'arçon qu'il glissa dans sa ceinture, et d'une hache d'abordage qu'il brandit. Puis il ouvrit avec précaution la porte de l'atelier, et l'armée entra sur le territoire suspect.

Quand nous fûmes au milieu de la vaste pièce encombrée de toiles immenses, de meubles, d'objets singuliers et inattendus, Sorieul nous dit : « Je me nomme général. Tenons un conseil de guerre. Toi, les cuirassiers, tu vas couper la retraite à l'ennemi, c'est-à-dire donner un tour de clef à la porte. Toi, les grenadiers, tu seras mon escorte. »

J'exécutai le mouvement commandé, puis je rejoignis le gros des troupes qui opérait une reconnaissance.

Au moment où j'allais le rattraper derrière un grand paravent, un bruit furieux éclata. Je m'élançai, portant toujours une bougie à la main. Le Poittevin venait de traverser d'un coup de baïonnette la poitrine d'un mannequin dont Sorieul fendait la tête à coups de hache. L'erreur reconnue, le général commanda : « Soyons prudents », et les opérations recommencèrent.

Depuis vingt minutes au moins on fouillait tous les coins et recoins de l'atelier, sans succès, quand Le Poittevin eut l'idée d'ouvrir un immense placard. Il était sombre et profond, j'avançai mon bras qui tenait la lumière et je reculai, stupéfait : un homme était là, un homme vivant, qui m'avait regardé.

Immédiatement, je refermai le placard à deux tours de clef et on tint de nouveau conseil.

Les avis étaient très partagés. Sorieul voulait enfumer le voleur, Le Poittevin parlait de le prendre par la famine. Je proposai de faire sauter le placard avec de la poudre.

L'avis de Le Poittevin prévalut ; et pendant qu'il montait la garde avec son grand fusil, nous allâmes chercher le reste du punch et nos pipes ; puis on s'installa devant la porte fermée, et on but au prisonnier.

Au bout d'une demi-heure, Sorieul dit : « C'est égal, je voudrais bien le voir de près. Si nous nous emparions de lui par la force ? »

Je criai : « Bravo ! » Chacun s'élança sur ses armes ; la porte du placard fut ouverte, et Sorieul, armant son pistolet qui n'était pas chargé, se précipita le premier.

Nous le suivîmes en hurlant. Ce fut une bousculade effroyable dans l'ombre ; et après cinq minutes d'une lutte invraisemblable, nous ramenâmes au jour une sorte de vieux bandit à cheveux blancs, sordide et déguenillé.

On lui lia les pieds et les mains, puis on l'assit dans un fauteuil. Il ne prononça pas une parole.

Alors Sorieul, pénétré d'une ivresse solennelle, se tourna vers nous :

« Maintenant, nous allons juger ce misérable. »

J'étais tellement gris que cette proposition me parut toute naturelle.

Le Poittevin fut chargé de présenter la défense et moi de soutenir l'accusation.

Il fut condamné à mort à l'unanimité moins une voix, celle de son défenseur.

« Nous allons l'exécuter », dit Sorieul. Mais un scrupule lui vint : « Cet homme ne doit pas mourir privé des secours de la religion. Si on allait chercher un prêtre ? » J'objectai qu'il était tard. Alors Sorieul me proposa de remplir son office ; et il exhorta le criminel à se confesser dans mon sein.

L'homme, depuis cinq minutes, roulait des yeux épouvantés, se demandant à quel genre d'êtres il avait affaire. Alors il articula d'une voix creuse, brûlée par l'alcool : « Vous voulez rire, sans doute ? » Mais Sorieul l'agenouilla de force et, de crainte que ses parents eussent omis de le faire baptiser, il lui versa sur le crâne un verre de rhum.

Puis il dit :

« Confesse-toi à monsieur ; ta dernière heure a sonné. »

Eperdu, le vieux gredin se mit à crier : « Au secours ! » avec une telle force qu'on fut contraint de le bâillonner pour ne pas réveiller tous les voisins. Alors il se roula par terre, ruant et se tordant, renversant les meubles, crevant les toiles. A la fin, Sorieul, impatienté, cria : « Finissons-en ! » Et visant le misérable étendu par terre, il pressa la détente de son pistolet. Le chien tomba avec un petit bruit sec. Emporté par l'exemple, je tirai à mon tour. Mon fusil, qui était à pierre, lança une étincelle dont je fus surpris.

Alors Le Poittevin prononça gravement ces paroles :

« Avons-nous bien le droit de tuer cet homme ? »

Sorieul, stupéfait, répondit : « Puisque nous l'avons condamné à mort ! »

Mais Le Poittevin reprit : « On ne fusille pas les civils, celui-ci doit être livré au bourreau. Il faut le conduire au poste. »

L'argument nous parut concluant. On ramassa l'homme et, comme il ne pouvait marcher, il fut placé sur une planche de table à modèle, solidement attaché, et je l'emportai avec Le Poittevin, tandis que Sorieul, armé jusqu'aux dents, fermait la marche.

Devant le poste, la sentinelle nous arrêta. Le chef de poste, mandé, nous reconnut, et comme chaque jour il était témoin de nos farces, de nos scies, de nos inventions invraisemblables, il se contenta de rire et refusa notre prisonnier.

Sorieul insista ; alors le soldat nous invita sévèrement à retourner chez nous sans faire de bruit.

La troupe se remit en route et rentra dans l'atelier. Je demandai : « Qu'allons-nous faire du voleur ? »

Le Poittevin, attendri, affirma qu'il devait être bien fatigué, cet homme. En effet, il avait l'air agonisant, ainsi ficelé, bâillonné, ligaturé sur sa planche.

Je fus pris à mon tour d'une pitié violente, une pitié d'ivrogne et, enlevant son bâillon, je lui demandai : « Eh bien, mon pauv' vieux, comment ça va-t-il ? »

Il gémit : « J'en ai assez, nom d'un chien ! » Alors Sorieul devint paternel. Il le délivra de tous ses liens, le fit asseoir, le tutoya, et, pour le réconforter, nous nous mîmes tous trois à préparer bien vite un nouveau punch. Le voleur, tranquille dans son fauteuil, nous regardait. Quand la boisson fut prête, on lui tendit un verre ; nous lui aurions volontiers soutenu la tête, et on trinqua.

Le prisonnier but autant qu'un régiment. Mais comme le jour commençait à paraître, il se leva et, d'un air fort calme : « Je vais être obligé de vous quitter, parce qu'il faut que je rentre chez moi. »

Nous fûmes désolés ; on voulut le retenir, mais il se refusa à rester plus longtemps.

Alors on se serra la main et Sorieul, avec sa bougie, l'éclaira dans le vestibule, en criant : « Prenez garde à la marche sous la porte cochère ! »

On riait franchement autour du conteur. Il se leva,

alluma sa pipe, et il ajouta, en se campant en face de nous :

« Mais le plus drôle de mon histoire, c'est qu'elle est vraie. »

TOINE

I

On le connaissait à dix lieues aux environs, le père Toine, le gros Toine, Toine-ma-Fine, Antoine Mâcheblé, dit Brûlot, le cabaretier de Tournevent.

Il avait rendu célèbre le hameau enfoncé dans un pli du vallon qui descendait vers la mer, pauvre hameau paysan composé de dix maisons normandes entourées de fossés et d'arbres.

Elles étaient là, ces maisons, blotties dans ce ravin couvert d'herbe et d'ajonc, derrière la courbe qui avait fait nommer ce lieu Tournevent. Elles semblaient avoir cherché un abri dans ce trou comme les oiseaux qui se cachent dans les sillons les jours d'ouragan, un abri contre le grand vent de mer, le vent du large, le vent dur et salé, qui ronge et brûle comme le feu, dessèche et détruit comme les gelées d'hiver.

Mais le hameau tout entier semblait être la propriété d'Antoine Mâcheblé, dit Brûlot, qu'on appelait d'ailleurs aussi souvent Toine et Toine-ma-Fine, par suite d'une locution dont il se servait sans cesse :

— Ma Fine est la première de France.

Sa Fine, c'était son cognac, bien entendu.

TOINE

Depuis vingt ans il abreuvait le pays de sa Fine et de ses Brûlots, car chaque fois qu'on lui demandait : « Qu'est-ce que j'allons bé, pé Toine ? » il répondait invariablement : « Un brûlot, mon gendre, ça chauffe la tripe et ça nettoie la tête ; y a rien de meilleur pour le corps. »

Il avait aussi cette coutume d'appeler tout le monde « mon gendre », bien qu'il n'eût jamais eu de fille mariée ou à marier.

Ah ! oui, on le connaissait, Toine Brûlot, le plus gros homme du canton, et même de l'arrondissement. Sa petite maison semblait dérisoirement trop étroite et trop basse pour le contenir, et quand on le voyait debout sur sa porte où il passait des journées entières, on se demandait comment il pourrait entrer dans sa demeure. Il y rentrait chaque fois que se présentait un consommateur, car Toine-ma-Fine était invité de droit à prélever son petit verre sur tout ce qu'on buvait chez lui.

Son café avait pour enseigne : *Au rendez-vous des Amis*, et il était bien, le pé Toine, l'ami de toute la contrée. On venait de Fécamp et de Montivilliers pour le voir et pour rigoler en l'écoutant, car il aurait fait rire une pierre de tombe, ce gros homme. Il avait une manière de blaguer les gens sans les fâcher, de cligner de l'œil pour exprimer ce qu'il ne disait pas, de se taper sur la cuisse dans ses accès de gaieté qui vous tirait le rire du ventre malgré vous, à tous les coups. Et puis c'était une curiosité rien que de le regarder boire. Il buvait tant qu'on lui en offrait, et de tout, avec une joie dans son œil malin, une joie qui venait de son double plaisir, plaisir de se régaler d'abord et d'amasser des gros sous, ensuite pour sa régalade.

Les farceurs du pays lui demandaient :

— Pourquoi que tu ne bé point la mé, pé Toine ?

Il répondait :

— Y a deux choses qui m'opposent, primo qu'a l'est salée, et deusio qu'i faudrait la mettre en bouteilles, vu que mon abdomin n'est point pliable pour bé à c'te tasse-là !

Et puis il fallait l'entendre se quereller avec sa femme ! C'était une telle comédie qu'on aurait payé sa place de bon cœur. Depuis trente ans qu'ils étaient mariés, ils se chamaillaient tous les jours. Seulement Toine rigolait, tandis que sa bourgeoise se fâchait. C'était une grande paysanne, marchant à longs pas d'échassier, et portant une tête de chat-huant en colère. Elle passait son temps à élever des poules dans une petite cour, derrière le cabaret, et elle était renommée pour la façon dont elle savait engraisser les volailles.

Quand on donnait un repas à Fécamp chez des gens de la haute, il fallait, pour que le dîner fût goûté, qu'on y mangeât une pensionnaire de la mé Toine.

Mais elle était née de mauvaise humeur et elle avait continué à être mécontente de tout. Fâchée contre le monde entier, elle en voulait principalement à son mari. Elle lui en voulait de sa gaieté, de sa renommée, de sa santé et de son embonpoint. Elle le traitait de propre à rien, parce qu'il gagnait de l'argent sans rien faire, de sapas, parce qu'il mangeait et buvait comme dix hommes ordinaires, et il ne se passait point de jour sans qu'elle déclarât d'un air exaspéré :

— Ça serait-il point mieux dans l'étable à cochons un quétou comme ça ? C'est que d' la graisse, que ça en fait mal au cœur.

Et elle lui criait dans la figure :

— Espère, espère un brin ; j' verrons c' qu'arrivera, j' verrons ben ! Ça crèvera comme un sac à grain, ce gros bouffi !

Toine riait de tout son cœur en se tapant sur le ventre et répondait :

— Eh ! la mé Poule, ma planche, tâche d'engraisser comme ça d' la volaille. Tâche pour voir.

Et relevant sa manche sur son bras énorme :

— En v'là un aileron, la mé, en v'là un !

Et les consommateurs tapaient du poing sur les tables en se tordant de joie, tapaient du pied sur la terre du sol, et crachaient par terre dans un délire de gaieté.

La vieille, furieuse, reprenait :

— Espère un brin... espère un brin... j' verrons c' qu'arrivera... ça crèvera comme un sac à grain...

Et elle s'en allait furieuse, sous les rires des buveurs.

Toine, en effet, était surprenant à voir, tant il était devenu épais et gros, rouge et soufflant. C'était un de ces êtres énormes sur qui la mort semble s'amuser, avec des ruses, des gaietés et des perfidies bouffonnes, rendant irrésistiblement comique son travail lent de destruction. Au lieu de se montrer comme elle fait chez les autres, la gueuse, de se montrer dans les cheveux blancs, dans la maigreur, dans les rides, dans l'affaissement croissant qui fait dire avec un frisson : « Bigre ! comme il a changé ! » elle prenait plaisir à l'engraisser, celui-là, à le faire monstrueux et drôle, à l'enluminer de rouge et de bleu, à le souffler, à lui donner l'apparence d'une santé surhumaine ; et les déformations qu'elle inflige à tous les êtres devenaient chez lui risibles, cocasses, divertissantes, au lieu d'être sinistres et pitoyables.

— Espère un brin, répétait la mère Toine, j'verrons ce qu'arrivera.

II

Il arriva que Toine eut une attaque et tomba paralysé. On coucha ce colosse dans la petite chambre derrière la cloison du café, afin qu'il pût entendre ce qu'on disait à côté, et causer avec les amis, car sa tête était demeurée libre, tandis que son corps, un corps énorme, impossible à remuer, à soulever, restait frappé d'immobilité. On espérait, dans les premiers temps, que ses grosses jambes reprendraient quelque énergie, mais cet espoir disparut bientôt, et Toine-ma-Fine passa ses jours et ses nuits dans son lit qu'on ne retapait qu'une fois par semaine, avec le secours de quatre voisins qui enlevaient le cabaretier par les quatre membres pendant qu'on retournait sa paillasse.

Il demeurait gai pourtant, mais d'une gaieté différente, plus timide, plus humble, avec des craintes de petit enfant devant sa femme qui piaillait toute la journée :

— Le v'là, le gros sapas, le v'là, le propre à rien, le faigniant, ce gros soulot ! C'est du propre, c'est du propre !

Il ne répondait plus. Il clignait seulement de l'œil derrière le dos de la vieille et il se retournait sur sa couche, seul mouvement qui lui demeurât possible. Il appelait cet exercice faire un « va-t-au nord », ou un « va-t-au sud ».

Sa grande distraction maintenant c'était d'écouter

les conversations du café, et de dialoguer à travers le mur quand il reconnaissait les voix des amis. Il criait :

— Hé, mon gendre, c'est té, Célestin ?

Et Célestin Maloisel répondait :

— C'est mé, pé Toine. C'est-il que tu regalopes, gros lapin ?

Toine-ma-Fine prononçait :

— Pour galoper, point encore. Mais je n'ai point maigri, l' coffre est bon.

Bientôt, il fit venir les plus intimes dans sa chambre et on lui tenait compagnie, bien qu'il se désolât de voir qu'on buvait sans lui. Il répétait :

— C'est ça qui me fait deuil, mon gendre, de n' pu goûter d' ma fine, nom d'un nom ! L' reste, j' m'en gargarise, mais de ne point bé, ça me fait deuil.

Et la tête de chat-huant de la mère Toine apparaissait dans la fenêtre. Elle criait :

— Guétez-le- guétez-le, à c't'heure, ce gros faigniant, qu'i faut nourrir, qu'i faut laver, qu'i faut nettoyer comme un porc !

Et quand la vieille avait disparu, un coq aux plumes rouges sautait parfois sur la fenêtre, regardait d'un œil rond et curieux dans la chambre, puis poussait son cri sonore. Et parfois aussi, une ou deux poules volaient jusqu'aux pieds du lit, cherchant des miettes sur le sol.

Les amis de Toine-ma-Fine désertèrent bientôt la salle du café, pour venir, chaque après-midi, faire la causette autour du lit du gros homme. Tout couché qu'il était, ce farceur de Toine, il les amusait encore. Il aurait fait rire le diable, ce malin-là. Ils étaient trois qui reparaissaient tous les jours : Célestin Maloisel, un grand maigre, un peu tordu comme un tronc de pommier ; Prosper Horslaville, un petit sec avec un nez de furet, malicieux, futé comme un renard, et Césaire Paumelle, qui ne parlait jamais mais qui s'amusait tout de même.

On apportait une planche de la cour, on la posait au bord du lit et on jouait aux dominos, pardi, et on faisait de rudes parties, depuis deux heures jusqu'à six.

Mais la mère Toine devint bientôt insupportable. Elle ne pouvait point tolérer que son gros fainéant d'homme continuât à se distraire en jouant aux dominos dans son lit ; et chaque fois qu'elle voyait une partie commencée, elle s'élançait avec fureur, culbutait la planche, saisissait le jeu, le rapportait dans le café et déclarait que c'était assez de nourrir ce gros suiffeux à ne rien faire sans le voir encore se divertir comme pour narguer le pauvre monde qui travaillait toute la journée.

Célestin Maloisel et Césaire Paumelle courbaient la tête, mais Prosper Horslaville excitait la vieille, s'amusait de ses colères.

La voyant un jour plus exaspérée que de coutume, il lui dit :

— Hé ! la mé, savez-vous c' que j' f'rais, mé, si j'étais de vous ?

Elle attendit qu'il s'expliquât, fixant sur lui son œil de chouette.

Il reprit :

— Il est chaud comme un four, vot' homme, qui n'sort point d' son lit. Eh ben, mé, j' li f'rais couver des œufs.

Elle demeura stupéfaite, pensant qu'on se moquait d'elle, considérant la figure mince et rusée du paysan qui continua :

— J'y en mettrais cinq sous un bras, cinq sous l'autre, l' même jour que je donnerais la couvée à une poule. Ça naîtrait d' même. Quand ils seraient éclos, j' porterais à vot' poule les poussins de vot' homme pour qu'a les élève. Ça vous en f'rait de la volaille, la mé !

La vieille, interdite, demanda :

— Ça se peut-il ?

L'homme reprit :

— Si ça s' peut ! Pourqué quc ça n' se pourrait point ? Pisqu'on fait ben couver d's œufs dans une boîte chaude, on peut en mett' couver dans un lit !

Elle fut frappée par ce raisonnement et s'en alla, songeuse et calmée.

Huit jours plus tard elle entra dans la chambre de Toine avec son tablier plein d'œufs. Et elle dit :

— J' viens d' mett' la jaune au nid avec dix œufs. En v'là dix pour té. Tâche de n' point les casser.

Toine, éperdu, demanda :

— Qué que tu veux ?

Elle répondit :

— J' veux qu' tu les couves, propre à rien.

Il rit d'abord ; puis, comme elle insistait, il se fâcha, il résista, il refusa résolument de laisser mettre sous ses gros bras cette graine de volaille que sa chaleur ferait éclore.

Mais la vieille, furieuse, déclara :

— Tu n'auras point d' fricot tant que tu n' les prendras point ! J' verrons ben c' qu'arrivera.

Toine, inquiet, ne répondit rien.

Quand il entendit sonner midi, il appela :

— Hé ! la mé, la soupe est-il cuite ?

La vieille cria de sa cuisine :

— Y a point de soupe pour té, gros faigniant !

Il crut qu'elle plaisantait et attendit, puis il pria, supplia, jura, fit des « va-t-au nord » et des « va-t-au sud » désespérés, tapa la muraille à coups de poing, mais il dut se résigner à laisser introduire dans sa couche cinq œufs contre son flanc gauche. Après quoi il eut sa soupe.

Quand ses amis arrivèrent, ils le crurent tout à fait mal, tant il paraissait drôle et gêné.

Puis on fit la partie de tous les jours. Mais Toine semblait n'y prendre aucun plaisir et n'avançait la main qu'avec des lenteurs et des précautions infinies.

— T'as donc l' bras noué ? demandait Horslaville.

Toine répondit :

— J'ai quasiment t'une lourdeur dans l'épaule.

Soudain, on entendit entrer dans le café ; les joueurs se turent.

C'était le maire avec l'adjoint. Ils demandèrent deux verres de fine et se mirent à causer des affaires du pays. Comme ils parlaient à voix basse, Toine Brûlot voulut coller son oreille contre le mur et, oubliant ses œufs, il fit un brusque « va-t-au nord » qui le coucha sur une omelette.

Au juron qu'il poussa, la mère Toine accourut et, devinant le désastre, le découvrit d'une secousse. Elle demeura d'abord immobile, indignée, trop suffoquée pour parler devant le cataplasme jaune collé sur le flanc de son homme.

Puis, frémissant de fureur, elle se rua sur le paralytique et se mit à lui taper de grands coups sur le ventre, comme lorsqu'elle lavait son linge au bord de la mare. Ses mains tombaient l'une après l'autre avec un bruit sourd, rapides comme les pattes d'un lapin qui bat du tambour.

Les trois amis de Toine riaient à suffoquer, toussant, éternuant, poussant des cris, et le gros homme effaré parait les attaques de sa femme avec prudence, pour ne point casser encore les cinq œufs qu'il avait de l'autre côté.

III

Toine fut vaincu. Il dut couver, il dut renoncer aux parties de domino, renoncer à tout mouvement, car la vieille le privait de nourriture avec férocité chaque fois qu'il cassait un œuf.

Il demeurait sur le dos, l'œil au plafond, immobile, les bras soulevés comme des ailes, échauffant contre lui les germes de volailles enfermés dans les coques blanches.

Il ne parlait plus qu'à voix basse, comme s'il eût craint le bruit autant que le mouvement, et il s'inquiétait de la couveuse jaune qui accomplissait dans le poulailler la même besogne que lui.

Il demandait à sa femme :

— La jaune a-t-elle mangé la nuit ?

Et la vieille allait de ses poules à son homme, et de son homme à ses poules, obsédée, possédée par la préoccupation des petits poulets qui mûrissaient dans le lit et dans le nid.

Les gens du pays qui savaient l'histoire s'en venaient, curieux et sérieux, prendre des nouvelles de Toine. Ils entraient à pas légers comme on entre chez les malades et demandaient avec intérêt :

— Eh bien, ça va-t-il ?

Toine répondait :

— Pour aller, ça va, mais j'ai maujeure tant que ça m'échauffe. J'ai des fremis qui me galopent sur la peau.

Or, un matin, sa femme entra très émue et déclara :

— La jaune en a sept. Y avait trois œufs de mauvais.

Toine sentit battre son cœur. — Combien en aurait-il, lui ?

Il demanda :

— Ce sera tantôt ? — avec une angoisse de femme qui va devenir mère.

La vieille répondit d'un air furieux, torturée par la crainte d'un insuccès :

— Faut croire !

Ils attendirent. Les amis, prévenus que les temps étaient proches, arrivèrent bientôt inquiets eux-mêmes.

On en jasait dans les maisons. On allait s'informer aux portes voisines.

Vers trois heures, Toine s'assoupit. Il dormait maintenant la moitié des jours. Il fut réveillé soudain par un chatouillement inusité sous le bras droit. Il y porta aussitôt la main gauche et saisit une bête couverte de duvet jaune, qui remuait dans ses doigts.

Son émotion fut telle qu'il se mit à pousser des cris, et il lâcha le poussin qui courut sur sa poitrine. Le café était plein de monde. Les buveurs se précipitèrent, envahirent la chambre, firent cercle comme autour d'un saltimbanque, et la vieille étant arrivée cueillit avec précaution la bestiole blottie sous la barbe de son mari.

Personne ne parlait plus. C'était par un jour chaud d'avril. On entendait par la fenêtre ouverte glousser la poule jaune appelant ses nouveau-nés.

Toine, qui suait d'émotion, d'angoisse, d'inquiétude, murmura :

— J'en ai encore un sous le bras gauche, à c't'heure.

Sa femme plongea dans le lit sa grande main maigre et ramena un second poussin, avec des mouvements soigneux de sage-femme.

Les voisins voulurent le voir. On se le repassa en le considérant attentivement comme s'il eût été un phénomène.

Pendant vingt minutes, il n'en naquit pas, puis quatre sortirent en même temps de leurs coquilles.

Ce fut une grande rumeur parmi les assistants. Et Toine sourit, content de son succès, commençant à s'enorgueillir de cette paternité singulière. On n'en avait pas souvent vu comme lui, tout de même ! C'était un drôle d'homme, vraiment !

Il déclara :

— Ça fait six. Nom de nom, qué baptême !

Et un grand rire s'éleva dans le public. D'autres personnes emplissaient le café. D'autres encore attendaient devant la porte. On se demandait :

— Combien qu'i en a ?

— Y en a six.

La mère Toine portait à la poule cette famille nouvelle, et la poule gloussait éperdument, hérissait ses plumes, ouvrait les ailes toutes grandes pour abriter la troupe grossissante de ses petits.

— En v'là encore un ! cria Toine.

Il s'était trompé, il y en avait trois ! Ce fut un triomphe ! Le dernier creva son enveloppe à sept heures du soir. Tous les œufs étaient bons ! Et Toine affolé de joie, délivré, glorieux, baisa sur le dos le frêle animal, faillit l'étouffer avec ses lèvres. Il voulut le garder dans son lit, celui-là, jusqu'au lendemain, saisi par une tendresse de mère pour cet être si petiot qu'il avait donné à la vie ; mais la vieille l'emporta comme les autres sans écouter les supplications de son homme.

Les assistants, ravis, s'en allèrent en devisant de l'événement, et Horslaville, resté le dernier, demanda :

— Dis donc, pé Toine, tu m'invites à fricasser l' premier, pas vrai ?

A cette idée de fricassée, le visage de Toine s'illumina et le gros homme répondit :

— Pour sûr que je t'invite, mon gendre !

LES PRISONNIERS

Aucun bruit dans la forêt que le frémissement léger de la neige tombant sur les arbres. Elle tombait depuis midi, une petite neige fine qui poudrait les branches d'une mousse glacée qui jetait sur les feuilles mortes des fourrés un léger toit d'argent, étendait par les chemins un immense tapis moelleux et blanc, et qui épaississait le silence illimité de cet océan d'arbres.

Devant la porte de la maison forestière, une jeune femme, les bras nus, cassait du bois à coups de hache sur une pierre. Elle était grande, mince et forte, une fille des forêts, fille et femme de forestiers.

Une voix cria de l'intérieur de la maison :

— Nous sommes seules, ce soir, Berthine, faut rentrer, v'là la nuit, y a p' t'être bien des Prussiens et des loups qui rôdent.

La bûcheronne répondit en fendant une souche à grands coups qui redressaient sa poitrine à chaque mouvement pour lever les bras :

— J'ai fini, m'man. Me v'là, me v'là, y a pas de crainte ; il fait encore jour.

Puis elle rapporta ses fagots et ses bûches et les entassa le long de la cheminée, ressortit pour fermer les auvents, d'énormes auvents en cœur de chêne, et rentrée enfin, elle poussa les lourds verrous de la porte.

Sa mère filait auprès du feu, une vieille ridée que l'âge avait rendue craintive.

— J'aime pas, dit-elle, quand le père est dehors. Deux femmes, ça n'est pas fort.

La jeune répondit :

— Oh ! je tuerais ben un loup ou un Prussien tout de même.

Et elle montrait de l'œil un gros revolver suspendu au-dessus de l'âtre.

Son homme avait été incorporé dans l'armée au commencement de l'invasion prussienne, et les deux femmes étaient demeurées seules avec le père, le vieux garde Nicolas Pichon, dit l'Echasse, qui avait refusé obstinément de quitter sa demeure pour rentrer à la ville.

La ville prochaine, c'était Rethel, ancienne place forte perchée sur un rocher. On y était patriote, et les bourgeois avaient décidé de résister aux envahisseurs, de s'enfermer chez eux et de soutenir un siège selon la tradition de la cité. Deux fois déjà sous Henri IV et Louis XIV, les habitants de Rethel s'étaient illustrés par des défenses héroïques. Ils en feraient autant cette fois, ventrebleu ! ou bien on les brûlerait dans leurs murs.

Donc, ils avaient acheté des canons et des fusils, équipé une milice, formé des bataillons et des compagnies, et ils s'exerçaient tout le jour sur la place d'Armes. Tous, boulangers, épiciers, bouchers, notaires, avoués, menuisiers, libraires, pharmaciens eux-mêmes manœuvraient à tour de rôle, à des heures régulières, sous les ordres de M. Lavigne, ancien sous-officier de dragons, aujourd'hui mercier, ayant épousé la fille et hérité de la boutique de M. Ravaudan, l'aîné.

Il avait pris le grade de commandant-major de la place, et tous les jeunes hommes étant partis à l'armée, il avait enrégimenté tous les autres qui s'entraînaient pour la résistance. Les gros n'allaient plus par les rues qu'au pas gymnastique pour fondre leur graisse et prolonger leur haleine, les faibles portaient des fardeaux pour fortifier leurs muscles.

Et on attendait les Prussiens. Mais les Prussiens ne paraissaient pas. Ils n'étaient pas loin, cependant ; car deux fois déjà leurs éclaireurs avaient poussé à travers bois jusqu'à la maison forestière de Nicolas Pichon, dit l'Echasse.

Le vieux garde, qui courait comme un renard, était venu prévenir la ville. On avait pointé les canons, mais l'ennemi ne s'était point montré.

Le logis de l'Echasse servait de poste avancé dans la forêt d'Aveline. L'homme, deux fois par semaine, allait aux provisions et apportait aux bourgeois citadins des nouvelles de la campagne.

Il était parti ce jour-là pour annoncer qu'un petit détachement d'infanterie allemande s'était arrêté chez lui l'avant-veille, vers deux heures de l'après-midi, puis était reparti presque aussitôt. Le sous-officier qui commandait parlait français.

Quand il s'en allait ainsi, le vieux, il emmenait ses deux chiens, deux molosses à gueule de lion, par crainte des loups qui commençaient à devenir féroces, et il laissait ses deux femmes en leur recommandant de se barricader dans la maison dès que la nuit approcherait.

La jeune n'avait peur de rien, mais la vieille tremblait toujours et répétait :

— Ça finira mal, tout ça, vous verrez que ça finira mal.

Ce soir-là, elle était encore plus inquiète que de coutume ?

— Sais-tu à quelle heure rentrera le père ? dit-elle.

— Oh ! pas avant onze heures, pour sûr. Quand il dîne chez le commandant, il rentre toujours tard.

Et elle accrochait sa marmite sur le feu pour faire la soupe, quand elle cessa de remuer, écoutant un bruit vague qui lui était venu par le tuyau de la cheminée.

Elle murmura :

— V'là qu'on marche dans le bois, il y a ben sept-huit hommes au moins.

La mère, effarée, arrêta son rouet en balbutiant :

— Oh ! mon Dieu ! et le père qu'est pas là !

Elle n'avait point fini de parler que des coups violents firent trembler la porte.

Comme les femmes ne répondaient point, une voix forte et gutturale cria :

— Oufrez !

Puis, après un silence, la même voix reprit :

— Oufrez ou che gasse la borte !

Alors Berthine glissa dans la poche de sa jupe le gros revolver de la cheminée, puis, étant venue coller son oreille contre l'huis, elle demanda :

— Qui êtes-vous ?

La voix répondit :

— Che suis le tétachement de l'autre chour.

La jeune femme reprit :

— Qu'est-ce que vous voulez ?

— Che suis berdu tepuis ce matin, tant le pois,

avec mon tétachement. Oufrez ou che gasse la borte !

La forestière n'avait pas le choix ; elle fit glisser vivement le gros verrou, puis tirant le lourd battant, elle aperçut, dans l'ombre pâle des neiges, six hommes, six soldats prussiens, les mêmes qui étaient venus la veille. Elle prononça d'un ton résolu :

— Qu'est-ce que vous venez faire à cette heure-ci ?

Le sous-officier répéta :

— Che suis berdu, tout à fait berdu, ché regonnu la maison. Che n'ai rien manché tepuis ce matin, mon tétachement non blus.

Berthine déclara :

— C'est que je suis toute seule avec maman, ce soir.

Le soldat, qui paraissait un brave homme, répondit :

— Ça ne fait rien. Che ne ferai bas de mal, mais fous nous ferez à mancher. Nous dombons te faim et te fatigue.

La forestière se recula.

— Entrez, dit-elle.

Ils entrèrent, poudrés de neige, portant sur leurs casques une sorte de crème mousseuse qui les faisait ressembler à des meringues, et ils paraissaient las, exténués.

La jeune femme montra les bancs de bois des deux côtés de la grande table.

— Asseyez-vous, dit-elle, je vais vous faire de la soupe. C'est vrai que vous avez l'air rendus.

Puis elle referma les verrous de la porte.

Elle remit de l'eau dans la marmite, y jeta de nouveau du beurre et des pommes de terre, puis décrochant un morceau de lard pendu dans la cheminée, elle en coupa la moitié qu'elle plongea dans le bouillon.

Les six hommes suivaient de l'œil tous ses mouvements avec une faim éveillée dans leurs yeux. Ils avaient posé leurs fusils et leurs casques dans un coin, et ils attendaient, sages comme des enfants sur les bancs d'une école.

La mère s'était remise à filer en jetant à tout moment des regards éperdus sur les soldats envahisseurs. On n'entendait rien autre chose que le ronflement léger du rouet et le crépitement du feu et le murmure de l'eau qui s'échauffait.

Mais soudain un bruit étrange les fit tous tressaillir, quelque chose comme un souffle rauque poussé sous la porte, un souffle de bête, fort et ronflant.

Le sous-officier allemand avait fait un bond vers les fusils. La forestière l'arrêta d'un geste et, souriante :

— C'est les loups, dit-elle. Ils sont comme vous, ils rôdent et ils ont faim.

L'homme incrédule voulut voir et, sitôt que le battant fut ouvert, il aperçut deux grandes bêtes grises qui s'enfuyaient d'un trot rapide et allongé.

Il revint s'asseoir en murmurant :

— Ché n'aurais pas gru.

Et il attendit que sa pâtée fût prête.

Ils la mangèrent voracement, avec des bouches fendues jusqu'aux oreilles pour en avaler davantage, des yeux ronds s'ouvrant en même temps que les mâchoires, et des bruits de gorge pareils à des glouglous de gouttières.

Les deux femmes, muettes, regardaient les rapides mouvements des grandes barbes rouges ; et les pommes de terre avaient l'air de s'enfoncer dans ces toisons mouvantes.

Mais comme ils avaient soif, la forestière descendit à la cave leur tirer du cidre. Elle y resta longtemps ; c'était un petit caveau voûté qui, pendant la Révolution, avait servi de prison et de cachette, disait-on. On y parvenait au moyen d'un étroit escalier tournant fermé par une trappe au fond de la cuisine.

Quand Berthine reparut, elle riait, elle riait toute seule, d'un air sournois. Et elle donna aux Allemands sa cruche de boisson.

Puis elle soupa aussi, avec sa mère, à l'autre bout de la cuisine.

Les soldats avaient fini de manger, et ils s'endormaient tous les six autour de la table. De temps en temps un front tombait sur la planche avec un bruit sourd, puis l'homme, réveillé brusquement, se redressait.

Berthine dit au sous-officier :

— Couchez-vous devant le feu, pardi, il y a bien d' la place pour six. Moi, je grimpe à ma chambre avec maman.

Et les deux femmes montèrent au premier étage. On les entendit fermer leur porte à clef, marcher quelque temps ; puis elles ne firent plus aucun bruit.

Les Prussiens s'étendirent sur le pavé, les pieds au feu, la tête supportée par leurs manteaux roulés, et ils ronflèrent bientôt tous les six, sur six tons divers, aigus ou sonores, mais continus et formidables.

Ils dormaient certes depuis longtemps déjà quand un coup de feu retentit, si fort qu'on l'aurait cru tiré contre les murs de la maison. Les soldats se dressèrent aussitôt. Mais deux nouvelles détonations éclatèrent, suivies de trois autres encore.

La porte du premier s'ouvrit brusquement, et la forestière parut, nu-pieds, en chemise, en jupon court, une chandelle à la main, l'air affolé. Elle balbutia :

— V'là les Français, ils sont au moins deux cents. S'ils vous trouvent ici, ils vont brûler la maison. Descendez dans la cave bien vite, et faites pas de bruit. Si vous faites du bruit, nous sommes perdus.

Le sous-officier, effaré, murmura :

— Che feux pien, che feux pien. Par où faut-il tescendre ?

La jeune femme souleva avec précipitation la trappe étroite et carrée, et les six hommes disparurent par le petit escalier tournant, s'enfonçant dans le sol l'un après l'autre, à reculons, pour bien tâter les marches du pied.

Mais quand la pointe du dernier casque eut disparu, Berthine rabattant la lourde planche de chêne, épaisse comme un mur, dure comme de l'acier, maintenue par des charnières et une serrure de cachot, donna deux longs tours de clef, puis elle se mit à rire, d'un rire muet et ravi, avec une envie folle de danser sur la tête de ses prisonniers.

Ils ne faisaient aucun bruit, enfermés là-dedans comme dans une boîte solide, une boîte de pierre, ne recevant que l'air d'un soupirail garni de barres de fer.

Berthine aussitôt ralluma son feu, remit dessus sa marmite, et refit de la soupe en murmurant :

— Le père s'ra fatigué cette nuit.

Puis elle s'assit et attendit. Seul le balancier sonore

de l'horloge promenait dans le silence son tic-tac régulier.

De temps en temps la jeune femme jetait un regard sur le cadran, un regard impatient qui semblait dire :

— Ça ne va pas vite.

Mais bientôt il lui sembla qu'on murmurait sous ses pieds. Des paroles basses, confuses, lui parvenaient à travers la voûte maçonnée de la cave. Les Prussiens commençaient à deviner sa ruse, et bientôt le sous-officier remonta le petit escalier et vint heurter du poing la trappe. Il cria de nouveau :

— Oufrez !

Elle se leva, s'approcha et, imitant son accent :

— Qu'est-ce que fous foulez ?

— Oufrez !

— Che n'oufre pas.

L'homme se fâchait :

— Oufrez ou che gasse la borte !

Elle se mit à rire :

— Casse, mon bonhomme, casse, mon bonhomme !

Et il commença à frapper avec la crosse de son fusil contre la trappe de chêne, fermée sur sa tête. Mais elle aurait résisté à des coups de catapulte.

La forestière l'entendit redescendre. Puis les soldats vinrent, l'un après l'autre, essayer leur force et inspecter la fermeture. Mais jugeant sans doute leurs tentatives inutiles, ils redescendirent tous dans la cave et recommencèrent à parler entre eux.

La jeune femme les écoutait, puis elle alla ouvrir la porte du dehors et elle tendit l'oreille dans la nuit.

Un aboiement lointain lui parvint. Elle se mit à siffler comme aurait fait un chasseur et, presque aussitôt, deux énormes chiens surgirent dans l'ombre et bondirent sur elle en gambadant. Elle les saisit par le cou et les maintint pour les empêcher de courir. Puis elle cria de toute sa force :

— Ohé, père !

Une voix répondit, très éloignée encore :

— Ohé, Berthine !

Elle attendit quelques secondes, puis reprit :

— Ohé, père !

La voix plus proche répéta :

— Ohé, Berthine !

La forestière reprit :

— Passe pas devant le soupirail, y a des Prussiens dans la cave.

Et brusquement la grande silhouette de l'homme se dessina sur la gauche, arrêtée entre deux troncs d'arbre. Il demanda, inquiet :

— Des Prussiens dans la cave ? Qué qui font ?

La jeune femme se mit à rire :

— C'est ceux d'hier. Ils s'étaient perdus dans la forêt, je les ai mis au frais dans la cave !

Et elle conta l'aventure, comment elle les avait effrayés avec des coups de revolver et enfermés dans le caveau.

Le vieux toujours grave demanda :

— Qué que tu veux que j'en fassions à c't'heure ?

Elle répondit :

— Va quérir M. Lavigne avec sa troupe. Il les fera prisonniers. C'est lui qui sera content.

Et le père Pichon sourit :

— C'est vrai qu'i sera content.

Sa fille reprit :

— T'as de la soupe, mange-la vite et pi repars.

Le vieux garde s'attabla et se mit à manger la soupe

après avoir posé par terre deux assiettes pleines pour ses chiens.

Les Prussiens, entendant parler, s'étaient tus.

L'Echasse repartit un quart d'heure plus tard. Et Berthine, la tête dans ses mains, attendit.

Les prisonniers recommençaient à s'agiter. Ils criaient maintenant, appelaient, battaient sans cesse de coups de crosse furieux la trappe inébranlable.

Puis ils se mirent à tirer des coups de fusil par le soupirail, espérant sans doute être entendus si quelque détachement allemand passait dans les environs.

La forestière ne remuait plus ; mais tout ce bruit l'énervait, l'irritait. Une colère méchante s'éveillait en elle ; elle eût voulu les assassiner, les gueux, pour les faire taire.

Puis son impatience grandissant, elle se mit à regarder l'horloge, à compter les minutes.

Le père était parti depuis une heure et demie. Il avait atteint la ville maintenant. Elle croyait le voir. Il racontait la chose à M. Lavigne, qui pâlissait d'émotion et sonnait sa bonne pour avoir son uniforme et ses armes. Elle entendait, lui semblait-il, le tambour courant par les rues. Les têtes effarées apparaissaient aux fenêtres. Les soldats-citoyens sortaient de leurs maisons, à peine vêtus, essoufflés, bouclant leurs ceinturons, et partaient au pas gymnastique vers la maison du commandant.

Puis la troupe, l'Echasse en tête, se mettait en marche, dans la nuit, dans la neige, vers la forêt.

Elle regardait l'horloge. « Ils peuvent être ici dans une heure. »

Une impatience nerveuse l'envahissait. Les minutes lui paraissaient interminables. Comme c'était long !

Enfin le temps qu'elle avait fixé pour leur arrivée fut marqué par l'aiguille.

Et elle ouvrit de nouveau la porte, pour les écouter venir. Elle aperçut une ombre marchant avec précaution. Elle eut peur, poussa un cri. C'était son père.

Il dit :

— Ils m'envoient pour voir s'il n'y a rien de changé.

— Non, rien.

Alors il lança à son tour, dans la nuit, un coup de sifflet strident et prolongé. Et, bientôt, on vit une chose brune qui s'en venait sous les arbres, lentement : l'avant-garde composée de dix hommes.

L'Echasse répétait à tout instant :

— Passez pas devant le soupirail.

Et les premiers arrivés montraient aux nouveaux venus le soupirail redouté.

Enfin le gros de la troupe se montra, en tout deux cents hommes, portant chacun deux cents cartouches.

M. Lavigne, agité, frémissant, les disposa de façon à cerner de partout la maison en laissant un large espace libre devant le petit trou noir, au ras du sol, par où la cave prenait de l'air.

Puis il entra dans l'habitation et s'informa de la force et de l'attitude de l'ennemi, devenu tellement muet qu'on aurait pu le croire disparu, évanoui, envolé par le soupirail.

M. Lavigne frappa du pied la trappe et appela :

— Monsieur l'officier prussien ?

L'Allemand ne répondit pas.

Le commandant reprit :

— Monsieur l'officier prussien ?

Ce fut en vain. Pendant vingt minutes il somma cet officier silencieux de se rendre avec armes et bagages, en lui promettant la vie sauve et les honneurs militaires pour lui et ses soldats. Mais il n'obtint aucun signe de consentement ou d'hostilité. La situation devenait difficile.

Les soldats-citoyens battaient la semelle dans la neige, se frappaient les épaules à grands coups de bras, comme font les cochers pour s'échauffer, et ils regardaient le soupirail avec une envie grandissante et puérile de passer devant.

Un d'eux, enfin, se hasarda, un nommé Potdevin qui était très souple. Il prit son élan et passa en courant comme un cerf. La tentative réussit. Les prisonniers semblaient morts.

Une voix cria :

— Y a personne.

Et un autre soldat traversa l'espace libre devant le trou dangereux. Alors ce fut un jeu. De minute en minute, un homme se lançant, passait d'une troupe dans l'autre comme font les enfants en jouant aux barres, et il lançait derrière lui des éclaboussures de neige tant il agitait vivement les pieds. On avait allumé, pour se chauffer, de grands feux de bois mort, et ce profil courant du garde national apparaissait illuminé dans un rapide voyage du camp de droite au camp de gauche.

Quelqu'un cria :

— A toi, Maloison !

Maloison était un gros boulanger dont le ventre donnait à rire aux camarades.

Il hésitait. On le blagua. Alors, prenant son parti, il se mit en route d'un petit pas gymnastique régulier et essoufflé, qui secouait sa forte bedaine.

Tout le détachement riait aux larmes. On criait pour l'encourager :

— Bravo ! Bravo, Maloison !

Il arrivait environ aux deux tiers de son trajet quand une flamme longue, rapide et rouge jaillit du soupirail. Une détonation retentit, et le vaste boulanger s'abattit sur le nez avec un cri épouvantable.

Personne ne s'élança pour le secourir. Alors on le vit se traîner à quatre pattes dans la neige en gémissant et, quand il fut sorti du terrible passage, il s'évanouit.

Il avait une balle dans le gras de la cuisse, tout en haut.

Après la première surprise et la première épouvante, un nouveau rire s'éleva.

Mais le commandant Lavigne apparut sur le seuil de la maison forestière. Il venait d'arrêter son plan d'attaque. Il commanda d'une voix vibrante :

— Le zingueur Planchut et ses ouvriers.

Trois hommes s'approchèrent.

— Descellez les gouttières de la maison.

Et en un quart d'heure on eut apporté au commandant vingt mètres de gouttières.

Alors il fit pratiquer, avec mille précautions de prudence, un petit trou rond dans le bord de la trappe et, organisant un conduit d'eau de la pompe à cette ouverture, il déclara d'un air enchanté :

— Nous allons offrir à boire à messieurs les Allemands.

Un hurrah frénétique d'admiration éclata, suivi de hurlements de joie et de rires éperdus. Et le commandant organisa des pelotons de travail qui se relayeraient de cinq minutes en cinq minutes. Puis il commanda :

— Pompez !

Et le volant de fer ayant été mis en branle, un petit bruit glissa le long des tuyaux et tomba bientôt dans la cave, de marche en marche, avec un murmure de cascade, un murmure de rocher à poissons rouges.

On attendit.

Une heure s'écoula, puis deux, puis trois.

Le commandant, fiévreux, se promenait dans la cuisine, collant son oreille à terre de temps en temps, cherchant à deviner ce que faisait l'ennemi, se demandant s'il allait bientôt capituler.

Il s'agitait, maintenant, l'ennemi. On l'entendait remuer les barriques, parler, clapoter.

Puis, vers huit heures du matin, une voix sortit du soupirail :

— Ché foulé parler à monsieur l'officier français.

Lavigne répondit, de la fenêtre, sans avancer trop la tête :

— Vous rendez-vous ?

— Che me rends.

— Alors passez les fusils dehors.

Et on vit aussitôt une arme sortir du trou et tomber dans la neige, puis deux, trois, toutes les armes. Et la même voix déclara :

— Che n'ai blus. Tépêchez-vous. Ché suis noyé.

Le commandant commanda :

— Cessez !

Le volant de la pompe retomba immobile.

Et ayant empli la cuisine de soldats qui attendaient, l'arme au pied, il souleva lentement la trappe de chêne.

Quatre têtes apparurent trempées, quatre têtes blondes aux longs cheveux pâles, et on vit sortir l'un après l'autre les six Allemands grelottants, ruisselants, effarés.

Ils furent saisis et garrottés. Puis, comme on craignait une surprise, on repartit tout de suite, en deux convois, l'un conduisant les prisonniers et l'autre conduisant Maloison sur un matelas posé sur des perches.

Ils rentrèrent triomphalement dans Rethel.

M. Lavigne fut décoré pour avoir capturé une avant-garde prussienne, et le gros boulanger eut la médaille militaire pour blessure reçue devant l'ennemi.

L'AUBERGE

Pareille à toutes les hôtelleries de bois plantées dans les Hautes-Alpes, au pied des glaciers, dans ces couloirs rocheux et nus qui coupent les sommets blancs des montagnes, l'auberge de Schwarenbach sert de refuge aux voyageurs qui suivent le passage de la Gemmi.

Pendant six mois elle reste ouverte, habitée par la famille de Jean Hauser ; puis, dès que les neiges s'amoncellent, emplissant le vallon et rendant impraticable la descente sur Loëche, les femmes, le père et les trois fils s'en vont et laissent pour garder la maison le vieux guide Gaspard Hari avec le jeune guide Ulrich Kunsi, et Sam, le gros chien de montagne.

Les deux hommes et la bête demeurent jusqu'au printemps dans cette prison de neige, n'ayant devant les yeux que la pente immense et blanche du Balmhorn, entouré de sommets pâles et luisants, enfermés, bloqués, ensevelis sous la neige qui monte autour d'eux, enveloppe, étreint, écrase la petite maison, s'amoncelle sur le toit, atteint les fenêtres et mure la porte.

C'était le jour où la famille Hauser allait retourner à Loëche, l'hiver approchant et la descente devenant périlleuse.

Trois mulets partirent en avant, chargés de hardes et de bagages et conduits par les trois fils. Puis la mère, Jeanne Hauser, et sa fille Louise montèrent sur un quatrième mulet et se mirent en route à leur tour.

Le père les suivait, accompagné des deux gardiens qui devaient escorter la famille jusqu'au sommet de la descente.

Ils contournèrent d'abord le petit lac, gelé maintenant au fond du grand trou de rochers qui s'étend devant l'auberge, puis ils suivirent le vallon clair comme un drap et dominé de tous côtés par des sommets de neige.

Une averse de soleil tombait sur ce désert blanc éclatant et glacé, l'allumait d'une flamme aveuglante et froide ; aucune vie n'apparaissait dans cet océan des monts ; aucun mouvement dans cette solitude démesurée ; aucun bruit n'en troublait le profond silence.

Peu à peu le jeune guide Ulrich Kunsi, un grand Suisse aux longues jambes, laissa derrière lui le père Hauser et le vieux Gaspard Hari, pour rejoindre le mulet qui portait les deux femmes.

La plus jeune le regardait venir, semblait l'appeler d'un œil triste. C'était une petite paysanne blonde, dont les joues laiteuses et les cheveux pâles paraissaient décolorés par les longs séjours au milieu des glaces.

Quand il eut rejoint la bête qui la portait, il posa la main sur la croupe et ralentit le pas. La mère Hauser se mit à lui parler, énumérant avec des détails infinis toutes les recommandations de l'hivernage. C'était la première fois qu'il restait là-haut, tandis que le vieux Hari avait déjà passé quatorze hivers sous la neige dans l'auberge de Schwarenbach.

Ulrich Kunsi écoutait sans avoir l'air de comprendre et regardait sans cesse la jeune fille. De temps en temps il répondait : « Oui, madame Hauser. » Mais sa pensée semblait loin et sa figure calme demeurait impassible.

Ils atteignirent le lac de Daube, dont la longue surface gelée s'étendait, toute plate, au fond du val. A droite, le Daubenhorn montrait ses rochers noirs dressés à pic auprès des énormes moraines du glacier de Lœmmern que dominait le Wildstrubel.

Comme ils approchaient du col de la Gemmi, où commence la descente sur Loëche, ils découvrirent tout à coup l'immense horizon des Alpes du Valais dont les séparait la profonde et large vallée du Rhône.

C'était, au loin, un peuple de sommets blancs, inégaux, écrasés ou pointus et luisants sous le soleil ; le Mischabel avec ses deux cornes, le puissant massif de Wissehorn, le lourd Brunnegghorn, la haute et redoutable pyramide du Cervin, ce tueur d'hommes, et la Dent-Blanche, cette monstrueuse coquette.

Puis, au-dessous d'eux, dans un trou démesuré, au fond d'un abîme effrayant, ils aperçurent Loëche, dont les maisons semblaient des grains de sable jetés dans cette crevasse énorme que finit et que ferme la Gemmi, et qui s'ouvre, là-bas, sur le Rhône.

Le mulet s'arrêta au bord du sentier qui va, serpentant, tournant sans cesse et revenant, fantastique et merveilleux, le long de la montagne droite, jusqu'à ce petit village presque invisible, à son pied. Les femmes sautèrent dans la neige.

Les deux vieux les avaient rejoints.

— Allons, dit le père Hauser, adieu et bon courage ; à l'an prochain, les amis.

Le père Hari répéta : « A l'an prochain. »

Ils s'embrassèrent. Puis Mme Hauser, à son tour, tendit ses joues ; et la jeune fille en fit autant.

Quand ce fut le tour d'Ulrich Kunsi, il murmura dans l'oreille de Louise : « N'oubliez point ceux d'en haut. » Elle répondit « non » si bas, qu'il devina sans l'entendre.

— Allons, adieu, répéta Jean Hauser, et bonne santé.

Et, passant devant les femmes, il commença à descendre.

Ils disparurent bientôt tous les trois au premier détour du chemin.

Et les deux hommes s'en retournèrent vers l'auberge de Schwarenbach.

Ils allaient lentement, côte à côte, sans parler. C'était fini, ils resteraient seuls, face à face, quatre ou cinq mois.

Puis Gaspard Hari se mit à raconter sa vie de l'autre hiver. Il était demeuré avec Michel Canol, trop âgé maintenant pour recommencer ; car un accident peut arriver pendant cette longue solitude. Ils ne s'étaient pas ennuyés, d'ailleurs ; le tout était d'en prendre son parti dès le premier jour ; et on finissait par se créer des distractions, des jeux, beaucoup de passe-temps.

Ulrich Kunsi l'écoutait, les yeux baissés, suivant en pensée ceux qui descendaient vers le village par tous les festons de la Gemmi.

Bientôt ils aperçurent l'auberge, à peine visible, si petite, un point noir au pied de la monstrueuse vague de neige.

Quand ils ouvrirent, Sam, le gros chien frisé, se mit à gambader autour d'eux.

— Allons, fils, dit le vieux Gaspard, nous n'avons plus de femmes maintenant, il faut préparer le dîner, tu vas éplucher les pommes de terre.

Et tous deux, s'asseyant sur des escabeaux de bois, commencèrent à tremper la soupe.

La matinée du lendemain sembla longue à Ulrich Kunsi. Le vieux Hari fumait et crachait dans l'âtre, tandis que le jeune homme regardait par la fenêtre l'éclatante montagne en face de la maison.

Il sortit dans l'après-midi et, refaisant le trajet de la veille, il cherchait sur le sol les traces des sabots du mulet qui avait porté les deux femmes. Puis quand il fut au col de la Gemmi, il se coucha sur le ventre au bord de l'abîme, et regarda Loëche.

Le village dans son puits de rochers n'était pas encore noyé dans la neige, bien qu'elle vînt tout près de lui, arrêtée net par les forêts de sapins qui protégeaient ses environs. Ses maisons basses ressemblaient de là-haut à des pavés dans une prairie.

La petite Hauser était là, maintenant, dans une de ces demeures grises. Dans laquelle ? Ulrich Kunsi se trouvait trop loin pour les distinguer séparément. Comme il aurait voulu descendre pendant qu'il le pouvait encore !

Mais le soleil avait disparu derrière la grande cime de Wildstrubel ; et le jeune homme rentra. Le père Hari fumait. En voyant revenir son compagnon, il lui proposa une partie de cartes ; et ils s'assirent en face l'un de l'autre des deux côtés de la table.

Ils jouèrent longtemps, un jeu simple qu'on nomme la brisque, puis, ayant soupé, ils se couchèrent.

Les jours qui suivirent furent pareils au premier :

clairs et froids, sans neige nouvelle. Le vieux Gaspard passait ses après-midi à guetter les aigles et les rares oiseaux qui s'aventuraient sur ces sommets glacés, tandis qu'Ulrich retournait régulièrement au col de la Gemmi pour contempler le village. Puis ils jouaient aux cartes, aux dés, aux dominos, gagnaient et perdaient des petits objets pour intéresser leur partie.

Un matin, Hari, levé le premier, appela son compagnon. Un nuage mouvant, profond et léger d'écume blanche s'abattait sur eux, autour d'eux, sans bruit, les ensevelissait peu à peu sous un épais et lourd matelas de mousse. Cela dura quatre jours et quatre nuits. Il fallut dégager la porte et les fenêtres, creuser un couloir et tailler des marches pour s'élever sur cette poudre de glace que douze heures de gelée avaient rendue plus dure que le granit des moraines.

Alors ils vécurent comme des prisonniers, ne s'aventurant plus guère en dehors de leur demeure. Ils s'étaient partagé les besognes qu'ils accomplissaient régulièrement. Ulrich Kunsi se chargeait des nettoyages, des lavages, de tous les soins et de tous les travaux de propreté. C'était lui aussi qui cassait le bois, tandis que Gaspard Hari faisait la cuisine et entretenait le feu. Leurs ouvrages, réguliers et monotones, étaient interrompus par de longues parties de cartes ou de dés. Jamais ils ne se querellaient, étant tous deux calmes et placides. Jamais même ils n'avaient d'impatiences, de mauvaise humeur, ni de paroles aigres, car ils avaient fait provision de résignation pour cet hivernage sur les sommets.

Quelquefois, le vieux Gaspard prenait son fusil et s'en allait à la recherche des chamois ; il en tuait de temps en temps. C'était alors fête dans l'auberge de Schwarenbach et grand festin de chair fraîche.

Un matin, il partait ainsi. Le thermomètre du dehors marquait dix-huit au-dessous de glace. Le soleil n'étant pas encore levé, le chasseur espérait surprendre les bêtes aux abords du Wildstrubel.

Ulrich, demeuré seul, resta couché jusqu'à dix heures. Il était d'un naturel dormeur ; mais il n'eut point osé s'abandonner ainsi à son penchant en présence du vieux guide toujours ardent et matinal.

Il déjeuna lentement avec Sam, qui passait aussi ses jours et ses nuits à dormir devant le feu ; puis il se sentit triste, effrayé même de la solitude, et saisi par le besoin de la partie de cartes quotidienne, comme on l'est par le désir d'une habitude invincible.

Alors il sortit pour aller au-devant de son compagnon qui devait rentrer à quatre heures.

La neige avait nivelé toute la profonde vallée, comblant les crevasses, effaçant les deux lacs, capitonnant les rochers ; ne faisant plus entre les sommets immenses qu'une immense cuve blanche régulière, aveuglante et glacée.

Depuis trois semaines, Ulrich n'était pas revenu au bord de l'abîme d'où il regardait le village. Il y voulut retourner avant de gravir les pentes qui conduisaient à Wildstrubel. Loëche maintenant était aussi sous la neige, et les demeures ne se reconnaissaient plus guère, ensevelies sous ce manteau pâle.

Puis, tournant à droite, il gagna le glacier de Lœmmern. Il allait de son pas allongé de montagnard, en frappant de son bâton ferré la neige aussi dure que la pierre. Et il cherchait avec son œil perçant le petit point noir et mouvant, au loin, sur cette nappe démesurée.

Quand il fut au bord du glacier, il s'arrêta, se demanda si le vieux avait bien pris ce chemin ; puis il se mit à longer les moraines d'un pas plus rapide et plus inquiet.

Le jour baissait ; les neiges devenaient roses ; un vent sec et gelé courait par souffles brusques sur leur surface de cristal. Ulrich poussa un cri d'appel aigu, vibrant, prolongé. La voix s'envola dans le silence de mort où dormaient les montagnes ; elle courut au loin, sur les vagues immobiles et profondes d'écume glaciale, comme un cri d'oiseau sur les vagues de la mer ; puis elle s'éteignit et rien ne lui répondit.

Il se remit à marcher. Le soleil s'était enfoncé, là-bas, derrière les cimes que les reflets du ciel empourpraient encore ; mais les profondeurs de la vallée devenaient grises. Et le jeune homme eut peur tout à coup. Il lui sembla que le silence, le froid, la solitude, la mort hivernale de ces monts entraient en lui, allaient arrêter et geler son sang, raidir ses membres, faire de lui un être immobile et glacé. Et il se mit à courir, s'enfuyant vers sa demeure. Le vieux, pensait-il, était rentré pendant son absence. Il avait pris un autre chemin ; il serait assis devant le feu, avec un chamois mort à ses pieds.

Bientôt, il aperçut l'auberge. Aucune fumée n'en sortait. Ulrich courut plus vite, ouvrit la porte. Sam s'élança pour le fêter, mais Gaspard Hari n'était point revenu.

Effaré, Kunsi tournait sur lui-même, comme s'il se fût attendu à découvrir son compagnon caché dans un coin. Puis il ralluma le feu et fit la soupe, espérant toujours voir revenir le vieillard.

De temps en temps, il sortait pour regarder s'il n'apparaissait pas. La nuit était tombée, la nuit blafarde des montagnes, la nuit pâle, la nuit livide qu'éclairait, au bord de l'horizon, un croissant jaune et fin prêt à tomber derrière les sommets.

Puis le jeune homme rentrait, s'asseyait, se chauffait les pieds et les mains en rêvant aux accidents possibles.

Gaspard avait pu se casser une jambe, tomber dans un trou, faire un faux pas qui lui avait tordu la cheville. Et il restait étendu dans la neige, saisi, raidi par le froid, l'âme en détresse, perdu, criant peut-être au secours, appelant de toute la force de sa gorge dans le silence de la nuit.

Mais où ? La montagne était si vaste, si rude, si périlleuse aux environs, surtout en cette saison, qu'il aurait fallu être dix ou vingt guides et marcher pendant huit jours dans tous les sens pour trouver un homme en cette immensité.

Ulrich Kunsi, cependant, se résolut à partir avec Sam si Gaspard Hari n'était point revenu entre minuit et une heure du matin.

Et il fit ses préparatifs.

Il mit deux jours de vivres dans un sac, prit ses crampons d'acier, roula autour de sa taille une corde longue, mince et forte, vérifia l'état de son bâton ferré et de la hachette qui sert à tailler des degrés dans la glace. Puis il attendit. Le feu brûlait dans la cheminée ; le gros chien ronflait sous la clarté de la flamme ; l'horloge battait comme un cœur ses coups réguliers dans sa gaine de bois sonore.

Il attendait, l'oreille éveillée aux bruits lointains, frissonnant quand le vent léger frôlait le toit et les murs.

Minuit sonna ; il tressaillit. Puis, comme il se sentait frémissant et apeuré, il posa de l'eau sur le feu, afin de boire du café bien chaud avant de se mettre en route.

Quand l'horloge fit tinter une heure, il se dressa, réveilla Sam, ouvrit la porte et s'en alla dans la direction du Wildstrubel. Pendant cinq heures, il monta, escaladant des rochers au moyen de ses crampons, taillant la glace, avançant toujours et parfois halant, au bout de sa corde, le chien resté au bas d'un escarpement trop rapide. Il était six heures environ quand il atteignit un des sommets où le vieux Gaspard venait souvent à la recherche des chamois.

Et il attendit que le jour se levât.

Le ciel pâlissait sur sa tête ; et soudain une lueur bizarre, née on ne sait d'où, éclaira brusquement l'immense océan des cimes pâles qui s'étendaient à cent lieues autour de lui. On eût dit que cette clarté vague sortait de la neige elle-même pour se répandre dans l'espace. Peu à peu les sommets lointains les plus hauts devinrent tous d'un rose tendre comme de la chair, et le soleil rouge apparut derrière les lourds géants des Alpes bernoises.

Ulrich Kunsi se mit en route. Il allait comme un chasseur, courbé, épiant des traces, disant au chien : « Cherche, mon gros, cherche. »

Il redescendait la montagne à présent, fouillant de l'œil des gouffres, et parfois appelant, jetant un cri prolongé, mort bien vite dans l'immensité muette. Alors, il collait à terre l'oreille, pour écouter ; il croyait distinguer une voix, se mettait à courir, appelait de nouveau, n'entendait plus rien et s'asseyait, épuisé, désespéré. Vers midi, il déjeuna et fit manger Sam, aussi las que lui-même.

Puis il recommença ses recherches.

Quand le soir vint, il marchait encore, ayant parcouru cinquante kilomètres de montagne. Comme il se trouvait trop loin de sa maison pour y rentrer, et trop fatigué pour se traîner plus longtemps, il creusa un trou dans la neige et s'y blottit avec son chien, sous une couverture qu'il avait apportée. Et ils se couchèrent l'un contre l'autre, l'homme et la bête, chauffant leurs corps l'un à l'autre et gelés jusqu'aux moelles cependant.

Ulrich ne dormit guère, l'esprit hanté de visions, les membres secoués de frissons.

Le jour allait paraître quand il se releva. Ses jambes étaient raides comme des barres de fer, son âme faible à le faire crier d'angoisse, son cœur palpitant à le laisser choir d'émotion dès qu'il croyait entendre un bruit quelconque.

Il pensa soudain qu'il allait aussi mourir de froid dans cette solitude, et l'épouvante de cette mort, fouettant son énergie, réveilla sa vigueur.

Il descendait maintenant vers l'auberge, tombant, se relevant, suivi de loin par Sam, qui boitait sur trois pattes.

Ils atteignirent Schwarenbach seulement vers quatre heures de l'après-midi. La maison était vide. Le jeune homme fit du feu, mangea et s'endormit, tellement abruti qu'il ne pensait plus à rien.

Il dormit longtemps, très longtemps, d'un sommeil invincible. Mais soudain une voix, un cri, un nom : « Ulrich ! » secoua son engourdissement profond et le fit se dresser. Avait-il rêvé ? Etait-ce un de ces appels bizarres qui traversent les rêves des âmes inquiètes ? Non, il l'entendit encore, ce cri vibrant, entré dans son oreille et resté dans sa chair jusqu'au bout de ses doigts nerveux. Certes, on avait crié ; on avait appelé : « Ulrich ! » Quelqu'un était là, près de la maison. Il n'en pouvait douter. Il ouvrit donc la porte et hurla : « C'est toi, Gaspard ? » de toute la puissance de sa gorge.

Rien ne répondit ; aucun son, aucun murmure, aucun gémissement, rien. Il faisait nuit. La neige était blême.

Le vent s'était levé, le vent glacé qui brise les pierres et ne laisse rien de vivant sur ces hauteurs abandonnées. Il passait par souffles brusques plus desséchants et plus mortels que le vent de feu du désert. Ulrich, de nouveau, cria : « Gaspard ! — Gaspard ! — Gaspard ! »

Puis il attendit. Tout demeura muet sur la montagne. Alors, une épouvante le secoua jusqu'aux os. D'un bond il rentra dans l'auberge, ferma la porte et poussa les verrous ; puis il tomba grelottant sur une chaise, certain qu'il venait d'être appelé par son camarade au moment où il rendait l'esprit.

De cela il était sûr, comme on est sûr de vivre ou de manger du pain. Le vieux Gaspard Hari avait agonisé pendant deux jours et trois nuits quelque part dans un trou, dans un de ces profonds ravins immaculés dont la blancheur est plus sinistre que les ténèbres des souterrains. Il avait agonisé pendant deux jours et trois nuits, et il venait de mourir tout à l'heure en pensant à son compagnon. Et son âme, à peine libre, s'était envolée vers l'auberge où dormait Ulrich, et elle l'avait appelé de par la vertu mystérieuse et terrible qu'ont les âmes des morts de hanter les vivants. Elle avait crié, cette âme sans voix, dans l'âme accablée du dormeur ; elle avait crié son dernier adieu, ou son reproche, ou sa malédiction sur l'homme qui n'avait point assez cherché.

Et Ulrich la sentait là, tout près, derrière le mur, derrière la porte qu'il venait de refermer. Elle rôdait, comme un oiseau de nuit qui frôle de ses plumes une fenêtre éclairée ; et le jeune homme éperdu était prêt à hurler d'horreur. Il voulait s'enfuir et n'osait point sortir ; il n'osait point et n'oserait plus désormais, car le fantôme resterait là, jour et nuit, autour de l'auberge, tant que le corps du vieux guide n'aurait pas été retrouvé et déposé dans la terre bénie d'un cimetière.

Le jour vint et Kunsi reprit un peu d'assurance au retour brillant du soleil. Il prépara son repas, fit la soupe de son chien, puis il demeura sur une chaise, immobile, le cœur torturé, pensant au vieux couché sur la neige.

Puis dès que la nuit recouvrit la montagne, des terreurs nouvelles l'assaillirent. Il marchait maintenant dans la cuisine noire, éclairée à peine par la flamme d'une chandelle, il marchait d'un bout à l'autre de la pièce, à grands pas, écoutant, écoutant si le cri effrayant de l'autre nuit n'allait pas encore traverser le silence morne du dehors. Et il se sentait seul, le misérable, comme aucun homme n'avait jamais été seul ! Il était seul dans cet immense désert de neige, seul à deux mille mètres au-dessus de la terre habitée, au-dessus des maisons humaines, au-dessus de la vie qui s'agite, bruit et palpite, seul dans le ciel glacé ! Une envie folle le tenaillait de se sauver n'importe où, n'importe comment, de descendre à Loëche en se jetant dans l'abîme ; mais il n'osait seulement pas ouvrir la porte, sûr que l'autre, le mort, lui barrerait la route pour ne pas rester seul non plus là-haut.

Vers minuit, las de marcher, accablé d'angoisse et de peur, il s'assoupit enfin sur une chaise, car il redoutait son lit comme on redoute un lieu hanté.

Et soudain le cri strident de l'autre soir lui déchira les oreilles, si suraigu qu'Ulrich étendit les bras pour repousser le revenant, et il tomba sur le dos avec son siège.

Sam, réveillé par le bruit, se mit à hurler comme hurlent les chiens effrayés, et il tournait autour du logis, cherchant d'où venait le danger. Parvenu près de la porte, il flaira dessous, soufflant et reniflant avec force, le poil hérissé, la queue droite et grognant.

Kunsi, éperdu, s'était levé et, tenant par un pied sa chaise, il cria : « N'entre pas, n'entre pas ou je te tue ! » Et le chien, excité par cette menace, aboyait avec fureur contre l'invisible ennemi qui défiait la voix de son maître.

Sam, peu à peu, se calma et revint s'étendre auprès du foyer, mais il demeurait inquiet, la tête levée, les yeux brillants et grondant entre ses crocs.

Ulrich, à son tour, reprit ses sens, mais comme il se sentait défaillir de terreur, il alla chercher une bouteille d'eau-de-vie dans le buffet, et il en but coup sur coup plusieurs verres. Ses idées devenaient vagues ; son courage s'affermissait ; une fièvre de feu glissait dans ses veines.

Il ne mangea guère le lendemain, se bornant à boire de l'alcool. Et pendant plusieurs jours de suite il vécut saoul comme une brute. Dès que la pensée de Gaspard Hari lui revenait, il recommençait à boire jusqu'à l'instant où il tombait sur le sol, abattu par l'ivresse. Et il restait là, sur la face, ivre mort, les membres rompus, ronflant, le front par terre. Mais à peine avait-il digéré le liquide affolant et brûlant, que le cri toujours le même : « Ulrich ! » le réveillait comme une balle qui lui aurait percé le crâne, et il se dressait chancelant encore, étendant les mains pour ne point tomber, appelant Sam à son secours. Et le chien, qui semblait devenir fou comme son maître, se précipitait sur la porte, la grattait de ses griffes, la rongeait de ses longues dents blanches, tandis que le jeune homme, le col renversé, la tête en l'air, avalait à pleines gorgées, comme de l'eau fraîche après une course, l'eau-de-vie qui tout à l'heure endormirait de nouveau sa pensée, et son souvenir, et sa terreur éperdue.

En trois semaines, il absorba toute sa provision d'alcool. Mais cette saoulerie continue ne faisait qu'assoupir son épouvante qui se réveilla plus furieuse dès qu'il lui fut impossible de la calmer. L'idée fixe alors, exaspérée par un mois d'ivresse, et grandissant sans cesse dans l'absolue solitude, s'enfonçait en lui à la façon d'une vrille. Il marchait maintenant dans sa demeure ainsi qu'une bête en cage, collant son oreille à la porte pour écouter si l'autre était là, et le défiant à travers le mur.

Puis dès qu'il sommeillait, vaincu par la fatigue, il entendait la voix qui le faisait bondir sur ses pieds.

Une nuit enfin, pareil aux lâches poussés à bout, il se précipita sur la porte et l'ouvrit pour voir celui qui l'appelait et pour le forcer à se taire.

Il reçut en plein visage un souffle d'air froid qui le glaça jusqu'aux os et il referma le battant et poussa les verrous, sans remarquer que Sam s'était élancé dehors. Puis, frémissant, il jeta du bois au feu et s'assit devant pour se chauffer ; mais soudain il tressaillit : quelqu'un grattait le mur en pleurant.

Il cria, éperdu : « Va-t'en ! » Une plainte lui répondit, longue et douloureuse.

Alors tout ce qui lui restait de raison fut emporté par la terreur. Il répétait « Va-t'en » en tournant sur lui-même pour trouver un coin où se cacher. L'autre pleurant toujours, passait le long de la maison en se frottant contre le mur. Ulrich s'élança vers le buffet de chêne plein de vaisselle et de provisions et, le soulevant avec une force surhumaine, il le traîna jusqu'à la porte, pour s'appuyer d'une barricade. Puis entassant les uns sur les autres tout ce qui restait de meubles, les matelas, les paillasses, les chaises, il boucha la fenêtre comme on fait lorsqu'un ennemi vous assiège.

Mais celui du dehors poussait maintenant de grands gémissements lugubres auxquels le jeune homme se mit à répondre par des gémissements pareils.

Et des jours et des nuits passèrent sans qu'ils cessassent de hurler l'un et l'autre. L'un tournait sans cesse autour de la maison et fouillait la muraille de ses ongles avec tant de force qu'il semblait vouloir la démolir ; l'autre, au-dedans, suivait tous ses mouvements, courbé, l'oreille collée contre la pierre, et il répondait à tous ses appels par d'épouvantables cris.

Un soir, Ulrich n'entendit plus rien, et il s'assit, tellement brisé de fatigue qu'il s'endormit aussitôt.

Il se réveilla sans un souvenir, sans une pensée,

comme si toute sa tête se fût vidée pendant ce sommeil accablé. Il avait faim, il mangea.

. . . .

L'hiver était fini. Le passage de la Gemmi redevenait praticable ; et la famille Hauser se mit en route pour rentrer dans son auberge.

Dès qu'elles eurent atteint le haut de la montée, les femmes grimpèrent sur leur mulet, et elles parlèrent des deux hommes qu'elles allaient retrouver tout à l'heure.

Elles s'étonnaient que l'un d'eux ne fût pas descendu quelques jours plus tôt, dès que la route était devenue possible, pour donner des nouvelles de leur long hivernage.

On aperçut enfin l'auberge encore couverte et capitonnée de neige. La porte et la fenêtre étaient closes ; un peu de fumée sortait du toit, ce qui rassura le père Hauser. Mais en approchant, il aperçut, sur le seuil, un squelette d'animal dépecé par les aigles, un grand squelette couché sur le flanc.

Tous l'examinèrent. « Ça doit être Sam », dit la mère. Et elle appela : « Hé, Gaspard ! » Un cri répondit à l'intérieur, un cri aigu, qu'on eût dit poussé par une bête. Le père Hauser répéta : « Hé, Gaspard ! » Un autre cri pareil au premier se fit entendre.

Alors les trois hommes, le père et les deux fils, essayèrent d'ouvrir la porte. Elle résista. Ils prirent dans l'étable vide une longue poutre comme bélier et la lancèrent à toute volée. Le bois cria, céda, les planches volèrent en morceaux ; puis un grand bruit ébranla la maison et ils aperçurent dedans, derrière le buffet écroulé, un homme debout, avec des cheveux qui lui tombaient aux épaules, une barbe qui lui tombait sur la poitrine, des yeux brillants et des lambeaux d'étoffe sur le corps.

Ils ne le reconnaissaient point, mais Louise Hauser s'écria : « C'est Ulrich, maman ! » Et la mère constata que c'était Ulrich, bien que ses cheveux fussent blancs.

Il les laissa venir ; il se laissa toucher ; mais il ne répondit point aux questions qu'on lui posa ; et il fallut le conduire à Loëche où les médecins constatèrent qu'il était fou.

Et personne ne sut jamais ce qu'était devenu son compagnon.

La petite Hauser faillit mourir, cet été-là, d'une maladie de langueur qu'on attribua au froid de la montagne.

AMOUR

TROIS PAGES DU LIVRE D'UN CHASSEUR

... Je viens de lire dans un fait divers de journal un drame de passion. Il l'a tuée, puis il s'est tué, donc il l'aimait. Qu'importe Il ou Elle ? Leur amour seul m'importe ; il ne m'intéresse point parce qu'il m'attendrit ou parce qu'il m'étonne, ou parce qu'il m'émeut ou parce qu'il me fait songer, mais parce qu'il me rappelle un souvenir de ma jeunesse, un étrange souvenir de chasse où m'est apparu l'Amour comme apparaissaient aux premiers chrétiens des croix au milieu du ciel.

Je suis né avec tous les instincts et les sens de l'homme primitif, tempérés par des raisonnements et des émotions de civilisé. J'aime la chasse avec passion ; et la bête saignante, le sang sur les plumes, le sang sur mes mains me crispent le cœur à le faire défaillir.

Cette année-là, vers la fin de l'automne, les froids arrivèrent brusquement et je fus appelé par un de mes cousins, Karl de Rauville, pour venir avec lui tuer des canards dans les marais, au lever du jour.

Mon cousin, gaillard de quarante ans, roux, très

fort et très barbu, gentilhomme de campagne, demi-brute aimable, d'un caractère gai, doué de cet esprit gaulois qui rend agréable la médiocrité, habitait une sorte de ferme-château dans une vallée large où coulait une rivière. Des bois couvraient les collines de droite et de gauche, vieux bois seigneuriaux où restaient des arbres magnifiques et où l'on trouvait les plus rares gibiers à plume de toute cette partie de la France. On y tuait des aigles quelquefois ; et les oiseaux de passage, ceux qui presque jamais ne viennent en nos pays trop peuplés, s'arrêtaient presque infailliblement dans ces branchages séculaires comme s'ils eussent connu ou reconnu un petit coin de forêt des anciens temps demeuré là pour leur servir d'abri en leur courte étape nocturne.

Dans la vallée, c'étaient de grands herbages arrosés par des rigoles et séparés par des haies ; puis, plus loin, la rivière, canalisée jusque-là, s'épandait en un vaste marais. Ce marais, la plus admirable région de chasse que j'aie jamais vue, était tout le souci de mon cousin qui l'entretenait comme un parc. A travers l'immense peuple de roseaux qui le recouvrait, le faisait vivant, bruissant, houleux, on avait tracé d'étroites avenues où les barques plates, conduites et dirigées avec des perches, passaient, muettes, sur l'eau morte, frôlaient les joncs, faisaient fuir les poissons rapides à travers les herbes et plonger les poules sauvages dont la tête noire et pointue disparaissait brusquement.

J'aime l'eau d'une passion désordonnée : la mer, bien que trop grande, trop remuante, impossible à posséder, les rivières si jolies mais qui passent, qui fuient, qui s'en vont, et les marais surtout où palpite toute l'existence inconnue des bêtes aquatiques. Le marais, c'est un monde entier sur la terre, monde différent, qui a sa vie propre, ses habitants sédentaires et ses voyageurs de passage, ses voix, ses bruits et son mystère surtout. Rien n'est plus troublant, plus inquiétant, plus effrayant, parfois, qu'un marécage. Pourquoi cette peur qui plane sur ces plaines basses couvertes d'eau ? Sont-ce les vagues rumeurs des roseaux, les étranges feux follets, le silence profond qui les enveloppe dans les nuits calmes, ou bien les brumes bizarres qui traînent sur les joncs comme des robes de mortes, ou bien encore l'imperceptible clapotement, si léger, si doux, et plus terrifiant parfois que le canon des hommes ou que le tonnerre du ciel, qui fait ressembler les marais à des pays de rêve, à des pays redoutables cachant un secret inconnaissable et dangereux ?

Non. Autre chose s'en dégage, un autre mystère, plus profond, plus grave, flotte dans les brouillards épais, le mystère même de la création peut-être ! Car n'est-ce pas dans l'eau stagnante et fangeuse, dans la lourde humidité des terres mouillées sous la chaleur du soleil, que remua, que vibra, que s'ouvrit au jour le premier germe de vie ?

J'arrivai le soir chez mon cousin. Il gelait à fendre les pierres.

Pendant le dîner, dans la grande salle dont les buffets, les murs, le plafond étaient couverts d'oiseaux empaillés, aux ailes étendues, ou perchés sur des branches accrochées par des clous, éperviers, hérons, hiboux, engoulevents, buses, tiercelets, vautours, faucons, mon cousin pareil lui-même à un étrange animal des pays froids, vêtu d'une jaquette en peau de phoque, me racontait les dispositions qu'il avait prises pour cette nuit même.

AMOUR

Nous devions partir à trois heures et demie du matin, afin d'arriver vers quatre heures et demie au point choisi pour notre affût. On avait construit à cet endroit une hutte avec des morceaux de glace pour nous abriter un peu contre le vent terrible qui précède le jour, ce vent chargé de froid qui déchire la chair comme des scies, la coupe comme des lames, la pique comme des aiguillons empoisonnés, la tord comme des tenailles, et la brûle comme du feu.

Mon cousin se frottait les mains. « Je n'ai jamais vu une gelée pareille, disait-il ; nous avions déjà douze degrés sous zéro à six heures du soir. »

J'allai me jeter sur mon lit aussitôt après le repas, et je m'endormis à la lueur d'une grande flamme flambant dans ma cheminée.

A trois heures sonnantes on me réveilla. J'endossai à mon tour une peau de mouton et je trouvai mon cousin Karl couvert d'une fourrure d'ours. Après avoir avalé chacun deux tasses de café brûlant suivies de deux verres de fine champagne, nous partîmes accompagnés d'un garde et de nos chiens : Plongeon et Pierrot.

Dès les premiers pas dehors, je me sentis glacé jusqu'aux os. C'était une de ces nuits où la terre semble morte de froid. L'air gelé devient résistant, palpable tant il fait mal ; aucun souffle ne l'agite ; il est figé, immobile ; il mord, traverse, dessèche, tue les arbres, les plantes, les insectes, les petits oiseaux eux-mêmes qui tombent des branches sur le sol dur, et deviennent durs aussi sous l'étreinte du froid.

La lune, à son dernier quartier, toute penchée sur le côté, toute pâle, paraissait défaillante au milieu de l'espace, et si faible qu'elle ne pouvait plus s'en aller, qu'elle restait là-haut, saisie aussi, paralysée par la rigueur du ciel. Elle répandait une lumière sèche et triste sur le monde, cette lueur mourante et blafarde qu'elle nous jette chaque mois, à la fin de sa résurrection.

Nous allions côte à côte, Karl et moi, le dos courbé, les mains dans nos poches et le fusil sous le bras. Nos chaussures enveloppées de laine afin de pouvcir marcher sans glisser sur la rivière gelée ne faisaient aucun bruit ; et je regardais la fumée blanche que faisait l'haleine de nos chiens.

Nous fûmes bientôt au bord du marais, et nous nous engageâmes dans une des allées de roseaux secs qui s'avançait à travers cette forêt basse.

Nos coudes, frôlant les longues feuilles en rubans, laissaient derrière nous un léger bruit, et je me sentis saisi, comme je ne l'avais jamais été, par l'émotion puissante et singulière que font naître en moi les marécages. Il était mort, celui-là, mort de froid, puisque nous marchions dessus au milieu de son peuple de joncs desséchés.

Tout à coup, au détour d'une des allées, j'aperçus la hutte de glace qu'on avait construite pour nous mettre à l'abri. J'y entrai, et comme nous avions encore près d'une heure à attendre le réveil des oiseaux errants, je me roulai dans ma couverture pour essayer de me réchauffer.

Alors, couché sur le dos, je me mis à regarder la lune déformée, qui avait quatre cornes à travers les parois vaguement transparentes de cette maison polaire.

Mais le froid du marais gelé, le froid de ces murailles, le froid tombé du firmament me pénétra bientôt d'une façon si terrible que je me mis à tousser.

Mon cousin Karl fut pris d'inquiétude. « Tant pis si nous ne tuons pas grand-chose aujourd'hui, dit-il, je ne veux pas que tu t'enrhumes ; nous allons faire du feu. » Et il donna l'ordre au garde de couper des roseaux.

On en fit un tas au milieu de notre hutte défoncée au sommet pour laisser échapper la fumée ; et lorsque la flamme rouge monta le long des cloisons claires de cristal, elles se mirent à fondre doucement, à peine, comme si ces pierres de glace avaient sué. Karl, resté dehors, me cria : « Viens donc voir ! » Je sortis et je restai éperdu d'étonnement. Notre cabane, en forme de cône, avait l'air d'un monstrueux diamant au cœur de feu poussé soudain sur l'eau gelée du marais. Et dedans, on voyait deux formes fantastiques, celles de nos chiens qui se chauffaient.

Mais un cri bizarre, un cri éperdu, un cri errant, passa sur nos têtes. La lueur de notre foyer réveillait les oiseaux sauvages.

Rien ne m'émeut comme cette première clameur de vie qu'on ne voit point et qui court dans l'air sombre, si vite, si loin, avant qu'apparaisse à l'horizon la première clarté des jours d'hiver. Il me semble à cette heure glaciale de l'aube, que ce cri fuyant emporté par les plumes d'une bête est un soupir de l'âme du monde !

Karl disait : « Eteignez le feu. Voici l'aurore. »

Le ciel en effet commençait à pâlir, et les bandes de canards traînaient de longues taches rapides, vite effacées, sur le firmament.

Une lueur éclata dans la nuit, Karl venait de tirer ; et les deux chiens s'élancèrent.

Alors, de minute en minute, tantôt lui et tantôt moi, nous ajustions vivement dès qu'apparaissait au-dessus des roseaux l'ombre d'une tribu volante. Et Pierrot et Plongeon, essoufflés et joyeux, nous rapportaient des bêtes sanglantes dont l'œil quelquefois nous regardait encore.

Le jour s'était levé, un jour clair et bleu ; le soleil apparaissait au fond de la vallée et nous songions à repartir, quand deux oiseaux, le col droit et les ailes tendues, glissèrent brusquement sur nos têtes. Je tirai. Un d'eux tomba presque à mes pieds. C'était une sarcelle au ventre d'argent. Alors, dans l'espace au-dessus de moi, une voix d'oiseau cria. Ce fut une plainte courte, répétée, déchirante ; et la bête, la petite bête épargnée, se mit à tourner dans le bleu du ciel au-dessus de nous en regardant sa compagne morte que je tenais entre mes mains.

Karl, à genoux, le fusil à l'épaule, l'œil ardent, la guettait, attendant qu'elle fût assez proche.

— Tu as tué la femelle, dit-il, le mâle ne s'en ira pas.

Certes, il ne s'en allait point ; il tournoyait toujours et pleurait autour de nous. Jamais gémissement de souffrance ne me déchira le cœur comme l'appel désolé, comme le reproche lamentable de ce pauvre animal perdu dans l'espace.

Parfois, il s'enfuyait sous la menace du fusil qui suivait son vol ; il semblait prêt à continuer sa route, tout seul à travers le ciel. Mais ne s'y pouvant décider, il revenait bientôt pour chercher sa femelle.

— Laisse-la par terre, me dit Karl, il approchera tout à l'heure.

Il approchait, en effet, insouciant du danger, affolé par son amour de bête, pour l'autre bête que j'avais tuée.

Karl tira ; ce fut comme si on avait coupé la corde qui tenait suspendu l'oiseau. Je vis une chose noire qui tombait ; j'entendis dans les roseaux le bruit d'une chute. Et Pierrot me le rapporta.

Je les mis, froids déjà, dans le même carnier... et je repartis ce jour-là pour Paris.

LE TROU

Coups et blessures ayant occasionné la mort. Tel était le chef d'accusation qui faisait comparaître en cour d'assises le sieur Léopold Renard, tapissier.

Autour de lui, les principaux témoins, la dame Flamèche, veuve de la victime, les nommés Louis Ladureau, ouvrier ébéniste, et Jean Durdent, plombier.

Près du criminel, sa femme, en noir, petite, laide, l'air d'une guenon habillée en dame.

Et voici comment Renard (Léopold) raconte le drame :

— Mon Dieu, c'est un malheur dont je fus tout le temps la première victime, et dont ma volonté n'est pour rien. Les faits se commentent d'eux-mêmes, m'sieu l' Président. Je suis un honnête homme, homme de travail, tapissier dans la même rue depuis seize ans, connu, aimé, respecté, considéré de tous, comme en ont attesté les voisins, même la concierge qui n'est pas folâtre tous les jours. J'aime le travail, j'aime l'épargne, j'aime les honnêtes gens et les plaisirs honnêtes. Voilà ce qui m'a perdu, tant pis pour moi ; ma volonté n'y étant pas, je continue à me respecter.

« Donc, tous les dimanches, mon épouse que voilà

et moi, depuis cinq ans, nous allons passer la journée à Poissy. Ça nous fait prendre l'air, sans compter que nous aimons la pêche à la ligne, oh ! mais là, nous l'aimons comme des petits oignons. C'est Mélie qui m'a donné cette passion-là, la rosse, et qu'elle y est plus emportée que moi, la teigne, vu que tout le mal vient d'elle en c't'affaire-là, comme vous l'allez voir par la suite.

« Moi, je suis fort et doux, pas méchant pour deux sous. Mais elle ! oh ! là ! là ! ça n'a l'air de rien, c'est petit, c'est maigre ; eh bien ! c'est plus malfaisant qu'une fouine. Je ne nie pas qu'elle ait des qualités ; elle en a, et d'importantes pour un commerçant. Mais son caractère ! Parlez-en aux alentours, et même à la concierge qui m'a déchargé tout à l'heure..., elle vous en dira des nouvelles.

« Tous les jours elle me reprochait ma douceur : « C'est moi qui ne me laisserais pas faire ci ! C'est moi qui ne me laisserais pas faire ça. » En l'écoutant, m'sieu l' Président, j'aurais eu au moins trois duels au pugilat par mois... »

Mme Renard l'interrompit : « Cause toujours ! Rira bien qui rira le dernier ! »

Il se tourna vers elle avec candeur :

— Eh bien, j' peux t' charger puisque t'es pas en cause, toi...

Puis faisant de nouveau face au président :

— Lors, je continue. Donc, nous allions à Poissy tous les samedis soir pour y pêcher dès l'aurore du lendemain. C'est une habitude pour nous qu'est devenue une seconde nature, comme on dit. J'avais découvert, voilà trois ans cet été, une place ! Oh ! là ! là ! à l'ombre, huit pieds d'eau au moins, p't'être dix, un trou, quoi, avec des retrous sous la berge, une vraie niche à poissons, un paradis pour le pêcheur. Ce trou-là, m'sieu l' Président, je pouvais le considérer comme à moi, vu que j'en étais le Christophe Colomb. Tout le monde le savait dans le pays, tout le monde, sans opposition. On disait : « Ça, c'est la place à Renard » ; et personne n'y serait venu, pas même M. Plumeau, qu'est connu, soit dit sans l'offenser, pour chiper les places des autres.

« Donc, sûr de mon endroit, j'y revenais comme un propriétaire. A peine arrivé le samedi, je montais dans *Dalila,* avec mon épouse — *Dalila,* c'est ma norvégienne, un bateau que j'ai fait construire chez Fournaise, quéque chose de léger et de sûr. — Je dis que nous montons dans *Dalila,* et nous allons amorcer. Pour amorcer, il n'y a que moi, et ils le savent bien, les camaraux. — Vous me demanderez avec quoi j'amorce ? Je n' peux pas répondre. Ça ne touche point à l'accident ; je ne peux pas répondre, c'est mon secret. — Ils sont plus de deux cents qui me l'ont demandé. On m'en a offert des petits verres, et des fritures, et des matelotes pour me faire causer ! Mais va voir s'ils viennent, les chevesnes ! Ah ! oui, on m'a tapé sur le ventre pour la connaître, ma recette... Il n'y a que ma femme qui la sait... et elle ne la dira pas plus que moi !... Pas vrai, Mélie ? »

Le président l'interrompit :

— Arrivez au fait le plus tôt possible.

Le prévenu reprit : « J'y viens, j'y viens. Donc le samedi 8 juillet, partis par le train de cinq heures vingt-cinq, nous allâmes, dès avant dîner, amorcer comme tous les samedis. Le temps s'annonçait bien. Je disais à Mélie : « Chouette, chouette pour demain ! » Et elle répondait : « Ça promet. » Nous ne causons jamais plus que ça ensemble.

« Et puis, nous revenons dîner. J'étais content, j'avais soif. C'est cause de tout, m'sieu l' Président. Je dis à Mélie : « Tiens, Mélie, il fait beau, si je buvais une bouteille de *casque à mèche* ? » C'est un petit vin blanc que nous avons baptisé comme ça, parce que, si on en boit trop, il vous empêche de dormir et il remplace le casque à mèche. Vous comprenez ?

« Elle me répond : « Tu peux faire à ton idée, mais tu s'ras encore malade ; et tu ne pourras pas te lever demain. » — Ça, c'était vrai, c'était sage, c'était prudent, c'était perspicace, je le confesse. Néanmoins, je ne sus pas me contenir ; et je la bus, ma bouteille. Tout vint de là.

« Donc, je ne pus pas dormir. Cristi ! Je l'ai eu jusqu'à deux heures du matin, ce casque à mèche en jus de raisin. Et puis, pouf ! je m'endors, mais là je dors à n' pas entendre gueuler l'ange du jugement dernier.

« Bref, ma femme me réveille à six heures. Je saute du lit, j' passe vite et vite ma culotte et ma vareuse ; un coup d'eau sur le museau et nous sautons dans *Dalila.* Trop tard. Quand j'arrive à mon trou, il était pris ! Jamais ça n'était arrivé, m'sieu l' Président, jamais depuis trois ans ! Ça m'a fait un effet comme si on me dévalisait sous mes yeux. Je dis : « Nom d'un nom, d'un nom, d'un nom ! » Et v'là ma femme qui commence à me harceler : « Hein, ton casque à mèche ! Va donc, soûlot ! Es-tu content, grande bête ? »

« Je ne disais rien ; c'était vrai, tout ça.

« Je débarque tout de même près de l'endroit pour tâcher de profiter des restes. Et peut-être qu'il ne prendrait rien, c't'homme, et qu'il s'en irait ?

« C'était un petit maigre, en coutil blanc, avec un grand chapeau de paille. Il avait aussi sa femme, une grosse qui faisait de la tapisserie derrière lui.

« Quand elle nous vit nous installer près du lieu, v'là qu'elle murmure :

« — Il n'y a donc pas d'autre place sur la rivière ?

« Et la mienne, qui rageait, de répondre :

« — Les gens qu'ont du savoir-vivre s'informent des habitudes d'un pays avant d'occuper les endroits réservés.

« Comme je ne voulais pas d'histoires, je lui dis :

« — Tais-toi, Mélie. Laisse faire, laisse faire. Nous verrons bien.

« Donc, nous avions mis *Dalila* sous les saules, nous étions descendus, et nous pêchions coude à coude, Mélie et moi, juste à côté des deux autres.

« Ici, m'sieu l' Président, il faut que j'entre dans le détail.

« Y avait cinq minutes que nous étions là quand la ligne du voisin se met à plonger deux fois, trois fois ; et puis voilà qu'il en amène un, de chevesne, gros comme ma cuisse... un peu moins p't'être, mais presque ! Moi, le cœur me bat ; j'ai une sueur aux tempes, et Mélie qui me dit : « Hein, pochard, l'as-tu vu, celui-là ? »

« Sur ces entrefaites, M. Bru, l'épicier de Poissy, un amateur de goujon, lui, passe en barque et me crie : « On vous a pris votre endroit, monsieur Renard ? » Je lui répond : « Oui, monsieur Bru, il y a dans ce monde des gens pas délicats qui ne savent pas les usages. »

« Le petit coutil d'à côté avait l'air de ne pas entendre, sa femme non plus, sa grosse femme, un veau, quoi ! »

Le président interrompit une seconde fois : « Prenez garde ! Vous insultez Mme veuve Flamèche, ici présente. »

Renard s'excusa : « Pardon, pardon, c'est la passion qui m'emporte.

« Donc, il ne s'était pas écoulé un quart d'heure que le petit coutil en prit encore un, de chevesne — et un autre presque par-dessus, et encore un cinq minutes plus tard.

« Moi, j'en avais les larmes aux yeux. Et puis je sentais Mme Renard en ébullition ; elle me lancicotait sans cesse : « Ah ! misère ! crois-tu qu'il te le vole, ton poisson ? Crois-tu ? Tu ne prendras rien, toi, pas une grenouille, rien de rien, rien. Tiens, j'ai du feu dans la main rien que d'y penser. »

« Moi, je me disais : — Attendons midi. Il ira déjeuner, ce braconnier-là, et je la reprendrai, ma place. Vu que moi, m'sieu l' Président, je déjeune sur les lieux tous les dimanches. Nous apportons les provisions dans *Dalila.*

« Ah, ouiche ! Midi sonne ! Il avait un poulet dans un journal, le malfaiteur, et pendant qu'il mange, v'là qu'il en prend encore un, de chevesne !

« Mélie et moi nous cassons une croûte aussi, comme ça, sur le pouce, presque rien ; le cœur n'y était pas.

« Alors, pour faire digestion, je prends mon journal. Tous les dimanches, comme ça, je lis le *Gil Blas*, à l'ombre, au bord de l'eau. C'est le jour de Colombine, vous savez bien, Colombine qu'écrit des articles dans le *Gil Blas.* J'avais coutume de faire enrager Mme Renard en prétendant la connaître, c'te Colombine. C'est pas vrai, je la connais pas, je ne l'ai jamais vue, n'importe, elle écrit bien ; et puis elle dit des choses rudement d'aplomb pour une femme. Moi, elle me va, y en a pas beaucoup dans son genre.

« Voilà donc que je commence à asticoter mon épouse, mais elle se fâche tout de suite, et raide, encore. Donc, je me tais.

« C'est à ce moment qu'arrivent de l'autre côté de la rivière nos deux témoins que voilà, M. Ladureau et M. Durdent. Nous nous connaissons de vue.

« Le petit s'était remis à pêcher. Il en prenait que j'en tremblais, moi. Et sa femme se mit à dire : « La place est rudement bonne, nous y reviendrons toujours, Désiré ! »

« Moi, je me sens un froid dans le dos. Et Mme Renard répétait : « T'es pas un homme, t'es pas un homme ! T'as du sang de poulet dans les veines ! »

« Je lui dis soudain : « Tiens, j'aime mieux m'en aller, je ferais quelque bêtise. »

« Et elle me souffle, comme si elle m'eût mis un feu rouge sous le nez : « T'es pas un homme ! V'là qu' tu fuis, maintenant, que tu rends la place ! Va donc, Bazaine ! »

« Là, je me suis senti touché. Cependant, je ne bronche pas.

« Mais l'autre, il lève une brème, oh ! jamais je n'en ai vu telle ! Jamais !

« Et r'voilà ma femme qui se met à parler haut, comme si elle pensait. Vous voyez d'ici la malice. Elle disait : « C'est ça qu'on peut appeler du poisson volé, vu que nous avons amorcé la place nous-mêmes. Il faudrait rendre au moins l'argent dépensé pour l'amorce. »

« Alors la grosse au petit coutil se mit à dire à son tour : « C'est à nous que vous en avez, Madame ? »

« — J'en ai aux voleurs de poisson qui profitent de l'argent dépensé par les autres.

« — C'est nous que vous appelez des voleurs de poisson ? »

« Et voilà qu'elles s'expliquent, et puis qu'elles en viennent aux mots. Cristi, elles en savent, les gueuses, et de tapés ! Elles gueulaient si fort que nos deux témoins, qui étaient sur l'autre berge, s'mettent à crier pour rigoler : « Hé ! là-bas, un peu de silence. Vous allez empêcher vos époux de pêcher. »

« Le fait est que le petit coutil et moi, nous ne bougions pas plus que deux souches. Nous restions là, le nez sur l'eau, comme si nous n'avions pas entendu.

« Cristi de cristi, nous entendions bien pourtant : « Vous n'êtes qu'une menteuse ! — Vous n'êtes qu'une traînée ! — Vous n'êtes qu'une roulure ! — Vous n'êtes qu'une rouchie ! » Et va donc, et va donc ! Un matelot n'en sait pas plus.

« Soudain, j'entends un bruit derrière moi. Je me r'tourne. C'était l'autre, la grosse, qui tombait sur ma femme à coups d'ombrelle. Pan ! pan ! Mélie en r'çoit deux. Mais elle rage, Mélie, et puis elle tape quand elle rage. Elle vous attrape la grosse par les cheveux, et puis, v'lan, v'lan, v'lan, des gifles qui pleuvaient comme des prunes.

« Moi, je les aurais laissé faire. Les femmes entre elles, les hommes entre eux. Il ne faut pas mêler les coups. Mais le petit coutil se lève comme un diable et puis il veut sauter sur ma femme. Ah ! mais non ! ah ! mais non ! pas de ça, camarade ! Moi, je le reçois sur le bout de mon poing, cet oiseau-là. Et gnon, et gnon ! Un dans le nez, l'autre dans le ventre. Il lève les bras, il lève la jambe, et il tombe sur le dos, en pleine rivière, juste dans l' trou.

« Je l'aurais repêché, pour sûr, m'sieu l' Président, si j'avais eu le temps tout de suite. Mais pour comble, la grosse prenait le dessus et elle vous tripotait Mélie de la belle façon. Je sais bien que j'aurais pas dû la secourir pendant que l'autre buvait son coup. Mais je ne pensais pas qu'il se serait noyé. Je me disais : « Bah ! ça le rafraîchira ! »

« Je cours donc aux femmes pour les séparer. Et j'en reçois des gnons, des coups d'ongles et des coups de dents. Cristi, quelles rosses !

« Bref, il me fallut bien cinq minutes, peut-être dix, pour séparer ces deux crampons-là.

« J' me r'tourne. Plus rien. L'eau calme comme un lac. Et les autres là-bas qui criaient : « Repêchez-le, repêchez-le ! »

« C'est bon à dire, ça, mais je ne sais pas nager, moi, et plonger encore moins, pour sûr !

« Enfin le barragiste est venu et deux messieurs avec des gaffes, ça avait bien duré un grand quart d'heure. On l'a retrouvé au fond du trou, sous huit pieds d'eau, comme j'avais dit, mais il y était, le petit coutil !

« Voilà les faits tels que je les jure. Je suis innocent, sur l'honneur. »

Les témoins ayant déposé dans le même sens, le prévenu fut acquitté.

L'INFIRME

Cette aventure m'est arrivée vers 1882.

Je venais de m'installer dans le coin d'un wagon vide et j'avais refermé la portière avec l'espérance de rester seul, quand elle se rouvrit brusquement et j'entendis une voix qui disait :

— Prenez garde, monsieur, nous nous trouvons juste au croisement des lignes ; le marchepied est très haut.

Une autre voix répondit :

— Ne crains rien, Laurent, je vais prendre les poignées.

Puis une tête apparut, coiffée d'un chapeau rond, et deux mains, s'accrochant aux lanières de cuir et de drap suspendues des deux côtés de la portière, hissèrent lentement un gros corps dont les pieds firent sur le marchepied un bruit de canne frappant le sol.

Or, quand l'homme eut fait entrer son torse dans le compartiment, je vis apparaître, dans l'étoffe flasque du pantalon, le bout peint en noir d'une jambe de bois, qu'un autre pilon pareil suivit bientôt.

Une tête se montra derrière ce voyageur et demanda :

— Vous êtes bien, monsieur ?

— Oui, mon garçon.

— Alors, voilà vos paquets et vos béquilles.

Et un domestique, qui avait l'air d'un vieux soldat, monta à son tour, portant en ses bras un tas de choses enveloppées en des papiers noirs et jaunes, ficelées soigneusement, et les déposa l'une après l'autre dans le filet au-dessus de la tête de son maître. Puis il dit :

— Voilà, monsieur, c'est tout. Il y en a cinq. Les bonbons, la poupée, le tambour, le fusil et le pâté de foie gras.

— C'est bien, mon garçon.

— Bon voyage, monsieur.

— Merci, Laurent ; bonne santé !

L'homme s'en alla en repoussant la porte, et je regardai mon voisin.

Il pouvait avoir trente-cinq ans, bien que ses cheveux fussent presque blancs ; il était décoré, moustachu, fort gros, atteint de cette obésité poussive des hommes actifs et forts qu'une infirmité tient immobiles.

Il s'essuya le front, souffla et, me regardant bien en face :

— La fumée vous gêne-t-elle, monsieur ?

— Non, monsieur.

Cet œil, cette voix, ce visage, je les connaissais. Mais d'où, de quand ? Certes, j'avais rencontré ce garçon-là, je lui avais parlé, je lui avais serré la main. Cela datait de loin, de très loin, c'était perdu dans cette brume où l'esprit semble chercher à tâtons les souvenirs et les poursuit, comme des fantômes fuyants, sans les saisir.

Lui aussi, maintenant, me dévisageait avec la ténacité et la fixité d'un homme qui se rappelle un peu, mais pas tout à fait.

Nos yeux, gênés de ce contact obstiné des regards, se détournèrent ; puis au bout de quelques secondes, attirés de nouveau par la volonté obscure et tenace de la mémoire en travail, ils se rencontrèrent encore, et je dis :

— Mon Dieu, monsieur, au lieu de nous observer à la dérobée pendant une heure, ne vaudrait-il pas mieux chercher ensemble où nous nous sommes connus ?

Le voisin répondit avec bonne grâce :

— Vous avez tout à fait raison, monsieur.

Je me nommai :

— Je m'appelle Henri Bonclair, magistrat.

Il hésita quelques secondes ; puis avec ce vague de l'œil et de la voix qui accompagne les grandes tensions d'esprit :

— Ah ! Parfaitement, je vous ai rencontré chez les Poincel, autrefois, avant la guerre, voilà douze ans de cela !

— Oui, monsieur... Ah !... Ah !... Vous êtes le lieutenant Revalière ?

— Oui... Je fus même le capitaine Revalière jusqu'au jour où j'ai perdu mes pieds... tous les deux d'un seul coup, sur le passage d'un boulet.

Et nous nous regardâmes de nouveau, maintenant que nous nous connaissions.

Je me rappelais parfaitement avoir vu ce beau garçon mince qui conduisait les cotillons avec une furie agile et gracieuse et qu'on avait surnommé « la Trombe ». Mais derrière cette image, nettement évoquée, flottait encore quelque chose d'insaisissable, une histoire que j'avais sue et oubliée, une de ces histoires auxquelles on prête une attention bienveillante et courte, et qui ne laissent dans l'esprit qu'une marque presque imperceptible.

Il y avait de l'amour là-dedans. J'en retrouvais la sensation particulière au fond de la mémoire, mais rien de plus, sensation comparable au fumet que sème pour le nez d'un chien le pied d'un gibier sur le sol.

Peu à peu, cependant, les ombres s'éclaircirent et une figure de jeune fille surgit devant mes yeux. Puis son nom éclata dans ma tête comme un pétard qui s'allume : Mlle de Mandal. Je me rappelais tout, maintenant. C'était, en effet, une histoire d'amour, mais banale. Cette jeune fille aimait ce jeune homme, lorsque je l'avais rencontré, et on parlait de leur prochain mariage. Il paraissait lui-même très épris, très heureux.

Je levai les yeux vers le filet où tous les paquets apportés par le domestique de mon voisin tremblotaient aux secousses du train, et la voix du serviteur me revint comme s'il finissait à peine de parler.

Il avait dit :

— Voilà, monsieur, c'est tout. Il y en a cinq : les bonbons, la poupée, le tambour, le fusil et le pâté de foie gras.

Alors, en une seconde, un roman se composa et se déroula dans ma tête. Il ressemblait d'ailleurs à tous ceux que j'avais lus où, tantôt le jeune homme, tantôt la jeune fille, épouse son fiancé ou sa fiancée après la catastrophe, soit corporelle, soit financière. Donc, cet officier mutilé pendant la guerre avait retrouvé, après la campagne, la jeune fille qui s'était promise à lui ; et, tenant son engagement, elle s'était donnée.

Je jugeais cela beau, mais simple, comme on juge simples tous les dévouements des livres et du théâtre. Il semble toujours, quand on lit ou quand on écoute, à ces écoles de magnanimité, qu'on se serait sacrifié soi-même avec un plaisir enthousiaste, avec un élan magnifique. Mais on est de mauvaise humeur le lendemain quand un ami misérable vient vous emprunter quelque argent.

Puis soudain une autre supposition, moins poétique et plus réaliste, se substitua à la première. Peut-être s'était-il marié avant la guerre, avant l'épouvantable accident de ce boulet lui coupant les jambes, et avait-elle dû, désolée et résignée, recevoir, soigner, consoler, soutenir ce mari, parti fort et beau, revenu avec les pieds fauchés, affreux débris voué à l'immobilité, aux colères impuissantes et à l'obésité fatale.

Etait-il heureux ou torturé ? Une envie, légère d'abord, puis grandissante, puis irrésistible, me saisit de connaître son histoire, d'en savoir au moins les points principaux, qui me permettraient de deviner ce qu'il ne pourrait pas ou ne voudrait pas me dire.

Je lui parlais, tout en songeant. Nous avions échangé quelques paroles banales ; et moi, les yeux levés vers le filet, je pensais : « Il a donc trois enfants : les bonbons sont pour sa femme, la poupée pour sa petite fille, le tambour et le fusil pour ses fils, ce pâté de foie gras pour lui. »

Soudain, je lui demandai :

— Vous êtes père, monsieur ?

Il répondit :

— Non, monsieur.

Je me sentis soudain confus comme si j'avais commis une grosse inconvenance et je repris :

— Je vous demande pardon. Je l'avais pensé en entendant votre domestique parler de jouets. On entend sans écouter, et on conclut malgré soi.

Il sourit, puis murmura :

— Non, je ne suis même pas marié. J'en suis resté aux préliminaires.

J'eus l'air de me souvenir tout à coup :

— Ah !... c'est vrai, vous étiez fiancé, quand je vous ai connu ; fiancé avec Mlle de Mandal, je crois.

— Oui, monsieur, votre mémoire est excellente.

J'eus une audace excessive, et j'ajoutai :

— Oui, je crois me rappeler aussi avoir entendu dire que Mlle de Mandal avait épousé monsieur... monsieur...

Il prononça tranquillement ce nom :

— M. de Fleurel.

— Oui, c'est cela ! Oui... je me rappelle même, à ce propos, avoir entendu parler de votre blessure.

Je le regardai bien en face ; et il rougit.

Sa figure pleine, bouffie, que l'afflux constant de sang rendait déjà pourpre, se teinta davantage encore.

Il répondit avec vivacité, avec l'ardeur soudaine d'un homme qui plaide une cause perdue d'avance, perdue dans son esprit et dans son cœur, mais qu'il veut gagner devant l'opinion.

— On a tort, monsieur, de prononcer à côté du mien le nom de Mme de Fleurel. Quand je suis revenu de la guerre, sans mes pieds, hélas ! je n'aurais jamais accepté, jamais, qu'elle devînt ma femme. Est-ce que c'était possible ? Quand on se marie, monsieur, ce n'est pas pour faire parade de générosité : c'est pour vivre, tous les jours, toutes les heures, toutes les minutes, toutes les secondes, à côté d'un homme ; et si cet homme est difforme, comme moi, on se condamne, en l'épousant, à une souffrance qui durera jusqu'à la mort ! Oh ! je comprends, j'admire tous les sacrifices, tous les dévouements quand ils ont une limite, mais je n'admets pas le renoncement d'une femme à toute une vie qu'elle espère heureuse, à toutes les joies, à tous les rêves, pour satisfaire l'admiration de la galerie. Quand j'entends sur le plancher de ma chambre le battement de mes pilons et celui de mes béquilles, ce bruit de moulin que je fais à chaque pas, j'ai des exaspérations à étrangler mon serviteur. Croyez-vous qu'on puisse accepter d'une femme de tolérer ce qu'on ne supporte pas soi-même ? Et puis, vous imaginez-vous que c'est joli, mes bouts de jambes ?...

Il se tut. Que lui dire ? Je trouvais qu'il avait raison ! Pouvais-je la blâmer, la mépriser, même lui donner tort, à elle ? Non. Cependant ? Le dénouement conforme à la règle, à la moyenne, à la vérité, à la vraisemblance, ne satisfaisait pas mon appétit poétique. Ces moignons héroïques appelaient un beau sacrifice qui me manquait, et j'en éprouvais une déception.

Je lui demandai tout à coup :

— Mme de Fleurel a des enfants ?

— Oui, une fille et deux garçons. C'est pour eux que je porte ces jouets. Son mari et elle ont été très bons pour moi.

Le train montait la rampe de Saint-Germain ; il passa les tunnels, entra en gare, s'arrêta.

J'allais offrir mon bras pour aider la descente de l'officier mutilé quand deux mains se tendirent vers lui par la portière ouverte :

— Bonjour, mon cher Revalière !

— Ah ! Bonjour, Fleurel !

Derrière l'homme, la femme souriait, radieuse, encore jolie, envoyant des « bonjour ! » de ses doigts gantés. Une petite fille, à côté d'elle, sautillait de joie, et deux garçonnets regardaient avec des yeux avides le tambour et le fusil passant du filet du wagon entre les mains de leur père.

Quand l'infirme fut sur le quai, tous les enfants l'embrassèrent. Puis on se mit en route, et la fillette, par amitié, tenait dans sa petite main la traverse vernie d'une béquille, comme elle aurait pu tenir, en marchant à son côté, le pouce de son grand ami.

MENUET

A Paul Bourget.

Les grands malheurs ne m'attristent guère, dit Jean Bridelle, un vieux garçon qui passait pour sceptique. J'ai vu la guerre de bien près : j'enjambais les corps sans apitoiement. Les fortes brutalités de la nature ou des hommes peuvent nous faire pousser des cris d'horreur ou d'indignation, mais ne nous donnent point ce pincement au cœur, ce frisson qui vous passe dans le dos à la vue de certaines petites choses navrantes.

La plus violente douleur que l'on puisse éprouver, certes, est la perte d'un enfant pour une mère, et la perte de la mère pour un homme. Cela est violent, terrible, cela bouleverse et déchire ; mais on guérit de ces catastrophes comme de larges blessures saignantes. Or, certaines rencontres, certaines choses entr'aperçues, devinées, certains chagrins secrets, certaines perfidies du sort, qui remuent en nous tout un monde douloureux de pensées, qui entrouvrent devant nous brusquement la porte mystérieuse des souffrances morales, compliquées, incurables, d'autant plus profondes qu'elles semblent bénignes, d'autant plus cuisantes qu'elles semblent presque insaisissables, d'autant plus tenaces qu'elles semblent factices, nous laissent à l'âme comme une traînée de tristesse, un goût d'amertume, une sensation de désenchantement dont nous sommes longtemps à nous débarrasser.

J'ai toujours devant les yeux deux ou trois choses que d'autres n'eussent point remarquées assurément, et qui sont entrées en moi comme de longues et minces piqûres inguérissables.

Vous ne comprendriez peut-être pas l'émotion qui m'est restée de ces rapides impressions. Je ne vous en dirai qu'une. Elle est très vieille, mais vive comme d'hier. Il se peut que mon imagination seule ait fait les frais de mon attendrissement.

J'ai cinquante ans. J'étais jeune alors et j'étudiais le droit. Un peu triste, un peu rêveur, imprégné d'une philosophie mélancolique, je n'aimais guère les cafés bruyants, les camarades braillards, ni les filles stupides. Je me levais tôt ; et une de mes plus chères voluptés était de me promener seul, vers huit heures du matin, dans la pépinière du Luxembourg.

Vous ne l'avez pas connue, vous autres, cette pépinière ? C'était comme un jardin oublié de l'autre siècle, un jardin joli comme un doux sourire de vieille. Des haies touffues séparaient les allées étroites et régulières, allées calmes entre deux murs de feuillage taillés avec méthode. Les grands ciseaux du jardinier alignaient sans relâche ces cloisons de branches ; et, de place en place, on rencontrait des parterres de fleurs, des plates-bandes de petits arbres rangés comme des collégiens en promenade, des sociétés de rosiers magnifiques ou des régiments d'arbres à fruits.

MENUET

Tout un coin de ce ravissant bosquet était habité par les abeilles. Leurs maisons de paille, savamment espacées sur des planches, ouvraient au soleil leurs portes grandes comme l'entrée d'un dé à coudre ; et on rencontrait tout le long des chemins les mouches bourdonnantes et dorées, vraies maîtresses de ce lieu pacifique, vraies promeneuses de ces tranquilles allées en corridor.

Je venais là presque tous les matins. Je m'asseyais sur un banc et je lisais. Parfois je laissais retomber le livre sur mes genoux pour rêver, pour écouter autour de moi vivre Paris et jouir du repos infini de ces charmilles à la mode ancienne.

Mais je m'aperçus bientôt que je n'étais pas seul à fréquenter ce lieu dès l'ouverture des barrières, et je rencontrais parfois, nez à nez, au coin d'un massif, un étrange petit vieillard.

Il portait des souliers à boucles d'argent, une culotte à pont, une redingote tabac d'Espagne, une dentelle en guise de cravate et un invraisemblable chapeau gris à grands bords et à grands poils, qui faisait penser au déluge

Il était maigre, fort maigre, anguleux, grimaçant et souriant. Ses yeux vifs palpitaient, s'agitaient sous un mouvement continu des paupières ; et il avait toujours à la main une superbe canne à pommeau d'or qui devait être pour lui quelque souvenir magnifique.

Ce bonhomme m'étonna d'abord, puis m'intéressa outre mesure. Et je le guettais à travers les murs de feuilles, je le suivais de loin, m'arrêtant au détour des bosquets pour n'être point vu.

Et voilà qu'un matin, comme il se croyait bien seul, il se mit à faire des mouvements singuliers :

quelques petits bonds d'abord, puis une révérence ; puis il battit, de sa jambe grêle, un entrechat encore alerte, puis il commença à pivoter galamment, sautillant, se trémoussant d'une façon drôle, souriant comme devant un public, faisant des grâces, arrondissant les bras, tortillant son pauvre corps de marionnette, adressant dans le vide de légers saluts attendrissants et ridicules. Il dansait !

Je demeurais pétrifié d'étonnement, me demandant lequel des deux était fou, lui ou moi.

Mais il s'arrêta soudain, s'avança comme font les acteurs sur la scène, puis s'inclina en reculant avec des sourires gracieux et des baisers de comédienne qu'il jetait de sa main tremblante aux deux rangées d'arbres taillés.

Et il reprit avec gravité sa promenade.

A partir de ce jour, je ne le perdis plus de vue ; et chaque matin, il recommençait son exercice invraisemblable.

Une envie folle me prit de lui parler. Je me risquai et l'ayant salué, je lui dis :

— Il fait bien bon aujourd'hui, monsieur.

Il s'inclina.

— Oui, monsieur, c'est un vrai temps de jadis.

Huit jours après, nous étions amis et je connus son histoire. Il avait été maître de danse à l'Opéra, du temps du roi Louis XV. Sa belle canne était un cadeau du comte de Clermont. Et quand on lui parlait de danse, il ne s'arrêtait plus de bavarder.

Or, voilà qu'un jour il me confia :

— J'ai épousé la Castris, monsieur. Je vous présenterai, si vous voulez, mais elle ne vient ici que sur le tantôt. Ce jardin, voyez-vous, c'est notre plaisir et notre vie. C'est tout ce qui nous reste d'autrefois, il nous semble que nous ne pourrions plus exister si nous ne l'avions point. Cela est vieux et distingué, n'est-ce pas ? Je crois y respirer un air qui n'a point changé depuis ma jeunesse. Ma femme et moi, nous y passons toutes nos après-midi. Mais moi, j'y viens dès le matin, car je me lève de bonne heure.

Dès que j'eus fini de déjeuner, je retournai au Luxembourg et bientôt j'aperçus mon ami qui donnait le bras avec cérémonie à une toute vieille petite femme vêtue de noir et à qui je fus présenté. C'était la Castris, la grande danseuse aimée des princes, aimée du roi, aimée de tout ce siècle galant qui semble avoir laissé dans le monde une odeur d'amour.

Nous nous assîmes sur un banc. C'était au mois de mai. Un parfum de fleurs voltigeait dans les allées proprettes ; un bon soleil glissait entre les feuilles et semait sur nous de larges gouttes de lumière. La robe noire de la Castris semblait toute mouillée de clarté.

Le jardin était vide. On entendait au loin rouler des fiacres.

— Expliquez-moi donc, dis-je au vieux danseur, ce que c'était que le menuet ?

Il tressaillit.

— Le menuet, monsieur, c'est la reine des danses, et la danse des Reines, entendez-vous ? Depuis qu'il n'y a plus de Rois, il n'y a plus de menuet.

Et il commença, en style pompeux, un long éloge

dithyrambique auquel je ne compris rien. Je voulus me faire décrire les pas, tous les mouvements, les poses. Il s'embrouillait, s'exaspérant de son impuissance, nerveux et désolé.

Et soudain, se tournant vers son antique compagne, toujours silencieuse et grave :

— Elise, veux-tu, dis, veux-tu, tu seras bien gentille, veux-tu que nous montrions à monsieur ce que c'était ?

Elle tourna ses yeux inquiets de tous les côtés, puis se leva sans dire un mot et vint se placer en face de lui.

Alors je vis une chose inoubliable.

Ils allaient et venaient avec des simagrées enfantines, se souriaient, se balançaient, s'inclinaient, sautillaient pareils à deux vieilles poupées qu'aurait fait danser une mécanique ancienne, un peu brisée, construite jadis par un ouvrier fort habile, suivant la manière de son temps.

Et je les regardais, le cœur troublé de sensations extraordinaires, l'âme émue d'une indicible mélancolie. Il me semblait voir une apparition lamentable et comique, l'ombre démodée d'un siècle. J'avais envie de rire et besoin de pleurer.

Tout à coup ils s'arrêtèrent, ils avaient terminé les figures de la danse. Pendant quelques secondes ils restèrent debout l'un devant l'autre, grimaçant d'une façon surprenante ; puis ils s'embrassèrent en sanglotant.

Je partais, trois jours après, pour la province. Je ne les ai point revus. Quand je revins à Paris, deux ans plus tard, on avait détruit la pépinière. Que sont-ils devenus sans le cher jardin d'autrefois, avec ses allées en labyrinthe, son odeur du passé et les détours gracieux des charmilles ?

Sont-ils morts ? Errent-ils par les rues modernes comme des exilés sans espoir ? Dansent-ils, spectres falots, un menuet fantastique entre les cyprès d'un cimetière, le long des sentiers bordés de tombes, au clair de lune ?

Leur souvenir me hante, m'obsède, me torture, demeure en moi comme une blessure. Pourquoi ? Je n'en sais rien.

Vous trouverez cela ridicule, sans doute ?

LE LOUP

Voici ce que nous raconta le vieux marquis d'Arville à la fin du dîner de Saint-Hubert, chez le baron des Ravels.

On avait forcé un cerf dans le jour. Le marquis était le seul des convives qui n'eût point pris part à cette poursuite, car il ne chassait jamais.

Pendant toute la durée du grand repas, on n'avait guère parlé que des massacres d'animaux. Les femmes elles-mêmes s'intéressaient aux récits sanguinaires et souvent invraisemblables, et les orateurs mimaient les attaques et les combats d'hommes contre les bêtes, levaient les bras, contaient d'une voix tonnante.

M. d'Arville parlait bien, avec une certaine poésie un peu ronflante, mais pleine d'effet. Il avait dû répéter souvent cette histoire, car il la répétait couramment, n'hésitant pas sur les mots choisis avec habileté pour faire image.

— Messieurs, je n'ai jamais chassé, mon père non plus, mon grand-père non plus, et non plus mon arrière-grand-père. Ce dernier était fils d'un homme qui chassa plus que vous tous. Il mourut en 1764. Je vous dirai comment.

Il se nommait Jean, était marié, père de cet enfant

qui fut mon trisaïeul, et il habitait avec son frère cadet, François d'Arville, notre château de Lorraine, en pleine forêt.

François d'Arville était resté garçon par amour de la chasse.

Ils chassaient tous deux d'un bout à l'autre de l'année, sans repos, sans arrêt, sans lassitude. Ils n'aimaient que cela, ne comprenaient pas autre chose, ne parlaient que de cela, ne vivaient que pour cela.

Ils avaient au cœur cette passion terrible, inexorable.

Elle les brûlait, les ayant envahis tout entiers, ne laissant de place pour rien autre.

Ils avaient défendu qu'on les dérangeât jamais en chasse, pour aucune raison. Mon trisaïeul naquit pendant que son père suivait un renard, et Jean d'Arville n'interrompit point sa course, mais il jura : « Nom d'un nom, ce gredin-là aurait bien pu attendre après l'hallali ! »

Son frère François se montrait encore plus emporté que lui. Dès le lever, il allait voir les chiens, puis les chevaux, puis il tirait des oiseaux autour du château jusqu'au moment de partir pour forcer quelque grosse bête.

On les appelait dans le pays M. le Marquis et M. le Cadet, les nobles d'alors ne faisaient point, comme la noblesse d'occasion de notre temps, qui veut établir dans les titres une hiérarchie descendante ; car le fils d'un marquis n'est pas plus comte, ni le fils d'un vicomte baron, que le fils d'un général n'est colonel de naissance. Mais la vanité mesquine du jour trouve profit de cet arrangement.

Je reviens à mes ancêtres.

Ils étaient, paraît-il, démesurément grands, osseux,

poilus, violents et vigoureux. Le jeune, plus haut encore que l'aîné, avait une voix tellement forte que, suivant une légende dont il était fier, toutes les feuilles de la forêt s'agitaient quand il criait.

Et lorsqu'ils se mettaient en selle tous deux pour partir en chasse, ce devait être un spectacle superbe de voir ces deux géants enfourcher leurs grands chevaux.

Or, vers le milieu de l'hiver de cette année 1764, les froids furent excessifs et les loups devinrent féroces.

Ils attaquaient même les paysans attardés, rôdaient la nuit autour des maisons, hurlaient du coucher du soleil à son lever et dépeuplaient les étables.

Et bientôt une rumeur circula. On parlait d'un loup colossal, au pelage gris, presque blanc, qui avait mangé deux enfants, dévoré le bras d'une femme, étranglé tous les chiens de garde du pays et qui pénétrait sans peur dans les enclos pour venir flairer sous les portes. Tous les habitants affirmaient avoir senti son souffle qui faisait vaciller la flamme des lumières. Et bientôt une panique courut par toute la province. Personne n'osait plus sortir dès que tombait le soir. Les ténèbres semblaient hantées par l'image de cette bête...

Les frères d'Arville résolurent de la trouver et de la tuer, et ils convièrent à de grandes chasses tous les gentilshommes du pays.

Ce fut en vain. On avait beau battre les forêts, fouiller les buissons, on ne le rencontrait jamais. On tuait des loups, mais pas celui-là. Et chaque nuit qui suivait la battue, l'animal, comme pour se venger, attaquait quelque bétail, toujours loin du lieu où on l'avait cherché.

Une nuit enfin, il pénétra dans l'étable aux porcs du château d'Arville et mangea les deux plus beaux élèves.

Les deux frères furent enflammés de colère, considérant cette attaque comme une bravade du monstre, une injure directe, un défi. Ils prirent tous leurs forts limiers habitués à poursuivre les bêtes redoutables, et ils se mirent en chasse, le cœur soulevé de fureur.

Depuis l'aurore jusqu'à l'heure où le soleil empourpré descendit derrière les grands arbres nus, ils battirent les fourrés sans rien trouver.

Tous deux enfin, furieux et désolés, revenaient au pas de leurs chevaux par une allée bordée de broussailles, et s'étonnaient de leur science déjouée par ce loup, saisis soudain d'une sorte de crainte mystérieuse.

L'aîné disait :

— Cette bête-là n'est point ordinaire. On dirait qu'elle pense comme un homme.

Le cadet répondit :

— On devrait peut-être faire bénir une balle par notre cousin l'évêque, ou prier quelque prêtre de prononcer les paroles qu'il faut.

Puis ils se turent.

Jean reprit :

— Regarde le soleil s'il est rouge. Le grand loup va faire quelque malheur cette nuit.

Il n'avait point fini de parler que son cheval se cabra ; celui de François se mit à ruer. Un large buisson couvert de feuilles mortes s'ouvrit devant eux, et une bête colossale, toute grise, surgit, qui détala à travers le bois.

Tous deux poussèrent une sorte de grognement de

joie et, se courbant sur l'encolure de leurs pesants chevaux, ils les jetèrent en avant d'une poussée de tout leur corps, les lançant d'une telle allure, les excitant, les affolant de la voix, du geste et de l'éperon, que les forts cavaliers semblaient porter les lourdes bêtes entre leurs cuisses et les enlever comme s'ils s'envolaient.

Ils allaient ainsi, ventre à terre, crevant les fourrés, coupant les ravins, grimpant les côtes, dévalant les gorges, et sonnant du cor à pleins poumons pour attirer leurs gens et leurs chiens.

Et voilà que soudain, dans cette course éperdue, mon aïeul heurta du front une branche énorme qui lui fendit le crâne ; et il tomba raide mort sur le sol, tandis que son cheval affolé s'emportait, disparaissait dans l'ombre enveloppant les bois.

Le cadet d'Arville s'arrêta net, sauta par terre, saisit dans ses bras son frère, et il vit que la cervelle coulait de la plaie avec le sang.

Alors il s'assit auprès du corps, posa sur ses genoux la tête défigurée et rouge, et il attendit en contemplant cette face immobile de l'aîné. Peu à peu une peur l'envahissait, une peur singulière qu'il n'avait jamais sentie encore, la peur de l'ombre, la peur de la solitude, la peur du bois désert et la peur aussi du loup fantastique qui venait de tuer son frère pour se venger d'eux.

Les ténèbres s'épaississaient, le froid aigu faisait craquer les arbres. François se leva, frissonnant, incapable de rester là plus longtemps, se sentant presque défaillir. On n'entendait plus rien, ni la voix des chiens ni le son des cors, tout était muet par l'invisible horizon ; et ce silence morne du soir glacé avait quelque chose d'effrayant et d'étrange.

Il saisit dans ses mains de colosse le grand corps de Jean, le dressa et le coucha sur la selle pour le reporter au château ; puis il se remit en marche doucement, l'esprit troublé comme s'il était gris, poursuivi par des images horribles et surprenantes.

Et brusquement, dans le sentier qu'envahissait la nuit, une grande forme passa. C'était la bête. Une secousse d'épouvante agita le chasseur ; quelque chose de froid, comme une goutte d'eau, lui glissa le long des reins, et il fit, ainsi qu'un moine hanté du diable, un grand signe de croix, éperdu à ce retour brusque de l'effrayant rôdeur. Mais ses yeux retombèrent sur le corps inerte couché devant lui et soudain, passant brusquement de la crainte à la colère, il frémit d'une rage désordonnée.

Alors il piqua son cheval et s'élança derrière le loup.

Il le suivait par les taillis, les ravines et les futaies, traversant des bois qu'il ne connaissait pas, l'œil fixé sur la tache blanche qui fuyait dans la nuit descendue sur la terre.

Son cheval aussi semblait animé d'une force et d'une ardeur inconnues. Il galopait le cou tendu, droit devant lui, heurtant aux arbres, aux rochers, la tête et les pieds du mort jeté en travers sur la selle. Les ronces arrachaient les cheveux ; le front, battant les troncs énormes, les éclaboussait de sang ; les éperons déchiraient des lambeaux d'écorce.

Et soudain l'animal et le cavalier sortirent de la forêt et se ruèrent dans un vallon, comme la lune apparaissait au-dessus des monts. Ce vallon était pierreux, fermé par des rochers énormes, sans issue possible ; et le loup acculé se retourna.

François alors poussa un hurlement de joie que

les échos répétèrent comme un roulement de tonnerre, et il sauta de cheval, son coutelas à la main.

La bête hérissée, le dos rond, l'attendait ; ses yeux luisaient comme deux étoiles. Mais avant de livrer bataille, le fort chasseur, empoignant son frère, l'assit sur une roche et, soutenant avec des pierres sa tête qui n'était plus qu'une tache de sang, il lui cria dans les oreilles comme s'il eût parlé à un sourd : « Regarde, Jean, regarde ça ! »

Puis il se jeta sur le monstre. Il se sentait fort à culbuter une montagne, à broyer des pierres dans ses mains. La bête le voulut mordre, cherchant à lui fouiller le ventre, mais il l'avait saisie par le cou, sans même se servir de son arme, et il l'étranglait doucement, écoutant s'arrêter les souffles de sa gorge et les battements de son cœur. Et il riait, jouissant éperdument, serrant de plus en plus sa formidable étreinte, criant, dans un délire de joie : « Regarde, Jean, regarde ! » Toute résistance cessa ; le corps du loup devint flasque. Il était mort.

Alors François, le prenant à pleins bras, l'emporta et vint le jeter aux pieds de l'aîné en répétant d'une voix attendrie : « Tiens, tiens, tiens, mon petit Jean, le voilà ! »

Puis il replaça sur la selle les deux cadavres l'un sur l'autre, et il se remit en route.

Il rentra au château, riant et pleurant comme Gargantua à la naissance de Pantagruel, poussant des cris de triomphe et trépignant d'allégresse en racontant la mort de l'animal, et gémissant et s'arrachant la barbe en disant celle de son frère.

Et souvent, plus tard, quand il reparlait de ce jour, il prononçait, les larmes aux yeux : « Si seulement ce pauvre Jean avait pu me voir étrangler l'autre, il serait mort content, j'en suis sûr ! »

La veuve de mon aïeul inspira à son fils orphelin l'horreur de la chasse, qui s'est transmise de père en fils jusqu'à moi.

Le marquis d'Arville se tut. Quelqu'un demanda :

— Cette histoire est une légende, n'est-ce pas ?

Et le conteur répondit :

— Je vous jure qu'elle est vraie d'un bout à l'autre.

Alors une femme déclara d'une petite voix douce :

— C'est égal, c'est beau d'avoir des passions pareilles.

LE PROTECTEUR

Il n'aurait jamais rêvé d'une fortune si haute ! Fils d'un huissier de province, Jean Marin était venu, comme tant d'autres, faire son droit au quartier Latin. Dans les différentes brasseries qu'il avait successivement fréquentées, il était devenu l'ami de plusieurs étudiants bavards qui crachaient de la politique en buvant des bocks. Il s'éprit d'admiration pour eux et les suivit avec obstination de café en café, payant même leurs consommations quand il avait de l'argent.

Puis il se fit avocat et plaida des causes qu'il perdit. Or voilà qu'un matin, il apprit dans les feuilles qu'un de ses anciens camarades du Quartier venait d'être nommé député.

Il fut de nouveau son chien fidèle, l'ami qui fait les corvées, les démarches, qu'on envoie chercher quand on a besoin de lui et avec qui on ne se gêne point. Mais il arriva par aventure parlementaire que le député devint ministre ; six mois après, Jean Marin était nommé conseiller d'Etat.

Il eut d'abord une crise d'orgueil à en perdre la tête. Il allait dans les rues pour le plaisir de se montrer comme si on eût pu deviner sa position rien qu'à le voir. Il trouvait moyen de dire aux marchands chez qui il entrait, de dire aux vendeurs de journaux, même aux cochers de fiacre, à propos des choses les plus insignifiantes :

— Moi qui suis conseiller d'Etat...

Puis il éprouva, naturellement, comme par suite de sa dignité, par nécessité professionnelle, par devoir d'homme puissant et généreux, un impérieux besoin de protéger. Il offrait son appui à tout le monde, en toute occasion, avec une inépuisable générosité.

Quand il rencontrait sur les boulevard une figure de connaissance, il s'avançait d'un air ravi, prenait les mains, s'informait de la santé puis, sans attendre les questions, déclarait :

— Vous savez, moi, je suis conseiller d'Etat et tout à votre service. Si je puis vous être utile à quelque chose, usez de moi sans vous gêner. Dans ma position, on a le bras long.

Et alors il entrait dans les cafés avec l'ami rencontré pour demander une plume, de l'encre et une feuille de papier à lettres — « une seule, garçon, c'est pour écrire une lettre de recommandation ».

Et il écrivait des lettres de recommandation, dix, vingt, cinquante par jour. Il en écrivait au café Américain, chez Bignon, chez Tortoni, à la Maison-Dorée, au café Riche, au Helder, au café Anglais, au Napolitain, partout, partout. Il en écrivait à tous les fonctionnaires de la République, depuis les juges de paix jusqu'aux ministres. Et il était heureux, tout à fait heureux.

LE PROTECTEUR

Un matin, comme il sortait de chez lui pour se rendre au conseil d'Etat, la pluie se mit à tomber. Il hésita à prendre un fiacre, mais il n'en prit pas et s'en fut à pied, par les rues.

L'averse devenait terrible, noyait les trottoirs, inondait la chaussée. M. Marin fut contraint de se réfugier sous une porte. Un vieux prêtre était déjà là, un vieux prêtre à cheveux blancs. Avant d'être conseiller d'Etat, M. Marin n'aimait point le clergé. Maintenant il le traitait avec considération depuis qu'un cardinal l'avait consulté poliment sur une affaire difficile. La pluie tombait en inondation, forçant les deux hommes à fuir jusqu'à la loge du concierge pour éviter les éclaboussures. M. Marin, qui éprouvait toujours la démangeaison de parler pour se faire valoir, déclara :

— Voici un bien vilain temps, monsieur l'abbé.

Le vieux prêtre s'inclina :

— Oh ! oui, monsieur, c'est bien désagréable lorsqu'on ne vient à Paris que pour quelques jours.

— Ah ! vous êtes de province ?

— Oui, monsieur, je ne suis ici qu'en passant.

— En effet, c'est très désagréable d'avoir la pluie pour quelques jours passés dans la capitale. Nous autres fonctionnaires, qui restons ici toute l'année, nous n'y songeons guère.

L'abbé ne répondait pas. Il regardait la rue où l'averse tombait moins pressée. Et soudain, prenant une résolution, il releva sa soutane comme les femmes relèvent leurs robes pour passer les ruisseaux.

M. Marin, le voyant partir, s'écria :

— Vous allez vous faire tremper, monsieur l'abbé ! Attendez encore quelques instants, ça va cesser.

Le bonhomme, indécis, s'arrêta ; puis il reprit :

— C'est que je suis très pressé. J'ai un rendez-vous urgent.

M. Marin semblait désolé.

— Mais vous allez être positivement traversé. Peut-on vous demander dans quel quartier vous allez ?

Le curé paraissait hésiter, puis il prononça :

— Je vais du côté du Palais-Royal.

— Dans ce cas, si vous le permettez, monsieur l'abbé, je vais vous offrir l'abri de mon parapluie. Moi, je vais au conseil d'Etat. Je suis conseiller d'Etat.

Le vieux prêtre leva le nez et regarda son voisin, puis déclara :

— Je vous remercie beaucoup, monsieur, j'accepte avec plaisir.

Alors M. Marin prit son bras et l'entraîna. Il le dirigeait, le surveillait, le conseillait :

— Prenez garde à ce ruisseau, monsieur l'abbé. Surtout méfiez-vous des roues des voitures ; elles vous éclaboussent quelquefois des pieds à la tête. Faites attention aux parapluies des gens qui passent. Il n'y a rien de plus dangereux pour les yeux que le bout des baleines. Les femmes surtout sont insupportables ; elles ne font attention à rien et vous plantent toujours en pleine figure les pointes de leurs ombrelles ou de leurs parapluies. Et jamais elles ne se dérangent pour personne. On dirait que la ville leur appartient. Elles règnent sur le trottoir et dans la rue. Je trouve, quant à moi, que leur éducation a été fort négligée.

Et M. Marin se mit à rire.

Le curé ne répondait pas. Il allait, un peu voûté, choisissant avec soin les places où il posait le pied pour ne crotter ni sa chaussure, ni sa soutane.

M. Marin reprit :

— C'est pour vous distraire un peu que vous venez à Paris, sans doute.

Le bonhomme répondit :

— Non, j'ai une affaire.

— Ah ! Est-ce une affaire importante ? Oserais-je vous demander de quoi il s'agit ? Si je puis vous être utile, je me mets à votre disposition.

Le curé paraissait embarrassé. Il murmura :

— Oh ! c'est une petite affaire personnelle. Une petite difficulté avec... avec mon évêque. Cela ne vous intéresserait pas. C'est une... une affaire d'ordre intérieur... de... de... matière ecclésiastique.

M. Marin s'empressa :

— Mais c'est justement le conseil d'Etat qui règle ces choses-là. Dans ce cas, usez de moi.

— Oui, monsieur, c'est aussi au conseil d'Etat que je vais. Vous êtes mille fois trop bon. J'ai à voir M. Lerepère et M. Savon, et aussi peut-être M. Petitpas.

M. Marin s'arrêta net.

— Mais ce sont mes amis, monsieur l'abbé, mes meilleurs amis, d'excellents collègues, des gens charmants. Je vais vous recommander à tous les trois, et chaudement. Comptez sur moi.

Le curé remercia, se confondit en excuses, balbutia mille actions de grâces.

M. Marin était ravi.

— Ah ! vous pouvez vous vanter d'avoir une fière chance, monsieur l'abbé. Vous allez voir, vous allez voir que, grâce à moi, votre affaire ira comme sur des roulettes.

Ils arrivaient au conseil d'Etat. M. Marin fit monter le prêtre dans son cabinet, lui offrit un siège, l'installa devant le feu, puis prit place lui-même devant la table et se mit à écrire :

« Mon cher collègue, permettez-moi de vous recommander de la façon la plus chaude un vénérable ecclésiastique des plus dignes et des plus méritants, M. l'abbé... »

Il s'interrompit et demanda :

— Votre nom, s'il vous plaît ?

— L'abbé Ceinture.

M. Marin se remit à écrire :

« M. l'abbé Ceinture qui a besoin de vos bons offices pour une petite affaire dont il vous parlera.

« Je suis heureux de cette circonstance, qui me permet, mon cher collègue... »

Et il termina par les compliments d'usage.

Quand il eut écrit les trois lettres, il les remit à son protégé qui s'en alla après un nombre infini de protestations.

M. Marin accomplit sa besogne, rentra chez lui, passa la journée tranquillement, dormit en paix, se réveilla enchanté et se fit apporter les journaux.

Le premier qu'il ouvrit était une feuille radicale. Il lut :

« Notre clergé et nos fonctionnaires.

« Nous n'en finirons pas d'enregistrer les méfaits du clergé. Un certain prêtre nommé Ceinture, convaincu d'avoir conspiré contre le gouvernement existant, accusé d'actes indignes que nous n'indiquerons même pas, soupçonné en outre d'être un ancien jésuite métamorphosé en simple prêtre, cassé par un évêque pour des motifs qu'on affirme inavouables, et appelé à Paris pour fournir des explications sur sa conduite, a trouvé un ardent défenseur dans le nommé Marin, conseiller d'Etat, qui n'a pas craint de donner à ce malfaiteur en soutane les lettres de recommandation les plus pressantes pour tous les fonctionnaires républicains ses collègues.

« Nous signalons l'attitude inqualifiable de ce conseiller d'Etat à l'attention du ministre... »

M. Marin se dressa d'un bond, s'habilla, courut chez son collègue Petitpas qui lui dit :

— Ah ça, vous êtes fou de me recommander ce vieux conspirateur !

Et M. Marin, éperdu, bégaya :

— Mais non... voyez-vous... j'ai été trompé... Il avait l'air si brave homme... il m'a joué.. il m'a indignement joué. Je vous en prie, faites-le condamner sévèrement, très sévèrement. Je vais écrire. Dites-moi à qui il faut écrire pour le faire condamner. Je vais trouver le procureur général et l'archevêque de Paris, oui, l'archevêque...

Et s'asseyant brusquement devant le bureau de M. Petitpas, il écrivit :

« Monseigneur, j'ai l'honneur de porter à la connaissance de Votre Grandeur que je viens d'être victime des intrigues et des mensonges d'un certain abbé Ceinture qui a surpris ma bonne foi.

« Trompé par les protestations de cet ecclésiastique, j'ai pu... »

. . . .

Puis, quand il eut signé et cacheté sa lettre, il se tourna et déclara :

— Voyez-vous, mon cher ami, que cela vous soit un enseignement : ne recommandez jamais personne.

UNE VENDETTA

La veuve de Paolo Saverini habitait seule avec son fils une petite maison pauvre sur les remparts de Bonifacio. La ville, bâtie sur une avancée de la montagne, suspendue même par places au-dessus de la mer, regarde, par-dessus le détroit hérissé d'écueils, la côte plus basse de la Sardaigne. A ses pieds, de l'autre côté, la contournant presque entièrement, une coupure de la falaise, qui ressemble à un gigantesque corridor, lui sert de port, amène jusqu'aux premières maisons, après un long circuit entre deux murailles abruptes, les petits bateaux pêcheurs italiens ou sardes, et, chaque quinzaine, le vieux vapeur poussif qui fait le service d'Ajaccio.

Sur la montagne blanche, le tas de maisons pose une tache plus blanche encore. Elles ont l'air de nids d'oiseaux sauvages, accrochées ainsi sur ce roc, dominant sur ce passage terrible où ne s'aventurent guère les navires. Le vent, sans repos, fatigue la côte nue, rongée par lui, à peine vêtue d'herbe ; il s'engouffre dans le détroit, dont il ravage les deux bords. Les traînées d'écume pâle, accrochées aux pointes noires des innombrables rocs qui percent partout les vagues, ont l'air de lambeaux de toile flottant et palpitant à la surface de l'eau.

UNE VENDETTA

La maison de la veuve Saverini, soudée au bord même de la falaise, ouvrait ses trois fenêtres sur cet horizon sauvage et désolé.

Elle vivait là, seule, avec son fils Antoine et leur chienne « Sémillante », grande bête maigre aux poils longs et rudes, de la race des gardeurs de troupeaux. Elle servait au jeune homme pour chasser.

Un soir, après une dispute, Antoine Saverini fut tué traîtreusement d'un coup de couteau par Nicolas Ravolati qui, la nuit même, gagna la Sardaigne.

Quand la vieille mère reçut le corps de son enfant que des passants lui rapportèrent, elle ne pleura pas, mais elle demeura longtemps immobile à le regarder, puis, étendant sa main ridée sur le cadavre, elle lui promit la vendetta. Elle ne voulut point qu'on restât avec elle, et elle s'enferma auprès du corps avec la chienne qui hurlait. Elle hurlait, cette bête, d'une façon continue, debout au pied du lit, la tête tendue vers son maître, et la queue serrée entre les pattes. Elle ne bougeait pas plus que la mère qui, penchée maintenant sur le corps, l'œil fixe, pleurait de grosses larmes muettes en le contemplant.

Le jeune homme, sur le dos, vêtu de sa veste de gros drap, trouée et déchirée à la poitrine, semblait dormir ; mais il avait du sang partout : sur la chemise arrachée pour les premiers soins ; sur son gilet, sur sa culotte, sur la face, sur les mains. Des caillots de sang s'étaient figés dans la barbe et dans les cheveux.

La vieille mère se mit à lui parler. Au bruit de cette voix, la chienne se tut.

— Va, va, tu seras vengé, mon petit, mon garçon, mon pauvre enfant. Dors, dors, tu seras vengé, entends-tu ? C'est la mère qui le promet ! Et elle tient toujours sa parole, la mère, tu le sais bien.

Et lentement elle se pencha vers lui, collant ses lèvres froides sur les lèvres mortes.

Alors Sémillante se remit à gémir. Elle poussait une longue plainte monotone, déchirante, horrible.

Elles restèrent là toutes les deux, la femme et la bête, jusqu'au matin.

Antoine Saverini fut enterré le lendemain, et bientôt on ne parla plus de lui dans Bonifacio.

Il n'avait laissé ni frère, ni proches cousins. Aucun homme n'était là pour poursuivre la vendetta. Seule la mère y pensait, la vieille.

De l'autre côté du détroit, elle voyait du matin au soir un point blanc sur la côte. C'est un petit village sarde, Longosardo, où se réfugient les bandits corses traqués de trop près. Ils peuplent presque seuls ce hameau, en face des côtes de leur patrie, et ils attendent là le moment de revenir, de retourner au maquis. C'est dans ce village, elle le savait, que s'était réfugié Nicolas Ravolati.

Toute seule tout le long du jour, assise à sa fenêtre, elle regardait là-bas en songeant à la vengeance. Comment ferait-elle sans personne, infirme, si près de la mort ? Mais elle avait promis, elle avait juré sur le cadavre. Elle ne pouvait oublier, elle ne pouvait attendre. Que ferait-elle ? Elle ne dormait plus la nuit ; elle n'avait plus ni repos ni apaisement ; elle cherchait, obstinée. La chienne, à ses pieds, sommeillait, et parfois, levant la tête, hurlait au loin. Depuis que son maître n'était plus là, elle hurlait souvent ainsi, comme si elle l'eût appelé, comme si son âme de bête, inconsolable, eût aussi gardé le souvenir que rien n'efface.

Or une nuit, comme Sémillante se remettait à gémir, la mère, tout à coup, eut une idée, une idée de sauvage vindicatif et féroce. Elle la médita jusqu'au matin ; puis levée dès les approches du jour, elle se rendit à l'église. Elle pria, prosternée sur le pavé, abattue devant Dieu, le suppliant de l'aider, de la soutenir, de donner à son pauvre corps usé la force qu'il lui fallait pour venger le fils.

Puis elle rentra. Elle avait dans sa cour un ancien baril défoncé qui recueillait l'eau des gouttières ; elle le renversa, le vida, l'assujettit contre le sol avec des pieux et des pierres ; puis elle enchaîna Sémillante à cette niche, et elle rentra.

Elle marchait maintenant, sans repos, dans sa chambre, l'œil fixé toujours sur la côte de Sardaigne. Il était là-bas, l'assassin.

La chienne, tout le jour et toute la nuit hurla. La vieille, au matin, lui porta de l'eau dans une jatte ; mais rien de plus : pas de soupe, pas de pain.

La journée encore s'écoula. Sémillante, exténuée, dormait. Le lendemain, elle avait les yeux luisants, le poil hérissé, et elle tirait éperdument sur sa chaîne.

La vieille ne lui donna encore rien à manger. La bête ,devenue furieuse, aboyait d'une voix rauque. La nuit encore se passa.

Alors, au jour levé, la mère Saverini alla chez le voisin prier qu'on lui donnât deux bottes de paille. Elle prit de vieilles hardes qu'avait portées autrefois son mari et les bourra de fourrage pour simuler un corps humain.

Ayant piqué un bâton dans le sol, devant la niche de Sémillante, elle noua dessus ce mannequin, qui semblait ainsi se tenir debout. Puis elle figura la tête au moyen d'un paquet de vieux linge.

La chienne, surprise, regardait cet homme de paille et se taisait, bien que dévorée de faim.

Alors la vieille alla acheter chez le charcutier un long morceau de boudin noir. Rentrée chez elle, elle alluma un feu de bois dans sa cour, auprès de la niche, et fit griller son boudin. Sémillante, affolée, bondissait, écumait, les yeux fixés sur le gril dont le fumet lui entrait au ventre.

Puis la mère fit de cette bouillie fumante une cravate à l'homme de paille. Elle la lui ficela longtemps autour du cou, comme pour lui entrer dedans. Quand ce fut fini, elle déchaîna la chienne.

D'un saut formidable, la bête atteignit la gorge du mannequin et, les pattes sur les épaules, se mit à la déchirer. Elle retombait, un morceau de sa proie à la gueule, puis s'élançait de nouveau, enfonçait ses crocs dans les cordes, arrachait quelques parcelles de nourriture, retombait encore, et rebondissait, acharnée. Elle enlevait le visage par grands coups de dents, mettait en lambeaux le col entier.

La vieille, immobile et muette, regardait, l'œil allumé. Puis elle renchaîna sa bête, la fit encore jeûner deux jours, et recommença cet étrange exercice.

Pendant trois mois, elle l'habitua à cette sorte de lutte, à ce repas conquis à coups de crocs. Elle ne l'enchaînait plus maintenant, mais elle la lançait d'un geste sur le mannequin.

Elle lui avait appris à le déchirer, à le dévorer, sans même qu'aucune nourriture fût cachée en sa gorge. Elle lui donnait ensuite, comme récompense, le boudin grillé pour elle.

Dès qu'elle apercevait l'homme, Sémillante frémissait, puis tournait les yeux vers sa maîtresse, qui lui criait : « Va ! » d'une voix sifflante, en levant le doigt.

Quand elle jugea le temps venu, la mère Saverini alla se confesser et communia un dimanche matin, avec une ferveur extatique ; puis ayant revêtu des habits de mâle, semblable à un vieux pauvre déguenillé, elle fit marché avec un pêcheur sarde qui la conduisit, accompagnée de sa chienne, de l'autre côté du détroit.

Elle avait, dans un sac de toile, un grand morceau de boudin. Sémillante jeûnait depuis deux jours. La vieille femme, à tout moment, lui faisait sentir la nourriture odorante, et l'excitait.

Elles entrèrent dans Longosardo. La Corse allait en boitillant. Elle se présenta chez un boulanger et demanda la demeure de Nicolas Ravolati. Il avait repris son ancien métier, celui de menuisier. Il travaillait seul au fond de sa boutique.

La vieille poussa la porte et l'appela :

— Hé ! Nicolas !

Il se tourna ; alors, lâchant sa chienne, elle cria :

— Va, va, dévore, dévore !

L'animal, affolé, s'élança, saisit la gorge. L'homme étendit les bras, l'étreignit, roula par terre. Pendant quelques secondes, il se tordit, battant le sol de ses pieds ; puis il demeura immobile, pendant que Sémillante lui fouillait le cou, qu'elle arrachait par lambeaux. Deux voisins, assis sur leur porte, se rappelèrent parfaitement avoir vu sortir un vieux pauvre avec un chien noir efflanqué qui mangeait, tout en marchant, quelque chose de brun que lui donnait son maître.

La vieille, le soir, était rentrée chez elle. Elle dormit bien, cette nuit-là.

TABLE DES MATIÈRES

TABLE DES MATIÈRES

«Bibliothèque Albin Michel»
au format de poche :

1. Jacques Chardonne *L'Épithalame*
2. Thomas Mann *Les Têtes interverties*
3. Henri Béraud *Le Vitriol de lune*
4. Guy de Maupassant *Contes choisis*
5. Octave Mirbeau *L'Abbé Jules*
6. Benjamin Péret *Anthologie de l'Amour sublime*
7. Rainer Maria Rilke *Correspondance avec Marie de la Tour et Taxis*
8. Henry James *Confiance*
9. John Fowles *La Tour d'ébène*
10. Irène Némirovsky *Les Chiens et les Loups*
11. Vasco Pratolini *Chronique des pauvres amants*
12. Friedrich Dürrenmatt *Grec cherche Grecque*
13. Roger Vercel *Capitaine Conan*
14. Tove Jansson *Le Livre d'un été*
15. Yasunari Kawabata *Tristesse et beauté*
16. Erskine Caldwell *Miss Mamma Aimée*
17. Irène Némirovsky *Le Vin de solitude*
18. Friedrich Dürrenmatt *La Ville*
19. Benjamin Péret *Anthologie des mythes, légendes et contes d'Amérique*
20. Thomas Mann *Déception et autres nouvelles* suivi de *Fiorenza*
21. Thomas Hardy *Jude l'Obscur*
22. Slawomir Mrozek *Tango*
23. Primo Levi *Le Système périodique*
24. Roland Dorgelès *Bouquet de Bohème*
25. Friedrich Dürrenmatt *La Promesse*
26. Marcel Brion *Contes fantastiques*
27. Machado de Assis *Dom Casmurro*
28. Francis Carco *L'Équipe*
29. Rumer Godden *Le Fleuve*

30. Adrienne Monnier — *Rue de l'Odéon*
31. Joë Bousquet — *Le Meneur de lune*
32. Adolf Rudnicki — *Têtes polonaises*
33. Marcel Schneider — *Les Deux Miroirs*
34. Sinclair Lewis — *Le Lac qui rêve*
35. Jean Lorrain — *Maison pour dames*
36. Nikos Athanassiadis — *Une jeune fille nue*
37. Maxence Van der Meersch — *Quand les sirènes se taisent*
38. Andrei Platonov — *La Mer de Jouvence*
39. Alphonse Allais — *Comment on fait les bonnes maisons*
40. Cholem Aleichem — *Tèvié le laitier (Un violon sur le toit)*
41. Pierre Louÿs — *Psyché*
42. Thomas Mann — *L'Élu*
43. Henrik Pontoppidan — *Le Visiteur royal*
44. Honoré de Balzac — *Théorie de la démarche et autres textes*
45. Léon Blum — *Du mariage*
46. Marcel Arland — *Lettre de France*
47. Maxime Gorki — *Les Vagabonds*
48. Colette — *L'Ingénue Libertine*
49. Thomas Mann — *Les Confessions du chevalier d'industrie Félix Krull*
50. Leo Perutz — *Le Marquis de Bolibar*
51. Robert-Louis Stevenson — *Le Reflux*
52. Henri Barbusse — *L'Enfer*
53. Nadine Gordimer — *Ceux de July*
54. Anonyme — *Le Roman de Renart*

La reproduction photomécanique,
l'impression et le brochage de cet ouvrage
ont été réalisés
par l'imprimerie Pollina à Luçon
pour les Éditions Albin Michel

N° d'édition : 12274 - N° d'impression : 14543
Dépôt légal : février 1992

IMPRIMÉ EN FRANCE